Tous Continents

Le Roman de Sara

De la même auteure chez Québec Amérique

Pour adultes

Sauve-moi comme tu m'aimes, roman (comprend des pièces musicales sur cédérom), Montréal, Québec Amérique, coll. Tous Continents, 2005.
  • PRIX DES ABONNÉS DU RÉSEAU DES BIBLIOTHÈQUES DE QUÉBEC

Pour adolescents

SÉRIE SARA
  Titre marquant des 25 dernières années choisi par le personnel de la Bibliothèque centrale de Montréal.
La Lumière blanche, Montréal, Québec Amérique Jeunesse, coll. Titan, 1993.
  • PRIX LIVROMANIE, COUP DE CŒUR AU SONDAGE DE COMMUNICATION-JEUNESSE
La Deuxième Vie, Montréal, Québec Amérique Jeunesse, coll. Titan, 1994.
  • PRIX LIVROMANIE
La Chambre d'Éden, tome 1, Montréal, Québec Amérique Jeunesse, coll. Titan, 1998.
  • PRIX LIVROMANIE
  • PRIX DU LIVRE M. CHRISTIE, SCEAU D'ARGENT
La Chambre d'Éden, tome 2, Montréal, Québec Amérique Jeunesse, coll. Titan, 1998.
  • PRIX LIVROMANIE
  • PRIX DU LIVRE M. CHRISTIE, SCEAU D'ARGENT

SÉRIE MANDOLINE
La Chute du corbeau, Montréal, Québec Amérique Jeunesse, coll. Titan+, 2003.
  • PRIX DU SALON INTERNATIONAL DU LIVRE DE QUÉBEC, CATÉGORIE JEUNESSE.
  • PRIX DU LIVRE M. CHRISTIE, SCEAU D'ARGENT
  • DEUXIÈME POSITION AU PALMARÈS COMMUNICATION-JEUNESSE
    DES LIVRES PRÉFÉRÉS DES 12-17 ANS 2004-2005
L'Empreinte de la corneille, Montréal, Québec Amérique Jeunesse, coll. Titan+, 2004.

Pour enfants

Gaston-le-Grognon, Montréal, Québec Amérique Jeunesse, coll. Gulliver, 2001.
  • FINALISTE AU PRIX HACKMATACK
Lysista et le château/Miro et le château, Montréal, Québec Amérique Jeunesse, coll. Bilbo, 2002.
  • PRIX DU LIVRE M. CHRISTIE, SCEAU D'ARGENT

ANIQUE POITRAS

Le Roman de Sara

QUÉBEC AMÉRIQUE

Catalogage avant publication de Bibliothèque et Archives Canada

Poitras, Anique
Le Roman de Sara

ISBN-10 2-7644-0070-5
ISBN-13 978-2-7644-0070-8

I. Titre.
PS8581.O243R65   2000   C843'.54   C00-941455-X
PS9581.O243R65   2000
PQ3919.2.P64R65   2000

 Conseil des Arts   Canada Council
du Canada   for the Arts

Nous reconnaissons l'aide financière du gouvernement du Canada par l'entremise du Programme d'aide au développement de l'industrie de l'édition (PADIÉ) pour nos activités d'édition.

Gouvernement du Québec – Programme de crédit d'impôt pour l'édition de livres – Gestion SODEC.

Les Éditions Québec Amérique bénéficient du programme de subvention globale du Conseil des Arts du Canada. Elles tiennent également à remercier la SODEC pour son appui financier.

Québec Amérique
329, rue de la Commune Ouest, 3e étage
Montréal (Québec) Canada H2Y 2E1
Tél. : 514 499-3000, télécopieur : 514 499-3010

Dépôt légal : 3e trimestre 2000
Bibliothèque nationale du Québec
Bibliothèque nationale du Canada

Mise en pages : Andréa Joseph [PAGEXPRESS]
Révision linguistique : Diane Martin
Réimpression : janvier 2007

©2000 Éditions Québec Amérique inc.
www.quebec-amerique.com

Imprimé au Canada

P R É F A C E

L'effet « Sara »

L es aventures de Sara Lemieux ont déjà conquis plus de 50 000 lecteurs et lectrices. S'il s'agit là d'une réussite tout à fait remarquable, c'est peut-être avant tout le rare phénomène éditorial que cette œuvre représente qu'il me faut souligner à l'occasion de cette nouvelle édition..

Car si *La Lumière blanche*, *La Deuxième Vie* et *La Chambre d'Éden* d'Anique Poitras, d'abord publiés dans des collections destinées au public adolescent, n'ont cessé de récolter critiques élogieuses, mentions, distinctions et prix (dont récemment la Palme Livromanie de Communication-Jeunesse 1999-2000 dans la catégorie 12 ans et plus), si l'exploit, déjà, n'est pas banal, quand l'éditeur et l'auteure constatent que l'œuvre est également appréciée et lue par un public auquel elle n'était pas d'abord destinée, leur joie est bien plus grande que leur simple étonnement devant un succès somme toute mérité.

Québec Amérique a toujours tenté, par la diversité de sa production, de décloisonner les genres et surtout les lectorats trop souvent rigoureusement ciblés. Anique Poitras, par la générosité et l'ouverture tant de son écriture que de son imaginaire a réussi où bien d'autres, le souhaitant pourtant, se sont cassé l'ambition et le style.

Elle fut, je crois, la première étonnée, quand elle reçut des commentaires de lecteurs et de lectrices, de constater que son univers touchait, émouvait, ébranlait un public beaucoup plus large que celui auquel elle avait d'abord songé. Je me souviens d'ailleurs de sa surprise lorsque, l'ayant rencontrée dans les bureaux de Québec Amérique, je lui avais souligné l'excellent week-end que j'avais passé à la lecture de sa trilogie. Il n'y avait là ni basse flatterie ni maraudage, ce n'était que le lecteur qui disait son plaisir.

Il en est ainsi de certaines œuvres... et c'est heureux... Eh oui, quel adulte a aujourd'hui des scrupules à avouer qu'il prend plaisir à la lecture des *Voyages de Gulliver*, de *David Coperfield*, d'*Alice au pays des merveilles*, d'*Anne, la maison aux pignons verts*... ou plus récemment de *Harry Potter*?

Il en ira dorénavant de même du *Roman de Sara*. Qu'il s'agisse de cette jeune Sara qui, à treize ans, croit déjà au grand amour (*La Lumière blanche*), de celle qui, apprivoisant sa souffrance, voit s'ouvrir en elle une porte dont elle ne soupçonnait pas l'existence (*La Deuxième Vie*) ou de cette jeune adulte qui, à dix-huit ans, comédienne, cherche toujours « ce petit quelque chose qui n'a pas de nom », les aventures de Sara Lemieux constituent le grand récit d'une quête, d'une recherche identitaire qui transcende grandement époque, âge ou sexe, tant il est vrai que ce n'est qu'en tenant le pari du drame personnel le plus authentique qu'un auteur atteint la plus universelle des conditions.

Anique Poitras n'a pas sans raison touché le cœur et la raison de dizaines de milliers de lecteurs de tous âges. Une telle réussite ne s'explique pas simplement que par « une bonne histoire » à raconter. Il faut croire qu'il y a dans cette écriture, dans cet imaginaire, précisément « ce petit quelque chose qui n'a pas de nom ». Aussi seront-ils plusieurs, qui ont déjà lu l'itinéraire de Sara, à redécouvrir cet univers dans sa nouvelle version, et plus nombreux et nombreuses encore à en faire l'inoubliable rencontre.

Longue « deuxième vie » au *Roman de Sara*.

Normand de Bellefeuille
Éditeur

Du fond du cœur, merci à Anne-Marie Aubin, Gilles Beaudoin, Mireille Bertrand, Sylvie Binette, Rollande Boivin, Paul Chamberland, Martine Chartrand, Raymond Cloutier, Philippe Dancause, Normand de Bellefeuille, Daniela di Secco, Sylvain Dodier, Alain Drolet, Normand Forest, Dominique Frenette, Jean Frenette, France Galarneau, Sophie Gaudreau, Céline Gingras, Suzanne Girard, Sylvie Hacher, René Lapierre, Claude Legault, Evelyn Mailhot, Jocelyne Morrissette, Diane Parisien, Jacqueline Poitras-Marien alias Chérie Kikine, Sandrine Poitras, Peter Savard, Frédéric Scheid, Suzanne Séguin, Amy Sloan, Chantal Vaillancourt, sœur Jacqueline Villeneuve, aux fraternités Alcooliques Anonymes, Al-Anon et Al-Ateen, à l'équipe de Québec Amérique, l'équipe de ADP, au Conseil des Arts du Canada, à ma famille, mes amis, et aux milliers de lecteurs et de lectrices qui m'ont si chaleureusement témoigné leur enthousiasme.

À la mémoire de Diane, Serge et Marie-Paule

PREMIÈRE PARTIE

La Lumière blanche

« Nous sommes de l'étoffe dont sont faits les songes
et notre petite vie est entourée de sommeil. »

WILLIAM SHAKESPEARE, *La Tempête*

CHAPITRE 1

On se croirait en plein roman fantastique. Ma mère est au bord de la crise de nerfs. L'ambulance vient d'arriver.

Deux types, l'un gros, l'autre pas, s'amènent dans ma chambre avec une civière. Ils ont bel et bien l'intention de me clouer dessus. Le gros monsieur joufflu pose des questions. Maman répond que je suis née le 8 avril 195…

Le maigrichon hausse les sourcils :

— En tout cas, si elle a quarante ans, elle est bien conservée !

Blême comme un drap, ma mère échappe un petit rire nerveux suivi d'un hoquet, s'excuse et précise, toujours en hoquetant, qu'elle a donné sa propre date de naissance.

Ma mère reprend son souffle et ses esprits :

— Elle, comme vous dites, c'est ma fille ! Elle s'appelle Sara Lemieux. Elle est née le 4 octobre 197… Elle a effectivement treize ans et non trente-huit. À présent, dépêchez-vous donc de lui sauver la vie !

Les deux hommes s'exécutent. Willie, mon chat, ronronne à mes pieds, sous les couvertures. En l'apercevant, la face de saucisson recule vivement d'un pas. Il s'empresse de mentionner sa grande allergie à toute espèce de bibites à poil et ordonne qu'on chasse la bête.

Pas bête du tout, Willie s'en va de lui-même. Il est, quant à lui, allergique aux «airs bêtes» de cette espèce.

Décidément, maman persiste à croire les ambulanciers incompétents. Ils ont beau me déposer très très doucement sur la civière, elle leur crie de MANIPULER CE PAUVRE CORPS D'ENFANT avec plus de délicatesse :

— Vous voyez bien qu'elle est entre la vie et la mort ! Ce n'est pas une raison pour l'achever, imbéciles !

— Chère madame, de toute évidence, vous n'êtes pas ambulancière, mais il n'est pas trop tard pour vous recycler ! dit le gros monsieur joufflu.

Maman se tait. On dirait qu'elle va pleurer. Ça y est : elle pleure.

— Excusez-moi, madame. Je ne voulais pas vous blesser, dit l'ambulancier bedonnant d'une voix pleine de douceur, en lui pressant légèrement l'épaule.

— Ça n'a rien à voir avec vous… Je suis tellement inquiète pour Sara ! dit-elle entre deux soupirs.

Le maigrelet lui tend quelques mouchoirs, mais elle ne le voit pas et essuie ses larmes avec ses doigts. Pauvre maman ! Elle sanglote en murmurant «ma petite fille» et caresse mon front glacé et mes cheveux en broussaille comme elle le faisait pour m'endormir quand j'étais enfant.

Cet élan de chaleureuse tendresse maternelle me trouble un peu. Me plaît aussi. En général, ma mère est plutôt occupée à me dicter ma conduite. Et à me corriger : en long, en large et en rouge, souligné trois fois. Surtout depuis que papa ne vit plus à la maison.

Lentement mais sûrement, je me suis habituée à mes nouveaux surnoms : MON POUSSIN et GRIPETTE ! Dire qu'avant c'était MINOU CHÉRI ! Ah le Bon Jeune Temps !

Les deux hommes emportent mon corps inerte. Maman les a à l'œil. On dépose la civière dans l'ambulance. Maman prend place à bord et continue de me flatter comme si j'étais Willie. J'ai baptisé mon chat Willie en hommage à Shakespeare. J'ai deux idoles.

L'autre, c'est Pat Metheny, le plus grand musicien de jazz de notre époque. Selon moi du moins. Écouter l'un en lisant l'autre, WOW !

La sirène entame son célèbre chant. Contrairement à ce que croit ma mère, je ne suis pas du tout à l'agonie.

Voyez-vous, à l'heure où mes copines ne pensent qu'à flirter avec les gars de l'école, moi, je joue vraiment les JULIETTE. Enfin, pas tout à fait. Juliette est réellement morte pour Roméo tandis que moi, je... Disons que j'ai quitté temporairement mon enveloppe charnelle, communément appelée le corps. Pourquoi? Pour rejoindre mon Roméo. Mais à l'allure où vont les choses, notre belle histoire risque de se compliquer.

Je ne pouvais tout de même pas deviner que ma mère viendrait dans ma chambre en plein cœur de la nuit et me trouverait dans cet état!

C'est la faute de l'humidificateur! Maman l'avait placé à côté de mon lit. Il y a un soi-disant virus dans l'air et comme je toussais un peu... Enfin, ma très chère poule de mère a eu l'idée géniale de vérifier le niveau d'eau de l'engin. Pour couronner le tout, elle a eu la brillance d'esprit de toucher mon front. Inutile de préciser qu'il était plutôt frais, puisque je n'ai pas réintégré mon corps.

Actuellement, nous roulons en direction de l'hôpital Sainte-Justine, spécialisé dans la jeunesse malade. De toute évidence, je suis dans de beaux draps!

CHAPITRE 2

Et si je commençais par le commencement ? Tout ça débute un après-midi nuageux de mars.

Face à la baie vitrée de notre splendide salon, je pianote distraitement un concerto. J'aurais spontanément tendance à bouder Mozart et compagnie, mais mon père m'encourage tellement, pour ne pas dire qu'il m'oblige à persévérer :

— Sara, si tu savais quelle chance tu as de pouvoir accéder à cet univers de chefs-d'œuvre ! Si seulement mes parents avaient eu les moyens de me payer des cours !… Ah ! La très sublime et grandiose musique !

Bla bla bla !…

Les parents sont parfois bien achalants avec leurs rêves poussiéreux. Surtout quand ils s'acharnent à vouloir les refiler à leurs rejetons naïfs. Comme si les rêves étaient forcément héréditaires !

Ainsi, papa joue sur mes cordes sensibles, et moi, je joue Mozart pour amoindrir sa peine d'enfant non consolé. Bonne fille, va !

Bien entendu, ça ne m'empêche pas d'accorder plus d'attention à la scène qui a lieu dehors qu'à ma partition.

Les yeux rivés sur le camion de déménagement stationné dans l'entrée de nos voisins de droite, je rêve tout bas.

Depuis notre départ de la banlieue pour la ville, je ne suis pas très gâtée côté copines. Et Steph me manque. Elle était ma meilleure amie depuis la maternelle. On a beau avoir juré solennellement de ne jamais se perdre de vue, on se perd de plus en plus : de vue et du reste. On s'appelle moins souvent. On se parle moins longtemps. Et on ne se coupe plus jamais la parole parce qu'on a trop de choses à se dire en même temps.

Tout ça parce que madame ma mère ne supportait plus de gaspiller son précieux temps sur le pont Jacques-Cartier, entre huit heures trente et neuf heures dix, du lundi au vendredi.

À l'entendre, je n'ai pas à me plaindre ! Nous vivons dans une superbe vieille maison complètement rajeunie, dans un secteur magnifique et paisible, dans une très belle rue boisée mais, à mon avis, infestée de vieilles personnes.

Quel soulagement le jour où le cottage d'à côté s'est finalement vidé des vieux grincheux qui le hantaient depuis la nuit des temps !

Je caresse l'espoir d'avoir une fille de mon âge comme voisine. Et, qui sait, comme amie. Oh, elle ne remplacerait pas Stéphanie, mais elle pourrait être aussi extra !

Ça serait vraiment chouette, mais, surtout, ça ne serait pas un luxe. J'en avais vraiment ras le bol des Latourelle (ratoureux, radoteux, ratatinés) et de leur esprit tordu. Quand j'y repense : l'été, je ne pouvais même pas me promener tranquillement dans notre cour, en bikini, sans me faire traiter de petite cochonne par mémé Ratatouille ! Le cochon, c'était plutôt son vieux « snoreau », comme elle l'appelait. Toujours immanquablement affairé à son potager, à ces moments-là, il me dévisageait de la tête aux fesses : les yeux ronds comme des dollars, la bave au coin des lèvres, en grognant comme un pitou piteux.

Ils sont partis, bon débarras ! Quant à moi, je pourrai laisser pousser mes seins en paix, à l'abri des bêtises et des regards obliques.

Pour l'instant, je reste aux aguets. Les déménageurs transportent un énorme congélateur blanc. Mes doigts s'accrochent dans les notes noires. Je n'exécute plus le concerto, je le martyrise.

Dans l'entrée, j'aperçois maintenant une femme très jolie, vêtue d'un blouson identique à celui que ma mère vient de s'acheter. Ses longs cheveux roux sont attachés en queue de cheval. D'une main, elle tient un très jeune garçon lourdaud et grassouillet et, de l'autre, un sac à poignées en osier. À quelques mètres derrière, deux garçons qui ont à peu près mon âge trimbalent boîtes et mallettes. Le plus grand, seul à ne pas avoir la chevelure couleur carotte mais châtain clair, donne de légers coups de pied à un ballon de basket.

Je cherche aux alentours l'amie imaginée. Nulle trace d'elle à l'horizon. Le gars au ballon jette un regard à la fenêtre d'où je l'observe. Je penche un peu la tête pour qu'il ne me voie pas. De loin, je ne le trouve pas laid du tout. En fait, il ressemble beaucoup à la belle femme rousse : sa mère, de toute évidence. Je marmonne entre les dents : « Si tu penses trouver ici un mordu des sports pour se défoncer avec toi au basket, tu te mets un doigt dans l'œil et ton ballon aussi ! »

— M'as-tu parlé, Sara ? me crie mon père de la cuisine.

— Non, papa ! Je discutais de musique avec moi-même !

Tiens, Mozart ! Prends ça ! que je pense en piochant sur le clavier pour achever cette maudite pièce qui n'en finit plus de se lamenter.

Une femme et ses trois fils : tels seraient nos nouveaux voisins ? Je suis déçue. Très très très déçue.

Je pense que je vais de ce pas téléphoner à Steph.

— Sara, viens-tu m'aider à mettre la table ? me demande gentiment mon père.

Il n'ajoute pas que j'ai joué comme un pied. Je suis sûre qu'il le pense et je m'en fous éperdument !

CHAPITRE 3

— M arc, assure-toi que les pâtes ne soient pas trop cuites ! crie ma mère de la douche.

Mon père hausse les épaules en me faisant un clin d'œil : «Elle n'est même pas foutue de se laver en paix !» murmure-t-il en secouant les fettuccine sous l'eau froide.

Je ne sais pas pourquoi maman s'acharne autant à se mêler des affaires culinaires de papa. Une personne, ici, a le don de servir des nouilles pâteuses, molles et collantes : ma mère !

Elle s'inquiète toujours pour tout et pour rien à propos de lui. Pourtant, côté bouffe, il se débrouille plutôt bien. Une chose est certaine, il prépare les meilleurs fettuccine Alfredo en ville : une recette de l'un de ses clients, restaurateur italien. Il a beau dire n'avoir aucun mérite, moi, je pense qu'il est trop modeste.

Là, je suis prête à parier mon assiette que maman, en sortant de la salle de bains, va s'empresser d'aller vérifier dans la passoire si les pâtes sont à point.

— C'est prêt, Solange, dit doucement l'homme au tablier en allumant la bougie rouge au centre de la table.

Merde, je n'aurai pas le temps d'appeler Steph ! La grâce en personne apparaît dans la cuisine. Absolument élégante dans son déshabillé de soie turquoise à pois lilas. Cheveux scientifiquement défaits. Léger soupçon de poudre folle translucide sur le nez pour un teint impeccablement mat ; un autre produit BELLE, compagnie dont madame ma mère est PDG.

Oh ! Oh ! Maman s'apprêterait-elle à séduire l'homme aux chaudrons, qui a le souffle coupé en l'apercevant ?

Pas pour le moment. Comme prévu, elle se dirige droit vers l'évier. À la recherche des nouilles.

— Désolé, bel ange, elles sont déjà dans la sauce ! fait papa, l'air déçu.

Le bel ange demande si elle peut se rendre utile.

— Bien sûr ! répond mon père. Tu t'assois et tu savoures, d'accord ? ajoute-t-il en déposant fièrement l'assiette fumante devant elle.

Je prends place à table. On sonne à la porte. Je me lève et vais ouvrir.

Le gars au ballon. Devant moi. L'air timide. Pas laid du tout.

J'ai faim et les fettuccine de papa m'attendent sur la table de la salle à manger.

Il me regarde. J'attends qu'il parle.

— Allô ! Je m'appelle Serge. Je viens juste de déménager dans la maison d'à côté.

— Je sais !

J'ai parlé trop vite. Je m'en mords les doigts et la langue.

— Ah ! C'était toi dans la fenêtre, tout à l'heure !

Syntaxe ! Il m'a vu l'épier. Je ne suis pas contente de moi du tout !

— À quelle école tu vas ? ajoute-t-il en souriant, sans cesser de me regarder droit dans les yeux.

— À COLETTE.

— Moi aussi ! Tu es en quelle année ?

— En secondaire un.

— Je suis en deux, dit-il en regardant par terre.

Il était temps ! Je commençais à trouver son regard un peu gênant.

Après tout, ce nouveau voisin n'est sûrement pas venu sonner ici, à l'heure du souper, pour faire connaissance !

—Mon frère Frédéric, lui, est en secondaire un. S'il y a un nouveau dans ta classe, lundi prochain, roux avec des taches de rousseur, c'est lui!

Décidément, je n'aime pas sa façon de m'observer longuement, comme si j'étais une extraterrestre.

Pourquoi je rougis, merde? Je compte jusqu'à deux. Si à deux il n'a pas dit ce qu'il fait chez nous…

—Ma mère demande si c'est possible de vous emprunter un marteau et un tournevis à étoile. On a cherché partout, mais on n'a pas trouvé le coffre à outils parmi toutes les boîtes.

Je réponds sèchement :

—Je vais demander à mon père.

En me retournant, je tombe nez à nez avec papa. Il s'approche de notre voisin, lui tend la main et lui souhaite la bienvenue dans le quartier. Il ajoute qu'il lui apporte les outils immédiatement et disparaît au sous-sol.

Serge attend patiemment. Son regard toujours braqué sur moi. Qu'est-ce que je fais? Je l'abandonne sur le seuil en prétextant que mon souper va refroidir? Ou je reste là, comme une nouille, à patauger dans la gêne comme mes fettuccine dans leur sauce?

—COLETTE, c'est quel genre d'école? demande-t-il.

—Une polyvalente comme une autre! Avec des profs, des étudiants et des cours, si c'est ce que tu veux savoir!

Je suis bête comme mes pieds et je m'en aperçois. Mon nouveau voisin, lui, ne semble même pas en être offusqué.

Le temps passe lentement. Une éternité.

Mon père nous rejoint enfin, outils en main. Il les tend au visiteur.

—Merci beaucoup, monsieur. Vous êtes très gentil, fait le garçon BCIF (Bien Comme Il Faut).

Papa affirme qu'il ne doit pas y avoir de gêne (ça, c'est lui qui le dit), il faut s'entraider entre voisins!

Serge s'en va après m'avoir destiné son plus beau sourire. Mon père retourne à la salle à manger.

Moi, je me traîne les pieds jusqu'à la table. Ma mère me dit de ne pas faire ça. Comme si j'avais encore huit ans !

— Sara, ça va être froid ! ajoute-t-elle.

Je lui dis de ne pas parler la bouche pleine. Elle ne me trouve pas drôle. Mon père, oui.

Ma faim s'en est allée comme par enchantement, mais rien n'échappe à l'œil magique maternel. Sexymaman demande, sur un ton de reproche, si je me suis bourrée de cochonneries. Mon père prend ma défense.

— Non, madame, je suis témoin ! répond-il.

Puis, se tournant vers moi, il poursuit, l'air malin :

— Ce ne serait pas notre jeune visiteur, par hasard, qui t'aurait coupé l'appétit en te tombant dans l'œil ?

Et vlan ! Mais qu'est-ce qui lui prend ? Ce n'est pourtant pas dans son habitude d'être vache avec moi.

Je me fige sur ma chaise, comme la goutte de cire qui a coulé sur la nappe.

Ma mère sourit en me scrutant, comme si elle me voyait pour la première fois :

— C'est vrai, Sara ? Oh, ma fille, méfie-toi du coup de foudre ! dit-elle en regardant mon père sournoisement.

Eh ! Ils ont vraiment l'air de s'amuser follement, mes chers parents ! Je ne supporte pas qu'ils se paient ma tête à si bon compte !

Rouge comme la bougie, je brûle de rage et quitte la table en beuglant :

— Il est même pas beau, si vous voulez savoir !

J'envoie promener ma serviette de table dans mes fettuccine et je déguerpis en direction de ma chambre, les poings, les mâchoires et le cœur serrés.

Ma mère me rattrape dans le corridor :

— Voyons, Minou Chéri, prends-le pas comme ça ! me dit-elle, douce comme du miel de trèfle à quatre feuilles.

— JE LE prendrai comme JE LE voudrai !

Je m'arrache à son étreinte et à son regard exagérément tendre. Je fonce droit dans ma chambre, fais claquer la porte et me laisse tomber à plat ventre sur mon lit.

Peu après, j'entends, dans la salle à manger, ma mère se plaindre de Minou Méchant :

— Elle est donc susceptible, cette fille-là ! Des fois, je ne sais vraiment plus comment en venir à bout !

— Sara est hypersensible, réplique mon père.

Ils peuvent bien discuter de mon hypersensibilité jusqu'à demain matin ! Et se creuser la tête jusqu'en Chine pour trouver des solutions.

Ils m'appellent. Une fois. Deux fois. Trois fois. Je ne me présente pas. J'entends qu'ils desservent la table.

Ça sonne à la porte. Papa me demande très très gentiment si je veux aller ouvrir. Je crie :

— NON !

J'entends mon père dire :

— Ce n'est rien, voyons ! Ça m'a fait plaisir !

J'entends le gars au ballon dire bonsoir, dire merci, dire :

— Vous direz bonsoir à votre fille !

J'entends la porte se refermer.

Je donne des coups de poing à mon oreiller. Je le bats de toutes mes forces.

Soudainement, je me lève et cours à la fenêtre. Je me trouve complètement niaiseuse.

Il marche lentement, les bras ballants, en donnant des coups de pied à son ballon imaginaire.

Avant de s'engager dans l'allée de leur maison, il se retourne et regarde vers chez nous. Je me retire du paysage : cette fois, il ne m'y prendra pas !

Il a disparu.

Ma foi, je suis complètement maboule ! Sur la vitre, avec mon index, je trace des lettres... S-E-R-G-E.

On frappe à ma porte. Je sursaute et me dépêche de barbouiller mes écrits.

—Sara! Je t'apporte de quoi te ravigoter, chérie, me dit papa.

—Je n'ai pas faim!

—Veux-tu, on va se parler dans le blanc des yeux, tous les deux?

—Non! Je veux voir personne!

Il n'insiste pas. J'enfouis ma tête dans mon oreiller et le serre très fort contre moi.

Je pleure tout bas. Tout bas, tout bas, tout bas…

CHAPITRE 4

Décidément, Steph en a long à dire. Mais à qui? Ça fait quatre fois que j'appelle chez elle et c'est toujours occupé. À quoi ça sert de posséder un joli téléphone en forme de cœur dans sa chambre si on a juste une amie et qu'on ne peut jamais lui parler?

— Sara? Serge demande si tu veux pratiquer tes lancers de punition, me crie ma mère du salon.

On sait bien, son frère cloué au lit par le rhume, il pense à m'inviter! Tu sauras, Serge Viens, que je ne suis le bouche-trou de personne!

— Non! Ça me tente pas!

Bon, ça y est! Elle va même se donner la peine d'interrompre sa querelle quotidienne avec papa pour essayer de me faire changer d'idée. Ça m'achale!

Elle frappe discrètement à ma porte, sur laquelle il est pourtant écrit : PAS DE COLPORTEURS!

— Quoi?

Elle entre, sourit, fait un pas

— Voyons, Sara, tu aimes ça, le basket-ball! Pourquoi tu n'y vas pas?

— Ça me tente pas!

29

—Un peu d'exercice ne te ferait pas de tort, insiste-t-elle. Tu passes de plus en plus d'heures cloîtrée dans ta chambre ; ce n'est pas très sain !

—J'ai dit non ! N-O-N, NON ! C'est pas du chinois, à ce que je sache !

Elle sort sa dernière carte :

—Ce garçon est tellement gentil, pourquoi es-tu si distante avec lui ?

Je ne réponds pas.

—Il te chamboule à ce point-là, Minou Chéri ? dit-elle en amorçant un pas vers moi.

Je la fusille du regard. Elle se heurte à mon silence : barrière à ne pas franchir ! Elle referme la porte derrière elle, l'air découragé.

Ce garçon est tellement gentil ! Pouah ! Je ne sais pas comment j'ai pu le trouver beau une seule fraction de seconde ! Il est laid comme un pou ! D'accord, ce n'est pas une laideur. En tout cas, il m'énerve ! Toujours super poli, extra calme, hyper souriant ! Il fait très petit monsieur. En plus, il est sportif : à fuir !

En ce qui me concerne, j'ai pris les grands moyens pour lui faire savoir que je ne veux rien savoir. Si, par malheur, je le trouve sur mon chemin en direction de l'école, j'accélère ou ralentis le pas. Ou bien je traverse la rue et marche sur l'autre trottoir. À la cafétéria, je ne le vois pas : volontairement.

Il a fini par comprendre, j'imagine. Il ne m'attend plus jamais à la sortie de l'école pour que nous fassions le trajet du retour ensemble, son frère Frédéric, lui et moi.

Je ne m'inquiète pas à son sujet. Pour un nouveau fraîchement débarqué en plein milieu d'année scolaire, il s'adapte plutôt bien.

Sans compter que plusieurs filles lui font les yeux doux. De toute évidence, elles ne demandent pas mieux que de l'aider à s'intégrer.

Même Greta Labelle, hier après-midi, disait à Nénette :

—Je te jure que je ne lui ferais pas mal, au châtain aux yeux vert pomme !

Et Greta, ce n'est pas n'importe qui! Elle a été reconnue officiellement, à l'unanimité, BEAUTÉ DIVINE de COLETTE. Moitié suédoise, moitié québécoise, blonde, yeux gris, voix grave et sensuelle : elle ressemble à une actrice hollywoodienne. Bien roulée pour ses treize ans, elle roule ses «r» et porte un soutien-gorge en dentelle sous ses vieux tee-shirts blancs. Les langues sales affirment qu'elle le bourre de Kleenex : elles sont évidemment jalouses et plates comme des planches à repasser.

Greta n'est jamais à court de soupirants. Elle a le don de faire soupirer les gars. Ils sont attirés par elle comme les papillons nocturnes par une ampoule électrique allumée. Et ils s'y brûlent. À tour de rôle. En rêvant de l'épouser un jour.

Moi, je ne me marierai jamais. C'est trop débile un couple. Même deux personnes très intelligentes deviennent complètement gaga, une fois ensemble.

Mes parents, par exemple, ne sont pas des imbéciles. Pourtant, dès qu'ils sont en contact, tout s'effondre, sauf la maison. Ils m'ennuient avec leur histoire. Toujours la même : l'un n'en fait jamais assez pour l'autre, convaincu d'en faire trop! Tellement occupés à se chicaner, ils en oublient facilement mon existence. Je fais partie de leur décor : un beau meuble, quoi!

Qu'ils mangent de la crotte! Ils ont l'air d'aimer ça.

Syntaxe! C'est encore occupé chez Steph! Une heure et demie que j'essaie de la joindre. Une vraie pie, celle-là!

Tant pis! C'est l'occasion rêvée d'utiliser le beau papier à lettres imprimé de nuages qu'elle m'a offert comme cadeau d'adieu.

C'était tellement triste, ce jour-là. Accrochées l'une à l'autre, nous pleurions comme des fontaines jumelles sur le trottoir. En jurant-crachant de ne jamais nous oublier.

Mon père s'est mis à klaxonner. L'heure du grand départ avait sonné.

Je suis montée dans la voiture, le cadeau de Stéphanie collé sur mon cœur, le visage bouffi par mes larmes.

Elle m'envoyait la main. J'ai fermé les yeux, j'avais trop mal.

Allô Steph,

Comme ce n'était pas possible de t'avoir au téléphone, j'ai décidé de t'écrire.

Je m'ennuie beaucoup de toi. Et je m'ennuie tout court.

Je n'ai pas encore trouvé de meilleure amie à Montréal. J'ai quelques bonnes copines, mais je n'arrive pas à me dégêner complètement avec elles.

Penses-tu à moi de temps en temps? C'est toujours moi qui fais les premiers pas! Je commence à être tannée, mais je t'aime beaucoup quand même.

Est-ce que la grande Sauvageau a fini par me remplacer dans ton cœur? Je l'ai toujours soupçonnée de vouloir prendre ma place. Je ne l'aime pas beaucoup, cette pimbêche-là!

T'intéresses-tu toujours autant aux garçons? Moi, je les trouve niaiseux et bébé lala.

Tu salueras tes parents de ma part. Je t'envie un peu d'être leur fille.

Sara, xxx

P.S. : Montréal, ce n'est pas le bout du monde. J'espère toujours te voir traverser le fleuve!

Je plie la lettre, la glisse dans son enveloppe et la planque au hasard entre deux livres de ma bibliothèque. Steph ne mérite même pas de la recevoir.

Dehors, Serge Viens s'amuse à lancer son ballon dans le panier. Ça m'énerve. Pourtant j'aime ça, le basket-ball.

Le téléphone sonne enfin! C'est sûrement Steph! La télépathie, ça existe, non?

Je décroche, confiante. Ma mère a déjà répondu. Déçue, je raccroche. Pas de Stéphanie au bout du fil, mais Liette Viens, la mère des trois moineaux d'à côté. Maman, qui n'a pourtant jamais été portée sur le voisinage, aura sa meilleure amie avant moi, si ça continue!

—Minou Chéri, Liette demande si tu pourrais apporter les notes de cours de maths à Frédéric, demain. Je lui ai dit que tu passerais après l'école.

—Syntaxe! C'est à toi qu'elle l'a demandé ou à moi?

—Si toi tu étais malade, tu n'apprécierais pas qu'on te rende service?

—Oui, mais c'est pas aux Viens que je le demanderais!

—Franchement, Sara, des fois tu me décourages!

—Toi aussi!

Il n'aurait pas pu être dans une autre classe, Carotte Poilue!

CHAPITRE 5

J'ai lambiné autant que j'ai pu après le dernier cours : demandé inutilement des explications à la prof de géo, erré dans les corridors à la recherche de rien du tout et failli m'égarer volontairement en me rendant à destination.

Je n'ai encore jamais mis les pieds chez les Viens. Ça ne manquait pas à ma culture non plus !

J'ai l'air de quoi en ce moment, à poireauter sur leur balcon avec mon sac à dos et mon hésitation chronique ? Je n'ai pas envie de franchir le seuil.

Je suis cuite ! Je n'ai même pas sonné que la porte s'ouvre.

Jean-Patapouf, le gros petit dernier de la descendance, m'accueille du haut de ses quatre ans et quart. Sûr de lui, il me lance :

— Serge, il a dit qu'on ne te mangerait pas !

— Bonjour, Sara ! C'est gentil d'être venue, me dit Liette Viens en refermant la porte.

— C'est vrai, hein, maman ! On ne fera pas comme l'ogre de mon livre ! On ne va pas la manger, la fille d'à côté ?

— Non, Jean-Sébastien, nous ne la mangerons pas, répond-elle à l'enfant traumatisé par le conte de fées. Si ça peut te rassurer, ce soir nous mangeons des hamburgers steaks, ajoute-t-elle en me souriant.

— Pourquoi c'est pas des vrais hamburgers ? réplique-t-il, l'air vachement déçu.

— Je vais t'expliquer, mais, avant, que dirais-tu si nous nous occupions de notre invitée ?

— Non ! Je veux le savoir tout de suite ! ajoute-t-il en se croisant les bras.

Liette Viens me fait signe de la suivre. Soulagée de savoir que je ne finirai pas en rôti, parmi la purée et le brocoli, je me laisse guider.

— Frédéric t'attend dans sa chambre, me dit-elle. Il est très inquiet d'avoir raté ses cours de maths. C'est ici, fait-elle en s'arrêtant devant une porte entrouverte. Je vous laisse, Jean-Sébastien et moi avons des boulettes à préparer !

Elle ajoute à l'intention de Carotte Poilue :

— Frédéric, ta gentille professeure privée est arrivée.

— Allô ! me dit-il de sa voix faible et enrouée en m'apercevant.

Il a les yeux cernés, le nez rouge, le teint livide et il renifle constamment. Je veux bien faire des maths avec lui, mais je ne tiens pas à attraper son microbe. Je garde mes distances.

Nous sommes dans la même classe depuis plusieurs semaines déjà et c'est la première fois que nous nous adressons plus d'une parole.

Il est plutôt gentil. En tout cas, beaucoup moins chiant que son frère aîné. Ce n'est pas difficile !

Il n'est pas aussi bouché en maths qu'il le prétend. Je lui demande pourquoi il panique à cause de l'examen d'après-demain.

— Comme prof, Sara, tu es dix fois plus douée que Pierre Laframboise. Un vrai têteux, celui-là !

C'est fou ce que les compliments ont comme effet sur moi. Je rougis comme une feuille en automne. En espérant la neige pour me cacher dessous !

— Je l'aime bien, moi, ce prof !

— Pas moi ! Il faudrait toujours avoir compris avant qu'il commence à expliquer ! dit-il en s'étouffant.

À force de tousser, il a le visage qui se colore à vue d'œil, son teint passant du blême au bleu. Pas très rassurant !

— Tu es sûr que ça va ?

— Il paraît qu'on n'en meurt pas. Ma mère médecin l'a dit ! fait-il en se levant de sa chaise. Tu m'excuses une minute, je vais aller prendre du sirop.

Comme il s'apprête à quitter la pièce, Serge apparaît dans l'embrasure de la porte, une feuille de dessin en main.

— J'ai fini mon chef-d'œuvre ! dit-il à Frédéric, étouffé de plus belle. Allô, Sara ! ajoute-t-il.

Frédéric a disparu. Serge pénètre dans la chambre. À petits pas. Je plonge ma tête dans le cahier d'exercices de Frédéric et j'efface une réponse au hasard.

Je refais le calcul. Enfin, j'essaie de me concentrer sur les chiffres. Je ne vois qu'un polo vert pomme ! Et des yeux vert pomme !

— Les maths, c'est l'enfer de Frédéric, me dit Serge en se rapprochant.

Ça me démange de répliquer : « Serge Viens, c'est l'enfer de Sara Lemieux ! »

Je me tais. Il serait trop content de me voir dépenser ma salive pour lui !

Je trouve que Frédéric met bien du temps à avaler sa cuillerée de sirop.

Serge s'assoit sur le lit de son frère en déposant sa feuille à côté de lui :

— Est-ce que tu aimes ?

— Les maths ?

— Non, mon dessin.

Je lève les yeux et surprends son regard. Il me sourit de toutes ses dents et plisse le nez en attendant ma réponse. Je ne peux pas voir son dessin d'où je suis. Et je n'ai pas envie de me lever pour aller voir !

À l'instant même, Frédéric nous rejoint et s'exclame, en apercevant le soi-disant chef-d'œuvre :

— WOW ! C'est super, Serge ! Super-Extra-Génial !

Piquée par la curiosité, je m'avance pour admirer à mon tour. WOW! C'est effectivement Super-Extra-Génial! comme dit Frédéric. Enfin, pour un sportif, disons qu'alias Vert-Pomme ne dessine pas trop mal.

— Serge participe au concours organisé par les producteurs de lait! ajoute Frédéric, enthousiaste.

— J'ai vu les affiches à l'école : LA SOIF DE VIVRE. Pas évident comme thème! dis-je en évitant de regarder Serge.

— Elle est vraiment extra, ta peinture, mais j'entends les maths qui m'appellent! dit Frédéric.

Feignant le découragement le plus total, il se prend la tête à deux mains en retournant à sa table de travail.

J'ai devant les yeux une aquarelle étrange. Curieux paysage à la fois cruel et doux : à mi-chemin entre le soleil et un gros nuage noir, un garçon et une fille, main dans la main, sur un arc-en-ciel. L'astre émet des rayons blanchâtres effleurant à peine le couple. En bas, la terre, minuscule et écrabouillée dans la paume d'une énorme main ensanglantée. Je ressens un malaise à la vue de cette fine pluie de sang. On dirait du sang réel et frais. À l'extrême droite, en haut, il est écrit : LA LUMIÈRE BLANCHE.

Intriguée, je demande à Serge :

— Pourquoi ce titre?

— Je ne pourrais pas l'expliquer avec des mots... Je... Je sentais que ça devait s'appeler comme ça, répond-il, l'air un peu gêné.

— SOIF DE VIVRE, LAIT, LUMIÈRE BLANCHE, c'est pas fou, après tout! Et qu'est-ce qu'ils font, perchés entre ciel et terre, ces deux-là?

— Ils dansent. Et ils s'aiment.

À présent, c'est sur moi que fonce la gêne. Et elle me rentre dedans à pleine vitesse!

Un silence de mort plane soudainement dans la pièce. Je le trouve insupportable. Mal à l'aise, j'ai l'impression de tourner en rond dans ma tête, sans pouvoir en sortir. Au secours!

— Et toi, as-tu l'intention de participer au concours? me demande-t-il.

Sauvée par la question, je réponds très très sérieusement :

— Tu sais, je dessinais pas mal quand j'allais à la garderie ! J'en ai beaucoup perdu depuis le temps !

Nous éclatons de rire. Je suis de nouveau troublée par son regard, mais je me ressaisis :

— Elle est vraiment belle, ton aquarelle. Je te souhaite de gagner !

— Tu es gentille, me dit-il de sa voix vert pomme, en plongeant ses yeux vert pomme dans les miens...

Une voix vert pomme ? Je charrie un peu, non ?

— ... quand tu ne sors pas tes griffes !

Je demande en revenant sur terre :

— Quoi ?

— Tu es gentille quand tu ne sors pas tes griffes !

Le salaud ! Non, mais pour qui il se prend ? Pour un autre, c'est sûr ! Il m'énerve ! Il m'énerve ! IL M'ÉNERVE !

— Serge ? Greta te demande au téléphone, dit Liette Viens en frappant discrètement sur la porte ouverte.

Tiens ! Tiens ! La belle Greta Labelle ! Qu'il aille donc la rejoindre sur son arc-en-ciel de... merde ! Qu'est-ce que ça peut bien me faire ? Après tout, je suis ici pour expliquer des maths à Frédéric !

Frédéric ! Un peu plus et je l'oubliais, celui-là !

Je rejoins mon coéquipier, heureuse de tourner le dos au grand fendant !

— Travaillez bien ! dit-il en amorçant sa sortie.

Je réponds, indifférente :

— C'est ça !

En moi-même, je pense : « Bon débarras ! »

— Dis donc, qu'est-ce qu'il t'a fait, mon frère ? me demande Frédéric, mine de rien.

Si je m'attendais à ça ! Je... Je n'ai...

— Rien ! Tu parles d'une question !

— Ah bon ! J'aurais juré qu'il t'avait fait un coup de cochon... C'est pourtant pas son genre !

—On le finit, ce numéro treize, oui ou non? dis-je sèchement.

—Les nerfs, Sara. Y a pas le feu!

—Y a peut-être pas le feu, mais moi, je n'ai pas que ça à faire! J'ai mon piano à pratiquer!

Je m'en veux de lui avoir parlé sur ce ton. Je voudrais m'excuser, mais je ne réussis pas à marcher sur mon orgueil.

CHAPITRE 6

Si je ne suis pas allée aux toilettes quinze fois depuis une heure, je n'y suis pas allée une fois!

Quelle idée, aussi, d'avoir accepté de participer à cette fichue soirée de fin d'année!

Je me fais avoir à tout coup! Une vraie poissonne! J'ai encore mordu à l'hameçon de mon gentil-papa-tellement-content-de-voir-sa-fille-chérie se donner en spectacle! Qu'est-ce qu'on ferait pas, des fois, pour faire plaisir à son père!

De mon côté, plus ça va, moins ça va entre Mozart et moi.

— T'inquiète pas! murmure Mandoline en me tapant amicalement sur l'épaule.

Elle est bien placée pour dire ça, elle! Deux-trois déhanchements dans une chorégraphie de danse créative, et le tour est joué! Et elle n'a plus à se faire suer : elle a déjà eu sa part d'applaudissements!

C'est tout de même gentil de m'encourager. Je suis sur le gros nerf. J'ai la trouille. Non, pas la trouille : la chienne!

— C'est à ton tour, Sara!

Affronter le grand trou noir rempli de parents qui feront poliment semblant de ne pas s'emmerder.

— Merde! me crie Mandoline en croisant les doigts.

J'ai encore envie de pipi! Pas le temps!

Je me jette dans la gueule du loup. Dans la fosse aux lions. Sur le piano sans queue.

J'entame le concerto. En implorant Mozart de m'aider pour que je ne fasse pas une folle de moi.

Et ça marche!

*

Je n'ai pas perdu pied. Ni connaissance. Mais je me jure qu'entre Mozart et moi, c'est terminé! Que le cœur de mon père vole en éclats comme une assiette qu'on lance sur un mur, tant pis! Je ne suis pas responsable de sa santé mentale!

Greta Labelle, la belle coanimatrice nordique à la voix chaude comme les tropiques, annonce au micro:

— Après Mozart, Tit-Pite et Tite-Pitoune, un duo d'humoristes bien de chez nous!

Je cours aux toilettes et retourne en coulisses, sur des jambes molles-molles-molles comme de la guenille.

— Sara! Sara!

Je fais volte-face. Ah non! Pas lui!

— C'était super-extra-tout-ce-que-tu-voudras! me dit Serge Viens en m'apostrophant.

Il tient mon bras. Je me fige. Je recule. Il me lâche. Je le remercie en cherchant Mandoline Tétrault du regard. Mon cœur bat fort. Je respire fort. Je mets ça sur le dos du concerto. Je repère enfin ma copine derrière le rideau. Je m'empresse de la rejoindre.

La salle au grand complet se tord de rire. Les coulisses aussi. Tite-Pitoune imite Mme la directrice en débitant un sermon assommant et parfaitement débile à Tit-Pite le *drop out*, oh pardon, le décrocheur, qui se fout carrément de sa gueule, au grand plaisir de l'assistance: parents et rejetons, ne l'oublions pas!

La directrice doit rire au moins jaune pâle. Pour une fois que c'est elle qui mange le plat devant tout le monde!

Tit-Pite et Tite-Pitoune ont droit à l'ovation debout. Le public en redemande. Le duo adulé gagne les coulisses. Retourne saluer la ribambelle de parents bruyants. Les larmes montent aux yeux de Tite-Pitoune. Nous sommes tous émus pour elle. Dire qu'elle est discrète et gênée comme deux, au naturel !

Greta Labelle reprend le micro et remercie la paire gagnante :

— Pour terminer, j'ai une dernière surprise pour vous…

Sur ce, Mme la directrice en personne monte sur scène, avec toute la prestance qu'on lui connaît.

Impossible de voir si elle souffre d'avoir été la dinde d'une farce TITE-PITOUNIENNE, c'est-à-dire très très épicée.

— N'ayez crainte, je ne vous retiendrai pas longtemps avec mon sermon, fait-elle en souriant.

Rires dans la salle. Elle se tait. Elle sourit : un sourire coquin qu'on ne lui connaît pas. Puis elle enchaîne :

— Je crois bien être la seule, ici, à ne pas savoir de qui tout le monde riait. Quelqu'un dans cette salle aurait-il la gentillesse de me le dire ?

Bien joué, Mme la directrice ! Elle a droit à sa propre ovation et aux sifflements d'étudiants oubliant, le temps d'un rire, qu'en général elle n'a pas un aussi bon sens de l'humour.

Le rire s'estompe. La directrice n'a pas les yeux pleins d'eau mais pas loin !

Elle fait à présent l'éloge des extraordinaires talents dont COLETTE est décidément bourrée.

— Chacun, chacune ayant contribué au succès manifeste de ce spectacle, j'invite maintenant tout ce beau monde à revenir sur la scène.

J'emboîte le pas à Mandoline Tétrault en me faisant toute petite.

Nous avons droit à des applaudissements monstres. Malgré les spots qui nous assaillent de tous bords tous côtés, j'entrevois Serge Viens, debout dans l'allée de droite, le dos appuyé au mur à une quinzaine de rangées de l'estrade.

Il applaudit. En mangeant Greta Labelle des yeux, sûrement : elle est juste à côté de moi.

Je regarde ailleurs. Le bruit cesse. Tout ce beau monde, dont je fais partie, reste planté là ; nous ne savons pas trop si nous devons maintenant quitter la scène ou non.

Quelques étudiants s'apprêtent à retourner en coulisses.

— Attendez, attendez !… Même les directrices aiment se réserver un *punch* pour la fin !

Sur ce, elle reprend son air fier, pour ne pas dire hautain, tient son public en haleine, le fait languir, la sadique ! Elle ouvre enfin la bouche : lentement, lentement…

— Avant de clore cette magnifique soirée, j'ai l'immense plaisir de vous annoncer une primeur…

Elle nous fait suer et elle a franchement l'air d'aimer ça !

— Un étudiant de la polyvalente COLETTE verra le fruit de son talent et de ses efforts affiché sur des panneaux publicitaires partout à travers le pays. Il a remporté le premier prix du concours LA SOIF DE VIVRE, organisé par la Fédération des producteurs de lait en collaboration avec le ministère de la Santé, avec son dessin intitulé *La lumière blanche*. Je demande au récipiendaire de bien vouloir monter sur scène, et j'ai nommé… Serge Viens.

Greta Labelle me serre le bras en échappant un petit cri strident. Je la dévisage avec l'air le plus bête que je me connaisse en me poussant d'un pas vers Mandoline.

Il est peut-être fendant, Serge Viens, mais c'est vrai qu'il a du talent.

Il s'amène lentement, l'air à la fois timide et content. Il déambule parmi les applaudissements et le gros paquet de regards braqués sur lui. Il esquisse des sourires et baisse aussitôt la tête. Puis la relève en plissant le nez. Il rejoint la directrice. Elle l'embrasse sur les joues. Il dit tout bas, mais assez fort pour qu'on l'entende, quand même :

— J'en reviens pas !

Puis il répète cette phrase au moins trois fois, en hochant la tête.

C'est fou ! Je me sens rouge comme une tomate mûre-mûre-mûre !

La directrice clôt finalement la soirée en nous souhaitant un bel été.

Je m'apprête à féliciter l'heureux gagnant, mais Greta Labelle ne se gêne pas pour me pousser poliment. Non seulement elle se précipite sur Serge, mais elle lui saute carrément au cou. C'est clair comme de l'eau de roche : Petit-Monsieur ne déteste pas ! Le pire, c'est qu'ils font un sacré beau couple, ces deux-là !

Ça ne m'intéresse pas de jouer les seconds violons, ni les cinquièmes roues du carrosse, ni les troisièmes roues de la bicyclette, ni les pneus de rechange de la BM !

Je lance discrètement un bravo ! en passant devant alias Vert-Pomme et sa Beauté Divine, et je fous le camp à toute vitesse.

CHAPITRE 7

— Sara, viens-tu avec nous au comptoir laitier?

Frédéric m'interpelle comme je partais. Il ajoute :

— Après tout, les vacances, ça s'arrose !

À part dire bonjour à Mandoline et saluer les copines, je n'ai qu'une idée en tête : rentrer chez moi. Même si rien ni personne ne m'y attend, sinon ma chambre. Mon abri. Ma cellule : la moins cancéreuse de la maison. Ah ! Que je suis drôle !

Je décline son offre. Spontanément. Mandoline et les autres y vont, le cœur joyeux et léger comme une boule de yogourt glacé.

— Lâcheuse !

— Casseuse de party !

— T'es plate, Lemieux !

Et quoi encore ? Ils n'ont pas tort. C'est vrai que je suis plate. Et pas à peu près !

— Viens donc ! insiste Mandoline en tirant sur la manche de mon chandail.

— Pas envie !

Elle rejoint les autres en courant. Je marche en sens inverse.

En ce moment, je n'ai pas le cœur léger comme une boule de yogourt glacé mais pesant comme un bloc de béton. Je peux bien avoir de la misère à mettre un pied devant l'autre !

Au moins, aujourd'hui, je n'ai pas vu le grand fendant Vert-Pomme! Ni sa Beauté Divine!

*

Syntaxe de merde! Qu'est-ce que j'ai? J'ai beau me parler dans la face devant mon miroir : «Voyons, Lemieux, secoue-toi! Remue-toi! Botte-toi le derrière! Fais une grande fille de toi! Tu es capable!» Rien à faire!

ÇA-NE-MARCHE-PAS!

JE-NE-ME-CROIS-PAS!

Je paralyse. Je n'ai envie de rien faire, de voir personne. J'ai juste envie de disparaître! Sans laisser d'adresse.

Je ne me reconnais plus. Où est la fille tannante, fonceuse et dégourdie qui n'avait peur de rien à part des araignées? Je me sens comme une étrangère dans ma propre maison. Comme si on avait rénové l'intérieur en mon absence et qu'on me demandait maintenant de m'y retrouver!

Merde! Qu'est-ce qu'il a ce gars pour me revirer sens dessus dessous comme mes tiroirs de commode? Si par malheur je croise son regard, je me mets à fondre comme un *popsicle* au soleil! À ce rythme-là, je ne serai plus qu'une toute petite flaque.

Ça me choque de l'admettre, mais le visage de Serge réapparaît à mon esprit à la manière d'un boomerang : j'ai beau l'envoyer promener, il revient tout le temps. Ça me fait suer! Un côté de moi a envie de dire : «Reste!», et l'autre : «Achale-moi pas!»

De toute façon, à côté de Greta Labelle, je ne fais pas le poids. Elle a tout pour elle, ELLE! Et des bonus! Je ne vois pas pourquoi un gars comme lui se donnerait la peine d'aller voir ailleurs quand la déesse de COLETTE lui tourne autour et ne demande pas mieux que de lui mettre le grappin dessus!

Je ne suis pas une Vénus, moi! Ordinaire, quoi!

C'est bizarre, avant aujourd'hui, je ne m'étais jamais arrêtée à ÇA, la beauté. Il y a bien assez de ma mère qui en a fait sa profession! Son obsession aussi! Un million de petits pots de crème :

pour chaque heure du jour et de la nuit, pour chaque petit recoin de la peau. Je vous garantis qu'elle en met du temps à composer le visage de ses rêves, à mettre en évidence ses beaux grands yeux pers. Évidemment, il a fallu que j'hérite des yeux de mon père : petits, marron, tout ce qu'il y a de plus banals!

Moi, je n'ai rien à cacher. Rien à montrer non plus!

Greta, ELLE, n'a pas le moindre millimètre à rehausser : la nature s'en est chargée. Et elle n'a pas été chiche!

Si Stéphanie m'entendait penser, elle en tomberait de sa chaise! Elle me dirait : «Tiens, tiens! Est-ce que les gars seraient tout à coup moins gaga et moins bébé lala? *Welcome to the club, miss Lemieux!*»

Aussi bien ne rien lui raconter. Elle tournerait ça en blague et ça risquerait de tourner au vinaigre : déjà que ça ne tourne pas rond chez moi!

Ce serait plus facile de parler à Mandoline. Je la trouve vraiment sympa, cette fille. Elle, c'est une vraie spécialiste des histoires de cœur, son sport préféré, comme elle dit. Je ne sais pas comment elle fait. Moi, j'aurais bien du mal à la suivre dans ses marathons. Je serais plutôt du genre à me figer sur la ligne de départ! Je suis par contre beaucoup plus dégourdie qu'elle… en maths.

Pour le moment, la seule chose qu'il me reste à faire, c'est de balayer une fois pour toutes le grand fendant de mes pensées. Il n'a pas d'affaire là, c'est clair!

Ce n'est pas parce que Greta Labelle le trouve de son goût que je suis obligée de faire pareil!

Je suis tout de même un peu tarte de ne pas être allée me bourrer la fraise avec les autres, au lieu de me ronger les sangs! Et les ongles.

*

Les mères sont parfois nos meilleures ennemies!

J'aurais dû me douter qu'il fallait se méfier de Liette Viens!

Sourire fendu jusqu'aux yeux (de quoi lui faire pousser deux rides de plus), maman vient de m'annoncer que nous n'irons pas, comme prévu, passer ses deux premières semaines de vacances à notre chalet de L'Annonciation.

Notre chère voisine nous invite à partager la villa qu'elle loue chaque été, au bord de la mer, à Wells.

Solange Lavigueur-Lemieux, que j'ai le malheur d'avoir pour mère… a dit oui, comme de raison! Et elle est toute surprise que je ne trouve pas ça SUPER-ULTRA-CHOUETTE-ET-ABSOLUMENT-MERVEILLEUX!

Nous partons pour les USA, mères et «flos». Je n'ai pas mon mot à dire! Et il est absolument hors de question que je reste seule à Montréal pendant que mon père travaille!

On sait bien : je suis en âge de garder des bébés le soir, mais pas de me garder le jour!

Qu'est-ce que je vais faire, moi, à Wells, dans la même maison que le grand fendant?

CHAPITRE 8

Il n'y avait pas assez d'une Greta Labelle à Montréal, il fallait une Milène Joli à Wells.

— Allô, Serge!

Je déteste cette fille, ses grands yeux violets avec des étoiles au fond et son sourire de publicité de dentifrice à l'épreuve du tartre!

Dès que je l'ai vue, je l'ai haïe. Et cette manie qu'elle a de se trémousser devant Serge comme si elle avait toujours envie; ça me rend malade!

Je lance en la dévisageant:

— Il n'y a pas de toilettes, chez vous?

— Bien sûr que oui, pourquoi tu me demandes ça? dit-elle avec son accent de fausse Française.

Voyez-vous, Mlle Joli est membre de L'ACADÉMIE DU BON PARLER DE LAVAL!

Non, mais va-t-elle cesser de se dandiner? Elle m'énerve!

Je réponds en m'éloignant: «Laisse tomber!»

— Tu ne viens pas te baigner avec nous? me crie Serge.

— Je préfère lire, dis-je en exhibant mon gros bouquin.

Je m'empresse de rejoindre ma mère sous le parasol. Depuis trois jours, je l'imite. Ma tête coiffée du chapeau de paille acheté à Perkins Cove, je m'enduis abondamment de crème BELLE numéro

22, essuie minutieusement mes mains sur la culotte de mon maillot et chausse ses gros verres fumés noirs UV. J'ai dû perdre les miens pendant l'excursion en bateau, hier après-midi. Ou dans une boutique.

Absolument captivée par *Les Filles de Caleb*, d'Arlette Cousture, ma mère ne s'aperçoit même pas de mon arrivée. J'essaie de me passionner pour *Les Quatre Filles du Dr March* de Louisa May Alcott, mais mon regard galope.

À part moi, tout le monde ici nage en plein bonheur. Au bord de l'eau, Liette cuisine des pâtés chinois en sable avec Jean-Patapouf. Sur la terrasse, Frédéric poursuit son initiation à Donjon et Dragons avec ses amis américains. Quant à Serge et à Mielleuse Joli, ils s'éclaboussent en affrontant les vagues et rigolent à tue-tête. J'ai beau me tenir à distance, leurs éclats de rire m'emplissent les oreilles.

Rien que d'entendre la petite voix stridente de Misère Joli, je rage. Mes os tremblent, on dirait, comme si un vent intérieur les secouait fougueusement. Si l'ouragan persiste, ils vont casser comme des branches d'arbre. Aussi bien lire ! Syntaxe ! J'ai de la misère à me concentrer ! Ça doit faire dix fois que je relis le même paragraphe !

Je déteste Wells et cette grande villa face à la mer ! Je déteste ces vacances ! Pourquoi a-t-il fallu que maman devienne l'amie de la mère du grand fendant ? Je déteste Liette Viens ! C'est à cause d'elle si nous ne sommes pas allées au chalet, comme prévu. Au moins papa nous aurait rendu visite pendant les week-ends !

Je suis la cinquième fille du Dr March, pour ne pas dire la cinquième roue du carrosse. Je m'ennuie de mon père ; il ne m'a même pas consacré une minute de son temps pour me faire savoir que c'était réciproque. Même débordé par la guerre de Sécession, papa March n'oublie pas sa famille pour autant ! Dans la lettre qu'il a envoyée à sa femme, il s'est tout de même donné la peine d'écrire à propos de ses filles chéries : «*Je suis sûr qu'elles n'ont pas oublié ce que je leur ai dit, qu'elles… lutteront courageusement contre leurs ennemis intérieurs et sauront si bien se dominer qu'à mon retour je serai plus fier que jamais de mes vraies petites femmes et les aimerai encore plus fort qu'avant.»*

Ouais! Au rythme où vont les choses ici, mon père n'aura aucune raison de m'aimer encore plus fort qu'avant. Je ne sais pas comment m'y prendre, moi, pour bien me dominer. Et mon ennemie n'est pas du tout intérieure. Elle s'appelle Milène-de-Porcelaine-Joli. Si je décidais de lutter contre elle, ce serait avec mes deux poings : je les lui mettrais volontiers sur les «i»!

*

Pendant le souper, je ne dis pas un mot. Je picore ma salade César, touche à peine à mes côtelettes de porc, carbonisées comme je les aime, et lève le nez sur le dessert : un éclair au chocolat pourtant. Les sourcils de ma mère se lèvent bien haut. Vu les mille et une précautions dont j'ai abusé, impensable que j'aie attrapé une insolation.

J'ai juste envie d'aller marcher sur la plage pour ruminer ma peine en paix.

Enfin seule et tranquille, j'enlève mes sandales et les lance au pied de l'escalier. J'aime bien la plage à cette heure-ci : ni déserte ni bondée. Le chant des vagues m'apaise un peu. Je m'approche de la mer. Mon regard s'envole et va se poser sur le long trait tiré à l'horizon. Je me surprends à dire tout haut : «Et s'il n'y avait rien de l'autre côté?»

—Youhou! Sara, attends-moi!

Merde! Qu'est-ce qu'il me veut, celui-là? Je ne me retourne pas. Serge me rejoint et m'agrippe l'épaule. Je lui crie d'ôter ses sales pattes de là!

—Sara, qu'est-ce que tu as?

—Rien!

—Alors pourquoi tu boudes depuis trois jours? me demande-t-il en se plantant devant moi.

—C'est pas du boudin, je veux la paix!

— Excuse-moi ! Je ne voulais pas te déranger, ajoute-t-il doucement.

J'ai l'esprit en bouillie. Pour rien au monde je ne voudrais me contredire ni que Serge croie ce que j'ai dit. Une bouffée de chaleur me monte à la tête. Je suis furieuse et ne comprends pas très bien ce qui se passe en moi. Serge s'éloigne. Il y a une de ces boules qui roule dans ma gorge… une grosse boule… je ne sais plus si j'ai mal ou si j'ai peur, si j'ai envie de serrer les poings et de frapper un bon coup ou de m'écrouler et de pleurer… un bon coup. Je ne sais plus si je veux que Serge revienne ou…

— Pourquoi on s'assoit pas ? dit-il en revenant sur ses pas.

Sans attendre ma réponse, il me tire par la main. J'ai les joues en feu.

— Sara, j'ai un conseil à te demander, poursuit-il.

Et vlan ! Il m'annonce tout bonnement qu'il est amoureux par-dessus la tête. Le problème ? Il ne sait pas comment le déclarer à la fille. Il dit qu'il se trouve nono. Je dis, non, non, tu l'es pas.

— Je l'aime depuis la première seconde où je l'ai rencontrée. Elle a les plus beaux yeux du monde, on sait bien !

— Qu'est-ce que tu ferais, toi, si tu étais à ma place ?

Je lui bousillerais ses petites dents bien droites et son allure de ballerine de coffret à bijoux à deux sous !

Je ferme les yeux, détourne la tête, fais semblant de chercher une solution. Après tout, je suis l'amie !

Je me dis : je n'ai pas à me mettre dans tous mes états pour un gars qui n'en vaut pas la peine. J'ai de la peine quand même, mais je la ravale. Cul sec.

Je fais une grande fille de moi et réponds sur un ton complètement détaché :

— C'est facile, Serge ! Tu lui balances ta déclaration à la figure ! Si elle t'aime, elle te tombe dans les bras ! C'est toujours comme ça dans les films !

Serge se lève et fait quelques pas. Qu'est-ce qu'il attend pour aller la retrouver, sa Vilaine Joli ?

— Je t'aime !

En plus, il a le culot de pratiquer en ma présence! Le salaud! Il part en courant sans se retourner. Je me lance à ses trousses, pieds nus dans le sable beige.

À bout de souffle, je hurle :

— Tu es donc bien sauvage, Serge Viens! T'aurais pu au moins dire salut!

Il s'arrête net. Un peu plus et je lui fonçais dessus.

— J'ai dit « je t'aime », Sara Lemieux!

Je me sens comme de la guenille. Molle-molle-molle. Les paroles collent à mon palais comme de la vieille gomme.

— Non… tu… tu n'as pas dit Sara.

Ça se passe comme au cinéma. Je m'approche de lui au ralenti. J'arrête de lutter contre je ne sais plus quoi. Je lève les yeux. Mon regard plonge dans le sien. Saut périlleux. Il me tombe dans les bras. Me serre fort. Très très fort. Des frissons courent partout dans mon dos et je les laisse courir.

— Les journées sont plates quand t'es pas là, me dit-il en rougissant comme le soleil qui se couche.

J'ai du mal à suivre ma propre histoire et ça n'a aucune espèce d'importance.

Nos lèvres s'effleurent. Doucement, doucement. Nos nez se frottent l'un contre l'autre. Nous respirons bruyamment. Nos souffles se répondent. J'ouvre les yeux. Serge me sourit. Il est beau.

— T'es belle, Sara! Je suis bien dans tes bras. Tellement bien. Je ne veux plus qu'on se quitte. Jamais!

— Moi aussi je suis bien…

Le soir tombe. Serge m'embrasse aux commissures des lèvres. Nos langues se frôlent. S'entrelacent. Je voudrais me perdre dans sa bouche. C'est bon de le sentir si près de moi. Sa langue glisse dans le creux de mon oreille. Je ris, ça chatouille. La gêne fout le camp.

— Je te jure que tu m'en as fait baver! murmure-t-il en caressant ma nuque.

Je réplique en lui mordillant le nez :

— Et toi, qu'est-ce que tu crois!

Silence. Nous nous dévorons des yeux en nous allongeant sur la plage. Une belle histoire, des vagues, du sable et beaucoup d'étoiles dans le ciel américain.

J'oublie tout : Greta, Milène, ma peine ! Et j'accepte : Serge et moi, on s'aime, et c'est pas du cinéma.

CHAPITRE 9

La villa est plongée dans la noirceur. Nous ouvrons la porte-fenêtre de la véranda en prenant bien soin de ne pas faire de bruit.

— Un peu plus et ta mère mettait la police à vos trousses, me dit Liette.

Nous sursautons au son de sa voix. Étendue sur le canapé, elle se redresse pour allumer la lampe.

Elle a une de ces façons de nous regarder : ma foi, on dirait qu'elle a deviné pour Serge et moi.

— Alors, cette balade au clair de lune, c'était bien ? ajoute-t-elle en souriant.

— Génial ! lui répond Serge en me lançant un regard qui me fait fondre sur place.

Évidemment inquiète, ma mère bondit dans la véranda, la tête enrubannée d'une serviette, son regard de mère poule affolée, et la bouche pleine de reproches :

— Sara, tu sais l'heure qu'il est ?

Non, mais j'imagine qu'elle va me le dire.

Je réponds bêtement en fixant du regard son turban de ratine :

— L'heure de prendre ta douche ?

— Tu te trouves drôle ? réplique-t-elle, s'apprêtant à sortir de ses gonds.

55

Je la devance.

— Merde, arrête de me couver, je ne suis pas un œuf! Même pas un poussin, si tu veux savoir! Et ta morale, j'en ai rien à foutre! Si ça te démange trop, fais-toi faire un autre bébé! Moi, je commence à en avoir ras le bol de tes recommandations, de tes conseils et de tes discours à n'en plus finir! Sans compter tes critiques et tes éternels reproches!

J'ai débité ma tirade en un souffle. Ma mère reste bouche bée. Je m'attends à voir sa colère déferler sur moi comme un typhon. Rien. Elle ne dit pas un mot. Serge et Liette ont disparu.

Je voudrais bien être plus gentille avec maman, mais je n'y arrive pas. C'est fou comme elle a le don de me mettre les nerfs en boule!

— Je vais me coucher, on en reparlera demain, me dit-elle sans aucune expression dans la voix.

— Aujourd'hui, tu veux dire!

Retourner le couteau dans la plaie a été plus fort que moi.

Je m'en veux un peu. Je baisse le ton, mais pas trop quand même, et lui dis :

— Tu sais, ce soir je vis un grand bonheur. J'ai pas envie de me le faire bousiller!

— Bonne nuit, Sara!

Ma mère quitte la véranda. Je reste seule avec le silence qui emplit toute la maison et laisse les souvenirs de la nuit envahir mon esprit : le goût du premier baiser, les caresses, les frissons, le sourire de Serge. Son regard, son beau regard vert tendre dans lequel il fait bon se perdre.

Serge. Mon amour.

Il est ici, dans la maison. Est-il couché? M'a-t-il attendue?

Je fais le tour de la villa. Tout le monde semble dormir déjà. Je me dirige vers la porte-fenêtre donnant sur la plage. Je colle mon visage à la vitre. Soudain, je pense à Milène Joli. Qu'elle ose encore une fois se dandiner devant Serge et elle aura affaire à moi, la simili-Française!

La fatigue finit par avoir raison de moi. Je suis un peu déçue que Serge soit allé se coucher sans me souhaiter bonne nuit. Très déçue même. Enfin! Je gagne la chambre que je partage avec ma mère, me déshabille et me glisse sous les couvertures de mon lit étroit, sans faire de bruit. Je sens quelque chose de rêche sous mon dos : une feuille pliée, entre les draps. Dans la noirceur, je ne peux pas lire.

Je me relève et cours à la véranda. Pendant que je déplie la feuille, mon cœur bat à tout rompre. Je prends une grande respiration avant de lire. Je prends mon temps. Je veux que chaque mot se fraye un chemin jusqu'à mon cœur. Chaque mot :

Ma belle tigresse,

> *Je ne voulais pas te déranger en pleine colère.*
> *Je t'aime.*
> *Je t'aime.*
> *Je t'aime.*
> *Je t'aime.*
> *Je t'aime.*
> *Je t'aime.*

Serge
XXXXXX

P.S : Même fâchée, tu es très belle!

Six fois. J'embrasse six fois sa lettre et je retourne dans mon lit.

Je souris en repensant à papa lorsqu'il me suggérait de compter les moutons, les grenouilles ou les étoiles avant de m'endormir.

Cette nuit, je compterai les JE T'AIME.

*

— Tourne un tout petit peu la tête vers moi.

Les fesses dans le sable, la tête dans les nuages, je pose pour Serge.

Nos mères insistent pour que nous avalions au moins un petit quelque chose. Elles sont fatigantes. Elles font semblant de ne pas nous surveiller. Je suis gênée quand elles nous regardent.

Je n'ai pas faim. Serge non plus.

Tout à l'heure, Frédéric a fait le message à Serge que Milène était passée ce matin. Aux aguets, j'ai épié sa réaction. Il en a eu si peu que j'ai vite été rassurée.

C'est moi qu'il voit. Moi qu'il aime.

— Sara, arrête de bouger.

Décidément, je ne suis pas un très bon modèle. Serge s'applique à faire mon portrait. Avec amour, qu'il dit. Je l'inspire. Il n'a qu'à tenir le crayon, sa main dessine toute seule. Moi, j'ai la bougeotte.

— Je commence à avoir mal au cou!

— Il fallait le dire, fait-il en déposant son bloc de papier à dessin à l'abri du vent, entre les deux plus gros rochers.

Il s'approche de moi. Embrasse ma nuque avec énormément de tendresse. Je penche la tête doucement vers l'arrière pour caresser son front avec mes cheveux. Je suis émue. J'ai envie de pleurer tellement je suis bien.

Je me tourne vers lui. Il a l'air aussi ému que moi. Ma main se pose sur son visage. Elle dessine toute seule un petit bonheur sur sa joue. Nos lèvres se soudent, nos langues se touchent…

Quelqu'un tousse. Je lève les yeux.

— Heu… Salut…

Tiens, Milène Joli. Visiblement mal à l'aise, elle regarde à côté de nous, au-dessus de nous ou par terre. Sans se trémousser!

Je ne veux pas être méchante, mais ça me fait presque plaisir de la voir aussi déconfite.

— Je voulais juste savoir si vous veniez jouer au ballon volant.

— Ça te le dit, toi? me demande Serge.

— Pas vraiment! Et toi?

— Pas du tout, en fait!

— La question est réglée!… Bon… Si vous changez d'idée, vous savez où nous trouver! lance Milène en déguerpissant sans même nous saluer.

Je demande à Serge :

— Tu es certain de ne pas avoir envie d'y aller?

—Qu'est-ce que tu crois? Ce n'est pas un sacrifice de rester seul avec toi, Sara! ajoute-t-il en embrassant mes doigts.

—Moi qui pensais que les sportifs comme toi avaient un ballon à la place du cœur!

—Tu as osé penser ça de moi, espèce de… d'intello! réplique-t-il en m'attirant à lui.

À cet instant précis, cette réflexion me vient à l'esprit : «Je suis amoureuse d'un gars merveilleux. Notre histoire n'a rien à voir avec les marathons de ma copine Mandoline. C'est une vraie histoire d'amour. C'est la nôtre et elle est belle!»

—À quoi tu penses? me demande Serge.

—À nous deux.

—Toi et moi, ce n'est pas de la camelote, hein?

—C'est justement ce que je me disais.

Nous nous serrons très fort. Si fort que nous pourrions entendre craquer nos os.

—À la vie, à la mort! murmure Serge dans le creux de mon oreille.

Je pourrais passer ma vie à embrasser ce garçon, sans jamais jamais m'en lasser.

À mon tour, je chuchote :

—Qu'est-il arrivé à nos parents pour qu'ils aient oublié comme c'est bon l'amour?

—C'est bien connu : les adultes ne comprennent jamais rien à rien, répond-il en mordillant mes lèvres.

—Je t'aime, Serge Viens!

—Je t'aime, Sara Lemieux!

J'ai douze ans, toutes mes dents, et… j'aime!

CHAPITRE 10

Quand je regarde le portrait que Serge a fait de moi, à Wells, j'ai du mal à croire que je suis aussi belle. Je trouve l'image que me renvoie le miroir beaucoup plus moche.

Ah, ces vacances! Ce sont vraiment les plus belles de ma vie. J'ai laissé une partie de moi là-bas.

— Sara? Téléphone! me crie papa.

Mais pourquoi tout le monde hurle-t-il dans cette baraque?

— Qui est-ce?

— Devine!

Je savais que c'était lui. C'est fou, mon cœur se met à battre vite-vite-vite. Je vais fermer la porte de ma chambre avant de décrocher.

Un, deux, trois…

— Oui, allô!

— Bonjour, Tigresse. C'est long tout un avant-midi sans te voir, me dit Serge de sa voix enjouée.

— Je me suis ennuyée, moi aussi. Et pas juste un peu.

— C'était mieux quand on habitait ensemble, non?

Un jour, nous aurons une maison juste pour nous deux : sans cri ni chicane…

— Es-tu là, Sara?

—Non, je suis dans l'avenir!

—Et qu'est-ce que tu dirais de revenir à Montréal? Pat Metheny, en plein air, ce soir, au Festival de jazz, ça te tente?

—Pat qui?

—Metheny. C'est le plus grand musicien de jazz de notre époque, me dit-il, enthousiaste.

—Connais pas!

—Tu vas l'aimer!

—D'accord pour Pat Je-Sais-Plus-Qui.

—Pat Metheny! Je passe te prendre à dix-sept heures. Vaut mieux se rendre assez tôt pour avoir des bonnes places.

—Je serai prête!

—À tout à l'heure!

Comment je m'habille? Syntaxe! Je n'ai plus rien à me mettre sur le dos!

*

Je longe le corridor en me répétant de rester calme. Dans le salon, ma mère feuillette un magazine pour femmes d'affaires. Je mets mes gants blancs pour l'aborder :

—M'man… tu me passes ta chemise noire en soie, ce soir? S'il te plaît?

—Pas mon chemisier en soie, quand même!

—Merci, tu es fine! dis-je en lui donnant un gros bec bruyant sur la joue.

D'habitude, ça marche.

—Où vas-tu? me demande-t-elle.

—Au Festival de jazz. Tu me prêtes aussi ton rouge à lèvres Rose-Chinois?

—Ils finissent toujours tard, ces spectacles; tu rentres tout de suite après, d'accord?

—Tu me le passes, oui ou non, ce rouge à lèvres?

—Tu ne peux pas le demander sur un autre ton? fait-elle en élevant la voix.

Je réplique en élevant la voix plus fort qu'elle :

— Non ! je ne peux pas !

— Dans ce cas…

— C'est ça, fais du chantage si ça te chante ! Tu peux les garder pour toi, tes trucs à la con ! J'en mourrai pas !

Je bous de colère. Nous ne pouvons pas nous parler plus d'une minute à la fois sans que la guerre éclate.

— Écoute, Sara, tu…

— Bla bla bla…

— Espèce de gripette ! mais laisse-moi au moins te…

Je passe devant elle en coup de vent, en prenant bien soin de me boucher les oreilles. Je claque la porte et vais attendre Serge dehors, dans les marches de l'escalier : ma vieille chemise Levi's sur le dos et les lèvres nature !

*

Il y a foule à perte de vue rue Sherbrooke. Syntaxe ! La ville de Montréal au grand complet connaissait Pat Metheny excepté moi. Je déteste ça me sentir nouille !

En nous faufilant, nous réussissons à dénicher une bonne place : au centre et assez près de la scène.

On nous marche quasiment dessus, mais je m'en fous : je suis dans les bras de mon amour.

Je l'embrasse. Avec beaucoup de plaisir. Beaucoup d'attention aussi. Je suis si attentive que j'ai l'impression d'être le baiser. Sensation curieuse et troublante.

— Tu embrasses bien, murmure Serge en souriant, les yeux fermés.

Je ne réponds pas. Enfin, pas avec des mots…

*

Les applaudissements, les cris et les sifflements soudains nous font revenir sur terre !

62

Le fameux guitariste, crinière tout ébouriffée, nous salue, l'air vachement content d'être là.

Les doigts de ma main gauche se posent délicatement sur les doigts de la main droite de Serge.

Nos mains se croisent. J'appuie ma tête sur son épaule.

— *Are you going with me!* dit Serge.

— Quoi'?

— C'est le titre de ce qu'il joue.

Nous nous laissons bercer par la musique de Pat Metheny. Elle est belle. Elle va droit au ventre. Elle nous emporte, jusqu'à la fin du spectacle.

*

— Si on faisait un détour par l'île de la Visitation? me demande Serge aux abords de la station de métro.

— Bonne idée! Tu as vu comme le ciel est illuminé ce soir?

— Tes yeux aussi sont illuminés, me répond-il en embrassant doucement mes paupières.

Je frissonne au contact de ses lèvres sur ma peau.

Un vieil itinérant sans itinéraire chancelle à deux pas de nous.

— Moi, c'est Laurent! Pis vous autres?

Il lève sa bouteille à notre intention, en nous scrutant de son regard embué par l'alcool.

J'ai le réflexe de reculer. Serge presse ma main. L'homme se rapproche en ajoutant de sa voix rocailleuse et tremblotante :

— Salut, les amoureux! Profitez-en, OK? Dépêchez-vous d'en profiter, bout de bonyenne!

Je frissonne au contact de ses paroles. Je ne sais pas pourquoi, mais elles me font froid dans le dos. J'enfouis ma tête sous le menton de Serge.

Nous laissons le métro engouffrer la foule. Nous ne sommes pas pressés. Nous avons toute la vie devant nous.

Le clochard a disparu.

*

Nous abandonnons la ville derrière nous. Main dans la main, nous traversons le petit pont qui relie le parc à l'île. Après un bain de foule, c'est bon de se retrouver en pleine forêt.

— Regarde comme on est bien accueillis! me dit Serge tout bas.

Un raton laveur passe devant nous, l'air coquin. Nous le saluons et tentons de le suivre.

Il se lasse vite de notre compagnie et se sauve en courant.

Je dis :

— Il veut la paix!

Nous aussi, nous voulons la paix. Et nous avons l'embarras du choix pour trouver un coin tranquille.

Je demande à Serge :

— On va au bord de la rivière?

— Au bout du monde, si tu veux!

Un endroit pour être seuls au monde, seuls au bord de l'eau, mon amour et moi.

Nous nous asseyons face à face. Il fait noir. Il fait bon.

— J'ai une surprise pour toi. Ferme les yeux, s'il te plaît, me dit Serge en me faisant un baisemain courtois.

Il m'intrigue, tout à coup, mon beau chevalier. Je garde les yeux clos. Il cueille ma main gauche et l'embrasse de nouveau. Je l'entends fouiller dans sa poche. Il caresse mon annulaire gauche, passe un anneau à mon doigt et baise ma main une troisième fois.

— À présent, tu peux les ouvrir.

Je regarde le jonc en argent. Je regarde Serge. Les larmes me montent aux yeux.

— Sara, n'oublie jamais que je t'aime. À la vie, à la mort! me dit-il, l'air grave, en appuyant sur chaque mot.

Pendant une seconde, l'expression de son regard m'affole. C'est la deuxième fois qu'il me dit ça : « À la vie, à la mort! » J'ai la chair de poule.

Une larme au bord de son œil. Je m'approche doucement de lui et je la lèche. Il me serre dans ses bras avec une telle intensité! Une telle tendresse! Je m'accroche à lui, incapable de dire quoi que ce soit. Si je parlais, même pour dire merci, je briserais la magie de l'instant.

Je remercie avec mon cœur, en pressant Serge contre moi. Je prends son visage entre mes mains, il prend le mien.

Nous restons là, en silence, à nous regarder. Longtemps, longtemps, longtemps.

Nous nous embrassons du bout des lèvres, du bout de la langue. Du fond du cœur. Jusqu'à faire UN.

Qu'est-ce qui nous arrive? Nous n'y comprenons rien, mais nous pleurons tous les deux.

Nous sommes le baiser que nous nous donnons. Un baiser tout mouillé. Unique. Devant une rivière et des arbres comme seuls témoins.

★

Je n'ai pas aussitôt mis un pied dans la maison que je me fais engueuler comme du poisson pourri.

Ma mère ressemble à une sorcière de conte de fées tellement elle a les traits tirés et le regard mauvais.

Mais ils sont deux à m'avoir attendue. Deux à vouloir que je redevienne leur petit Minou Chéri.

— Là, tu charries! me dit mon père sur un ton sec comme du bois mort, en regardant sa montre.

Je le laisse parler. Lui et sa femme, ils me feront suer jusqu'à la dernière goutte!

D'accord, je n'ai pas l'âge de découcher! Non, je n'ai pas vu l'heure passer! Oui, j'aurais dû penser que mes pauvres parents se morfondaient à en être malades, s'imaginant la pire des catastrophes, me voyant déjà à la une des journaux à sensation parce qu'on aurait retrouvé ma carcasse abandonnée au fond d'un fossé… Oui, je comprends tout ça! Mais syntaxe de merde de…! J'avais autre chose a faire qu'à penser à EUX!

— Heureusement que nous partons pour le chalet demain soir !
Deux semaines sans voir ton voisin vont peut-être t'aider à te
remettre les idées en place ! me lance mon père.

Sa réplique ne me fait pas moins d'effet qu'une douche froide.
J'avais complètement oublié que nous partions pour L'Annonciation.

Je ne veux pas y aller ! Je ne veux pas ! Je ne veux pas ! Je ne veux
pas ! Je vais crever là-bas, toute seule avec ces deux-là !

— Mais dis quelque chose ! ordonne ma mère.

Visiblement, elle ne supporte pas mon mutisme. Je n'ai rien à
dire.

— Tu es en train de me rendre folle, Sara ! crie-t-elle, les
baguettes en l'air.

— Et tu penses que c'est à cause de moi si tu l'es ?

J'ai craché ma réplique comme du venin. J'ai reçu sa gifle sans
l'avoir vu venir.

Mon père m'empoigne par le bras et me conduit de force là où
je ne demandais pas mieux que de me retrouver : dans ma
chambre.

— Sincèrement, Sara, tu ne trouves pas que tu ambitionnes ?

Je jurerais entendre parler sa femme. Il persiste :

— Pour l'amour, qu'est-ce que tu as dans la tête ?

Je ne réponds pas, mais en moi-même je me dis : « Pourquoi tu
ne me demandes pas ce que j'ai dans le cœur, plutôt ? De l'amour,
si tu veux savoir ! Mais tu ne veux pas savoir ! »

Il reste sur le seuil quelques secondes, un soupçon de douceur
dans le regard. Je bâille à m'en décrocher les mâchoires, en le fixant
droit dans les yeux.

Soudain, il ferme la porte de ma chambre avec rudesse en me
lançant :

— Réfléchis, ça urge !

Il s'en va. Consoler ma mère peut-être. J'espère qu'elle en
profitera au moins !

Que pouvais-je leur dire pour ma légitime défense ? Rien du
tout ! Ils n'auraient pas compris de toute façon ! Ils ne savent pas ce

que c'est, le grand amour! Eux, leur seule et unique passion, c'est l'engueulade!

Mon père rejoint ma mère en lui disant :

— Je commence à trouver que le fils de ta grande amie a une bien mauvaise influence sur Sara!

Et maman de riposter :

— Si tu étais plus présent, aussi!

— Ah non! Tu ne vas pas recommencer à me chanter la même chanson!

À ce que je sache, c'est une chanson à répondre! Et elle dure depuis toujours!

Je me déshabille en laissant tomber mes vêtements au pied du lit puis me glisse toute nue sous les draps.

J'embrasse mon jonc. Le plus joli jonc en argent qu'une fille ait jamais reçu du gars qu'elle aime.

Et je m'endors. Absolument convaincue d'être la fille la plus heureuse du monde.

CHAPITRE 11

La guerre est officiellement déclarée. Après avoir éclaté comme deux bombes, la nuit dernière, mes géniteurs me tiennent maintenant en otage.

— Où vas-tu?

Qu'est-ce qu'ils attendent pour me mettre une laisse? Au pied, Sara! Couché! Assis! J'ai dit ASSIS!

— Wouf-wouf!

— Tu peux traduire? demande la générale.

— Oui, ma générale! Vous permettez que j'aille purger ma peine dans ma cellule? Ou préférez-vous vous faire mordre par Pitou méchant? GRRR…

Je suis condamnée à tourner en rond dans la maison, alors que mon amour est parti faire des longueurs à la piscine municipale.

Je pourrais m'évader, envoyer paître mes juges et retrouver Serge. Ce n'est pas l'envie qui manque. Mais je choisis d'accepter leur sentence, histoire de leur laisser le temps de ramollir un peu. Si je n'ai pas droit à la libération conditionnelle, ce soir, il sera toujours temps d'organiser mon évasion. Je ne supporte pas l'idée d'être exilée à L'Annonciation pour quinze longs jours sans revoir mon amour avant de partir. Voilà pourquoi je me contente de grogner après mes parents sans les mordre! Mais syntaxe! que j'aurais le goût! Après tout, ils sont sadiques de m'empêcher de voir Serge aujourd'hui; ils savent très bien que nous serons séparés pendant deux semaines.

J'étouffe ici. Le soleil plombe comme un dément dans ma chambre et je n'ai la tête ni à lire ni à penser. Je crie à ma mère :

— Garde!

Elle est si occupée aux préparatifs du grand départ qu'elle n'entend rien.

— Garde! Je quitte ma cellule pour le salon!

— Tu es libre de te promener à ta guise, ma grande! La prison est toute à toi!

Oh! Mais elle a de l'esprit, madame ma mère! Le sens de la repartie, dirait le prof de français.

Après-midi d'été chaud et ensoleillé. Je m'étends sur le divan en espérant me faire consoler par la télé.

Je jette un œil au programme de télévision. Un titre capte mon attention : *Roméo et Juliette*. Je lis le résumé.

Drame de F. Zeffirelli, d'après l'œuvre de W. Shakespeare : Dans la Vérone de la Renaissance, malgré la haine qui oppose leurs familles, un jeune homme et une jeune fille bravent les préjugés et s'aiment de toute l'ardeur de leur jeunesse.

Tiens, tiens! J'allume la télé. Le film commence à l'instant.

Juliette danse, gracieuse, rayonnante. Roméo la remarque, se pâme devant elle!

Leurs regards se croisent. J'ai des frissons. Comme quand ça s'est passé pour vrai, entre Serge et moi, à Wells.

Ils n'arrêtent pas de se manger des yeux. S'embrassent, longuement, fougueusement. Apprennent qu'ils sont tombés amoureux de l'ennemi.

Il escalade le mur jusqu'à elle. Risque sa vie pour elle. L'amour est plus fort que tout.

Ils se marient en cachette.

*

— Sara, ça fait deux fois que je te demande si tu viens manger !
Je réponds :
— Ce ne sera pas long !
Mes yeux roulent dans l'eau. J'avais le cœur en compote, mais
là il est complètement en jus. Juliette a bu un poison. Exilé pour
avoir tué en duel un cousin de Juliette, Roméo revient trop tard :
Juliette est déjà ensevelie. Il ne peut accepter la mort de celle qu'il
aime, s'empoisonne, en crève.

Il ne savait pas que Juliette était juste endormie. Le frère
Laurent avait préparé une substance destinée à créer l'illusion de sa
mort. Roméo n'a pas été prévenu à temps.

Juliette se réveille. Voit Roméo, mort, à côté d'elle. Ne le supporte pas. Se poignarde, en plein cœur, rejoignant à jamais celui
qu'elle aime. FIN.

Avant d'aller manger, je passe par la salle de bains : me mou-
cher, m'essuyer les yeux.

*

Ma mère a préparé une lasagne malgré les 29 °C, pour me faire
plaisir sans doute. Je l'apprécie et le lui dis. Nous la dégustons en
silence ou presque. Et en suant sur place. Papa affirme qu'un clima-
tiseur ne serait pas bête, finalement. Moi, je n'ai qu'une idée en tête :
voir Serge au plus sacrant. Je répète : c'était vraiment bon, maman.

Elle redit merci.

— Un peu dur sur le système digestif par une chaleur pareille,
mais c'est vrai qu'elle n'était pas mal, cette lasagne. Les pâtes, juste
à point ! renchérit mon père.

— Il fallait bien que tu trouves le moyen de me dénigrer au
moins un petit peu, pas vrai ? réplique la cuisinière, offusquée.

Ils m'emmerdent avec leur histoire de nouilles ! Je veux voir
Serge. J'ai été suffisamment gentille pour qu'on écourte ma
sentence. Ils ne semblent pas l'avoir envisagé. Je commence à avoir
la bougeotte sur ma chaise. Je me lève en cherchant la meilleure
façon d'aborder la question sans que ça fasse d'éclats. J'ouvre le
frigo et cale à peu près la moitié du litre de lait.

— Sara ! Tu sais que je déteste quand tu bois à même le carton ! Combien de fois devrai-je te le répéter ?

Oh, merde ! Ce n'est pas le moment de faire des gaffes.

— Excuse-moi, m'man. J'avais la tête ailleurs, dis-je en refermant la porte du réfrigérateur.

Toc, toc, toc !

Je me retourne : Serge, sur le balcon, plissant le nez. Mon père va lui ouvrir. Il ne rentre pas. Après s'être excusé pour « notre folie de la veille », il demande si Sara a la permission d'aller jouer au basket avec lui. Je me croise les doigts. Mon père réfléchit, consulte maman du regard. Ils finissent par acquiescer tous les deux d'un léger mouvement de la tête.

— Vous êtes chouettes, leur dit Serge avant d'ajouter : Sara, je t'attends dehors.

Ma mère s'apprête à me sermonner au moins un peu (c'est plus fort qu'elle). Je lui coupe l'herbe sous le pied. Je fais les yeux doux et je prends un air franchement reconnaissant. Je mets le paquet :

— Non seulement vous êtes chouettes, vous êtes les meilleurs parents du monde !

Je leur saute au cou, l'un après l'autre, en les embrassant bruyamment. Au fond, je suis bien contente de ne pas avoir à m'évader ! Je cours me changer, pour aller pratiquer mes lancers de punition…

*

Je réussis à m'emparer du ballon. Serge se plante devant moi et tente désespérément de me l'arracher. Je feinte, me libère de l'offensive de mon adversaire et dribble en direction du panier. Comme je m'approche du but, Serge est de nouveau devant moi pour m'empêcher d'effectuer mon lancer. Je le déjoue et parviens à viser la cible. Le ballon heurte le panier. Serge le saisit. Je fonce sur lui et réussis à lui faire échapper sa prise. Ballon en main, je risque un lancer à distance. Je ne suis peut-être pas grande, mais j'ai du visou ! Je réussis. Je crie ma satisfaction en courant cueillir le ballon : «Un-Zéro!» Il me glisse des mains. Je tente de le stopper en donnant un léger coup de pied. Raté. Le ballon roule derrière moi… sur le trottoir… dans la rue. Serge me devance pour aller le ramasser. Il s'élance à toute vitesse. Regarde à sa droite pour s'assurer qu'il n'y a pas d'auto en vue. Je n'ai le temps de rien dire. De rien faire. Je crie : «NON!», à m'en briser les cordes vocales. Ce n'est pas possible. C'est une rue à sens unique! Les voitures ne peuvent pas surgir de la gauche. C'est une rue à sens unique! Ce n'est pas vrai! Ça ne se peut pas! Pas lui! Pas Serge! Je n'ai rien pu faire.

Juste crier NON! Trop tard. La voiture a surgi de nulle part. Serge se penchait pour prendre le ballon. L'auto a foncé sur lui. BANG! Le bruit! L'horrible bruit! Mon amour, sous les roues d'un tas de tôle. Écrasé par le tas de tôle dans une rue à sens unique. L'homme descend du tas de tôle. S'agenouille dans la rue. Il voit mon amour baigner dans son sang. Je n'ai plus de langue. Plus de jambes. Je ne sens plus rien. Je vois du sang dans la rue. Je vois Serge couché dans le sang, sous l'auto. Je veux lui crier de se relever. Lui dire qu'il a sa revanche à prendre. Lui dire de se dépêcher. Les sons ne veulent pas sortir de ma bouche. Des voisins sortent de leur maison. Des voisins arrivent sur le trottoir. Le conducteur de la voiture sous laquelle mon amour est couché parle au monsieur d'en face en se frappant le front. Je n'entends pas ce qu'ils disent. Où est ma mère? Où est Liette? Pourquoi ne vient-elle pas dire à son gars de s'ôter de là? Il y a plein de monde autour de moi. Ils parlent, ils parlent, ils parlent, mais je ne comprends rien. J'entends juste un bourdonnement, un épouvantable bourdonnement, comme si un million d'abeilles habitaient mes oreilles. Quelqu'un me saisit par l'épaule. Où sont mes jambes? Pourquoi je ne les sens plus? Une femme dit :

— Mon Dieu, ce n'est pas vrai!

Je connais cette voix. Elle ressemble à celle de Liette Viens. Où est le ballon? Donnez-moi le ballon! Je le prends et le serre sur mon ventre.

*

Je ne veux pas de lait chaud! Je ne veux rien! Je veux juste que ce soit un mauvais rêve et me réveiller au plus vite. Je veux que Serge lance le ballon dans le panier. Je veux qu'on achève le match qu'on a commencé.

Je ne veux pas que ce soit vrai pour vrai! Je ne veux pas que cette auto soit arrivée en sens inverse pour venir happer mon amour. Elle n'avait pas le droit d'être là. C'est une rue à sens unique. Il fallait lire le panneau!

— Tu grelottes, Sara! Viens boire un peu de lait chaud, répète mon père. Pourquoi ne rentres-tu pas dans la maison? Ne reste pas seule dans le noir! Tu veux bien me prêter le ballon? Je te promets d'y faire très attention.

— Non!

Les mots décollent enfin de ma gorge. Je peux crier. Et je crie :

— C'est une rue à sens unique! Elle n'avait pas le droit d'être là, l'auto! Elle n'avait pas le droit!

Je ne veux pas de lait chaud! Je ne veux pas rentrer dans la maison. Je veux rester sur le balcon, dans le noir, tant que maman n'aura pas téléphoné pour donner des nouvelles de Serge. Maman est partie avec Liette et Serge, en ambulance. Elle tenait la main de Liette qui pleurait. Des hommes en uniforme sont arrivés sur les lieux sanglants. Ils ont retiré Serge de sous l'auto. Il était maculé de sang. Ne bougeait pas. Ne disait rien. Les policiers demandaient aux curieux de libérer le passage. Serge est parti à l'hôpital, se faire soigner.

Ils sont en train de soigner mon amour, à l'hôpital.

Je ne veux pas que papa prenne le ballon. C'est moi qui dois le garder en attendant que Serge revienne.

Nous avons une partie de basket à finir.

Est-ce que le téléphone a sonné? Oui. Papa parle au téléphone. Papa a promis à Liette de s'occuper de Jean-Sébastien et de Frédéric. Jean-Sébas dort sur le canapé du bureau de maman. Frédéric s'est endormi devant la télé.

Est-ce que papa est au téléphone avec maman?

Il raccroche. Il ne vient pas me voir sur le balcon. Il va éteindre la télé, je crois.

Ma figure collée à la moustiquaire, je guette le retour de mon père à la cuisine.

Pourquoi ne vient-il pas me dire que Serge va bien? Qu'il s'en vient? Que nous pourrons finir notre partie de basket même s'il est tard?

Pourquoi?

— Papa? Papa?

Pourquoi il prend autant de temps à me répondre?

— P-A-P-A?

Il arrive dans la cuisine, à pas de tortue, l'air bizarre. Il me regarde à travers la moustiquaire.

— Minou Chéri, viens ici! me dit-il.

Sa voix tremble. Je n'ai jamais entendu la voix de mon père trembler.

— Non! Toi, viens ici!

Je n'ai pas demandé. J'ai ordonné. Je ne veux pas rentrer dans la maison. Je ne veux pas.

Papa ouvre la porte et me rejoint sur le balcon. Il s'agenouille et me prend par les épaules. Il mordille ses lèvres, la supérieure, l'inférieure. Et ne parle pas.

Je prends les devants :

— C'est maman qui vient d'appeler? Qu'est-ce qu'elle a dit? Est-ce que Serge va rester à l'hôpital cette nuit?

— Minou Chéri, écoute… je ne sais pas comment dire ces chose-là à une petite fille…

Il me traite de petite fille.

Pourquoi il s'interrompt et respire aussi profondément? Il prend mon visage entre ses mains, hésite à parler.

— Est-ce que Serge va être obligé de rester longtemps à l'hôpital? Est-ce que c'est grave?

Deux grosses larmes s'échappent de mes yeux. Mon père a du mal à avaler sa salive; je l'entends.

Pourquoi il a dit : « Je ne sais pas comment dire ces choses-là » ?

— Quelles choses, papa ?

Mon père essaie de me retirer le ballon des mains. Je ne veux pas qu'on me l'enlève ! Je m'y agrippe, férocement, en criant :

— Quelles choses ?

— Sara...

J'ai le cœur qui se débat. Mon cœur se débat.

Je sais quelque chose que je ne veux pas savoir. Moi aussi j'ai du mal à avaler ma salive :

— Est-ce qu'il va revenir ?

— Non, ma douce. Il ne reviendra pas.

IL NE REVIENDRA PAS ! Serge ne reviendra pas. Il est mort !

— C'est même pas vrai ! C'est même pas vrai ! T'es rien qu'un menteur !

— Sara, écoute-moi...

Non ! Je ne veux rien écouter. Rien, rien ! C'est même pas vrai ! Serge va revenir. Il doit prendre sa revanche.

Tout va très vite. Je repousse mon père qui tente de me retenir. Je suis dans la cuisine, devant le tiroir des gros ustensiles. Je l'ouvre avec rage et saisis le plus grand couteau. Mon père me rejoint ; je suis déjà effondrée au centre de la pièce et je poignarde le ballon maudit de toutes mes forces en criant :

— T'avais pas le droit de t'en aller comme ça ! T'avais pas le droit !

Papa me retire le couteau et le dépose dans l'évier. Il s'agenouille à côté de moi, me prend dans ses bras et me berce. J'éclate en sanglots. Des gros sanglots. Et j'ai peur de ne plus jamais pouvoir les arrêter.

J'ai douze ans et mon amour est mort. Ce n'est pas juste.

J'aperçois Frédéric. Il a tout entendu, tout vu.

CHAPITRE 12

Zombi figé dans le hall du salon funéraire, je me sens incapable de pénétrer dans la salle B.

Voir mon amour couché dans un cercueil, je ne veux pas ! J'ai mal ! Tellement mal !

Mandoline me tient la main. Des gens circulent dans ce hall : ils vont, ils viennent, parlent, pleurent.

Des souvenirs tourbillonnent dans ma tête. Une plage de Wells. Les lèvres de Serge touchent les miennes pour la première fois. La terre se dérobe sous mes pieds. Ses lèvres ne s'ouvriront plus jamais. Ses yeux non plus. Je l'aimais, moi, le grand fendant ! T'avais pas le droit de t'en aller comme ça !

— Tiens, essuie tes yeux, me dit Mandoline en me tendant un mouchoir.

Ils sont venus en grand nombre lui dire un dernier bonjour : famille, amis, professeurs, élèves.

Greta Labelle arrive en pleurs, en traînant sa cour derrière elle.

— Salut, Mandoline !

Moi, elle ne me salue pas.

Serge est mort. Parti, avec tous nos projets.

Je déteste la vie ! Elle est mesquine ! Injuste ! Salope ! J'ai mal ! J'ai tellement mal !

— Sara!

Steph. Mon amie Steph. Elle est venue, me prendre dans ses bras, me consoler.

— Veux-tu qu'on descende au fumoir boire quelque chose? me demande-t-elle.

Je ne sais même pas si j'ai soif. Je sais juste que je ne peux pas mettre les pieds dans la salle B.

— Allez! Viens! ajoute-t-elle en m'entraînant.

— C'est bien que tu sois là, Stéphanie! Moi, j'arrivais pas à la faire bouger d'ici, dit Mandoline.

Nous descendons au fumoir. J'entends quelqu'un rire. Je le grifferais!

Je suis comme Serge, sauf que moi je n'ai pas droit au cercueil. Je suis obligée de traîner ma peau, comme un boulet.

Steph et Mandoline font connaissance et semblent sympathiser.

— Je remonte.

— Attends, on vient avec toi! me dit Mandoline en me retirant des mains la cannette de Sprite qu'elle va déposer dans la poubelle.

Steph se lève et me flatte le dos. Mandoline se tient un tout petit peu à l'écart et me sourit.

Nous retournons dans le hall.

⋆

— C'est la prière finale, Sara. Tu ne veux toujours pas venir? me demande mon père.

— Non!

Mandoline y va. Je m'accroche à Steph. J'entends un vague bourdonnement. Des gens prient, se lamentent.

Serge est couché dans son cercueil. On va le mettre dans la terre avec nos rêves, nos becs mouillés, nos caresses.

— Je ne veux pas!

— Pauvre Sara!

Qui a dit ça? Steph. Le bourdonnement s'estompe. La prière est finie. Mon roman d'amour est fini. Il n'y aura pas de «ILS

VÉCURENT HEUREUX ET ILS EURENT BEAUCOUP D'ENFANTS».
Les contes de fées, c'étaient pour les fées!

Steph essuie mes yeux. Je ne me rendais même pas compte que je pleurais.

— Veux-tu qu'on sorte? me demande-t-elle.

— Non, pas tout de suite, dis-je en prenant une enveloppe dans la poche de mon veston.

Les gens quittent la salle B. Je marche à contre-courant. Je veux dire bonjour à Serge une dernière fois, une toute petite fois, au nom de toutes celles qui n'auront pas lieu. Je le lui ai écrit sur du papier imprimé de nuages. Le maudit papier d'adieu que Steph m'avait donné.

Je passe devant les gens restés près du cercueil : la famille éplorée. Un homme très grand, châtain et un peu chauve, enserre les épaules de Liette. Le père de Serge, sans doute. Il a les mêmes yeux, des yeux vert pomme.

— Il se réveillera plus jamais, Serge? Jamais, jamais, jamais? demande Jean-Sébastien, debout sur le prie-Dieu.

Je ne sais pas quoi lui répondre, alors je ne dis rien.

Je ne pleure pas en apercevant mon amour couché pour l'éternité. Maintenant, je sais qu'il ne se réveillera pas. C'est vrai. J'aurai espéré jusqu'à la dernière seconde que ce soit un mauvais rêve, un cauchemar sans queue ni tête qui aurait duré plus longtemps que d'habitude.

J'embrasse Serge une dernière fois sur le front. Et je lui dis tout bas :

— T'avais pas le droit de t'en aller comme ça!

Je dépose ma lettre sur son cœur, en la récitant dans ma tête, comme une prière :

Mon amour,

Je suis déchirée comme une feuille de brouillon qu'on jette au panier. Tu me manques. Tu me manqueras. Ce dernier bonjour, je voulais que tu l'emportes avec toi. Je t'aime, mon grand fendant.

Ta belle tigresse
XXX

— Ça donne rien, il pourra pas la lire ! me dit Jean-Sébastien.

— Il la lira au paradis, lui répond Frédéric.

— C'est quoi ça, le paradis ?

Il m'énerve, cet enfant-là ! Pourquoi on ne lui met pas un bouchon pour le faire taire ?

Un homme annonce qu'il est l'heure de fermer le cercueil.

Liette éclate en sanglots dans les bras de l'homme chauve.

— Viens, Sara ! me dit ma mère.

Je quitte la salle B en courant. Je n'irai pas à l'église ! Je n'irai pas au cimetière ! Foutez-moi la paix !

Je cours sans savoir où je vais. Je cours à en perdre le souffle. J'ai un point au cœur : il est brisé en mille miettes de toute façon !

Je cours, je cours… jusqu'à l'île de la Visitation. Et je m'écroule face à la rivière. Là, je pleure toutes les larmes de mon corps, en frappant le sol à coups de poing.

CHAPITRE 13

Après cette fin d'été dégueulasse, l'automne se faufile en douce. Puis un matin, je n'ai plus de larmes à verser sur mon amour perdu.

Il me reste un portrait, un jonc et un air de Pat Metheny, *Are you going with me,* pour me rappeler que je n'ai pas rêvé ni l'amour ni la mort. Et des panneaux publicitaires aux quatre coins de la ville, sur lesquels on peut lire en gros et en large : LA SOIF DE VIVRE. Et pour illustrer ce slogan destiné à faire vendre du lait, pour illustrer surtout l'ironie de la vie, le très beau dessin de Serge.

Voir affichés en public ce gars et cette fille qui se tiennent par la main, entre ciel et terre, me donne un choc chaque fois. Je trouve ça indécent, comme si on avait étalé notre histoire au grand jour mais pas pour les bonnes raisons.

Je ne pleure plus, c'est vrai, mais je n'arrête pas de penser à lui. Où que j'aille, quoi que je fasse, je pense à LUI.

On a beau me jurer que le temps finit toujours par tout arranger, je n'y crois pas. Quelque chose s'est brisé en moi, quelque chose qui ne se répare pas.

J'ai de plus en plus l'air d'un squelette ambulant. Je ne mange presque pas, sauf de la crème glacée au chocolat.

Je traîne ma peau d'un jour à l'autre, du moins ce qu'il en reste.

J'assiste à mes cours, tant bien que mal. Plutôt mal. Le soir, je m'enferme dans ma chambre, le store baissé, les yeux fermés. Branchée à mon baladeur, j'écoute *Are you going with me* à tue-tête. Ça me rentre dedans. Puis vient le moment où je ne sens presque plus rien, juste les notes qui m'égratignent l'intérieur, une à une.

Mes parents s'inquiètent pour moi. Ils ne savent plus où donner de la tête. Ils disent que ça les rend fous de ne pas pouvoir communiquer avec moi. Je leur dis de me laisser tranquille.

Une fois, j'ai lancé à ma mère

— Moi aussi je suis morte !

Elle s'est mise à me secouer comme une poupée de chiffon, pour me bercer ensuite comme un bébé, en pleurant.

J'étais encore plus croche de la voir dans cet état. Alors je ne dis plus rien. De toute façon, je n'ai rien à lui dire.

Elle, par contre, n'a pas capitulé. Elle essaie de me parler. Elle essaie aussi de se taire. Rien n'y fait. Elle a même téléphoné à un psychologue, mais je ne veux pas aller le voir.

Je veux juste qu'on me foute la paix. Tout ce qu'il me reste de mon beau roman d'amour, c'est mon souvenir. Je ne tiens pas à ce qu'on me l'arrache. Ce n'est pas une dent cariée ! Mais ça, mes parents, même s'ils le voulaient, ils ne pourraient pas le comprendre. Eux, alors qu'ils sont ENSEMBLE et EN VIE, ils s'entretuent à petit feu avec des mots blessants. Serge et moi, nous sommes peut-être morts, mais notre histoire est faite de mots doux, de caresses, de longs baisers mouillés, de frissons. De larmes aussi.

— Syntaxe ! Tu m'as fait peur !

J'ai crié en sursautant.

— J'ai frappé au moins treize coups pourtant ! me dit mon père en retirant mes écouteurs.

— …

— Tu sais que ça affecte énormément ton ouïe d'écouter de la musique aussi fort ?

— Oui, oui…

— Il sera un peu tard pour y penser le jour où tu seras sourde, ma belle !

— Si c'est pour me faire la morale que tu es là, aussi bien t'en aller ! Y a assez de ma mère sans que tu t'y mettes…

— C'est bon, c'est bon ! De toute façon, ce n'est pas pour ça que je suis ici.

Il me regarde en souriant, l'air mystérieux. Il attend sans doute que ma curiosité se réveille et que je m'empresse de lui demander l'objet de sa visite.

— Sara… J'ai une surprise pour toi !

— Ah…

Éternel optimiste, il ne se laisse pas abattre par mon manque d'enthousiasme flagrant, pour ne pas dire chronique.

— Venez avec moi, jolie jeune fille !

Je l'aime bien, mon père, mais syntaxe ! qu'il m'agace quand il fait semblant de ne pas me traiter en bébé !

— Tu ne peux pas me…

— Viens, je te dis ! fait-il en déposant mes écouteurs sur le lit.

Il me prend par la main. Je le suis jusqu'au salon.

Au centre de la pièce, sur le plancher de bois, une boîte en carton.

— Qu'est-ce que tu attends ? Va l'ouvrir ! insiste-t-il.

Tapie dans un coin de la boîte, une petite boule grise, poilue. On dirait du velours.

— N'aie pas peur, il ne te mangera pas !

Je le sais bien ! Ce n'est pas la peur qui m'empêche de bouger mais la surprise.

Mon père quitte la pièce sur la pointe des pieds. J'avance lentement ma main vers le chaton gris-bleu. Je caresse sa tête, doucement. Il lève les yeux vers moi, en remuant un peu. Puis il se lève sur ses petites pattes et vient se frotter contre mon bras.

Je sens mes yeux rouler dans l'eau. Je le prends. Minuscule, il tient dans ma main.

Je penche mon visage sur lui, sans cesser de le caresser, puis je colle mon nez sur le dessus de sa tête. Il ronronne. Je frotte mon front contre son petit corps laineux, sans chercher à freiner l'émotion qui m'envahit. Cette toute petite boule ronde, vivante, me donne envie de pleurer.

Des scènes du film *Roméo et Juliette* me traversent l'esprit. Puis le nom du grand dramaturge : William Shakespeare. William…

Je soulève le menton de mon nouveau compagnon et, c'est plus fort que moi, je lui souris :

— Salut, Willie !

CHAPITRE 14

— J'ai fait attention de ne pas inviter Greta exprès pour toi! insiste Mandoline en tirant sur ses bas.

Je m'en balance, de Greta Labelle!

— On verra!

— Si tu veux, j'appelle Stéphanie!

— Elle, quant à moi…

— Quoi? Il s'est passé quelque chose?

— Non, justement! Il ne se passe plus rien… Mais je m'en fous!

— D'accord, je n'en parle pas à Stéphanie, mais toi tu me promets d'être fidèle au rendez-vous?…

Nous gelons comme des crottes au coin de la rue, sous les premiers flocons de neige acide.

— Sara, je te parle!

— J'ai dit : on verra!

En une fraction de seconde, le visage de Mandoline s'assombrit. Syntaxe! Qu'elle a le don de me jouer sur les cordes sensibles, celle-là!

— Dis oui… s'acharne-t-elle avec douceur et conviction.

J'hésite. Je n'ai pas vraiment envie de voir du monde, mais être là ou ailleurs, c'est du pareil au même.

— … OK !… Mais c'est bien pour te faire plaisir !

Son regard s'éclaire comme si elle avait deux ampoules de cent watts allumées à la place des yeux.

— Et tu sais qui sera là ? fait-elle en me prenant les mains et en sautillant presque sur place.

— Non.

— Emmanuel Ledoux !

— Connais pas !

— Voyons ! Il est trésorier de l'association étudiante ! Il est surtout beau comme un cœur et sympa comme tout !

— Ah…

Ça ne me fait pas un pli qu'il soit beau comme un cœur ni…

— Ça reste entre nous, mais je sais de source sûre qu'il te trouve de son goût.

— Ah oui…

— Je te jure ! Ça lui plaît vachement ton côté… sauvage, rebelle, mystérieux… inaccessible, quoi !

— Ah !

— C'est tout l'effet que ça te fait ? s'exclame-t-elle, très désappointée par mon peu d'emballement.

Y a pas à dire, à part décevoir les gens autour de moi, je ne vois vraiment pas ce que je fais.

— Qu'est-ce que tu veux que je te dise ! Je m'en balance comme de l'an quarante, comme dirait mon père !

Mandoline se prend la taille à deux mains et pince un peu les lèvres en expirant très longuement pour bien marquer son exaspération :

— Merde, Sara Lemieux ! À part ton chat, ta crème glacée au chocolat et ton guitariste fétiche, y a vraiment rien qui te fait rien !

— Tu l'as dit !

Je lui ai parlé un peu trop sèchement, mais je n'ai pas le temps de revenir sur mes pas, elle enchaîne :

— Je continue d'espérer qu'un bon matin tu vas te réveiller, SYNTAXE DE MERDE !

— Syntaxe de merde toi-même! tu parles comme ma mère et tu sais à quel point elle m'énerve!

Mandoline s'approche de moi en posant sa main sur mon épaule:

— Tu es mon amie, Sara! Mon amie, comprends-tu? À force de te renfermer… tu es complètement déconnectée! Et merde! tu commences à me faire peur!

— Des fois, je me fais peur à moi aussi, tu sauras…

Ma réplique lui cloue le bec. Un certain malaise se glisse entre nous, comme un secret trop grand pour l'espace disponible.

— En tout cas, si tu viens à mon *party* pour me faire plaisir, j'espère que tu t'amuseras, dit-elle doucement en resserrant sa main sur mon épaule.

— On verra…

— Bon, il faut que j'y aille. Je garde ma sœur ce soir: c'est le prix à payer pour avoir la maison à moi demain! Tu te rends compte, pas de parents à l'horizon pour nous espionner! Ça va être un *party* super-au-boutte-de-toutte!

L'autobus est arrivé. Mandoline y monte en se retournant pour me saluer.

J'ai le temps d'entrevoir, au-dessus de la banquette avant, le célèbre slogan du lait: LA SOIF DE VIVRE!

Je ne pense plus qu'à une chose: bouffer de la crème glacée.

CHAPITRE 15

— Tu ne veux toujours pas danser ?
— Non.

Pour la deuxième fois, je décline l'invitation d'Emmanuel Ledoux.

Ce soir, j'ai fumé ma première cigarette, sans m'étouffer. Je ne peux pas dire si j'aime ou pas.

Mandoline ressemble à une abeille avec son maillot rayé jaune et noir. Et elle butine, sans perdre de vue son rôle d'hôtesse.

Je sirote ma troisième bière de la soirée ; la tête me tourne un peu et je m'emmerde.

Je parle très peu, à très peu de gens. On me le rend bien.

Je n'ai rien à dire et je commence vraiment à me demander ce que je suis venue faire ici. Surtout pas me faire achaler par Emmanuel Ledoux ! Je me fous complètement de lui, il revient à la charge. Une vraie mouche !

Emmanuel La Mouche ! Emmanuel La Mouche ! Je me le répète dans ma tête et je trouve ça très drôle. Ça doit être la bière qui commence à me jouer des tours.

J'éclate de rire toute seule dans mon coin. Je dois avoir l'air vraiment déconnectée, comme dit Mandoline.

Tiens, en parlant d'elle… la voilà qui se laisse embrasser par Olivier Caron. Elle avait pourtant un œil sur Alexandre Noël! Chère Mandoline. Mandoline L'Abeille! Emmanuel La Mouche! Y a pas à dire, c'est la soirée des insectes! Ah merde! j'ai renversé une grosse gorgée de bière sur la belle blouse de ma mère! Elle ne sera pas du tout contente, ma maman! Parce qu'elle travaille très fort pour se payer de la soie pareille! Et moi, je ne suis même pas foutue de faire attention comme elle me l'a demandé au moins trois fois! Je suis décidément une fille ingrate.

Bon, et si j'essayais maintenant de trouver à quelle bestiole je ressemble? Heu… sûrement pas à une fourmi! Ce serait plutôt le genre de ma mère: débrouillarde, travaillante, organisée. La vraie fourmi de la fable.

Je ne suis pas non plus une cigale. J'ai peut-être ses défauts, c'est vrai, je suis de plus en plus paresseuse comme elle et j'aime beaucoup la musique mais juste pour l'écouter. J'ai abandonné mes cours de piano tellement je suis paresseuse, même si ça brise le cœur de mon gentil papa!

Donc, je ne suis même pas une cigale. Surtout que je chante comme un pied! Je suis quoi alors?… Ça y est, j'ai trouvé: un maringouin. Je pique et ça démange!

— Cette fois, tu ne peux pas me refuser!

Qui a dit ça? Oh, mais c'est Emmanuel La Mouche!

— Enchantée, moi c'est Sara Maringouin!

— Qu'est-ce que tu dis?

— Rien, rien…

Ça doit être l'effet de l'alcool. Emmanuel La Mouche entraîne Sara Maringouin, qui le suit… sans piquer!

C'est un *slow*. Un *slow* très lent. Une vieille chanson des années soixante-dix: *Stairway to heaven*. Un escalier pour le ciel…

Je ferme les yeux. J'appuie ma tête sur son épaule. L'épaule de Serge… Il caresse mon dos. Je frissonne. Je veux des frissons, encore des frissons. Il me serre contre lui.

— Je te trouve de mon goût, tu sais.

Pourquoi a-t-il fallu qu'il ouvre la bouche? Je me raidis. Je danse avec La Mouche. Je suis un maringouin.

— Pas moi.

Je ramollis. C'est sûrement à cause de la bière. Il continue de caresser mon dos. Je continue de frissonner. Je n'ai même pas la force de reculer.

— Il est tellement triste, ton regard. Pourquoi il est si triste, hein?

Et toi, pourquoi tu ne te contentes pas de danser avec un maringouin?

— Laisse tomber…

— Laisser tomber quoi? demande-t-il, sérieux comme un pape.

— Y a rien à laisser tomber parce que y a rien! Et je ne sais même plus ce que je dis. J'ai trop bu… Tu ne trouves pas que Mandoline a l'air d'une abeille?

Ma voix a tremblé, un tout petit peu mais elle a tremblé quand même, syntaxe!

— Pourquoi tu es triste?

— J'ai une peine d'amour.

— Le gars t'a plaquée?

— Si on veut.

— Comment ça, si on veut?

— On s'aimait!… C'était pas de la camelote… Ah non! Le grand amour! Le vrai de vrai, tu comprends?

— Pas vraiment, mais pourquoi ça a cassé, alors?

— On n'a pas cassé!… L'espèce de sale con est arrivé… à toute vitesse!… Serge n'a pas eu le temps… l'imbécile lui a foncé dessus. Je n'ai rien pu faire. L'auto était là et je n'ai rien pu faire. Une rue à sens unique… et je parle trop. J'aurais pas dû boire autant.

— Tu sortais avec Serge Viens?

La chanson continue, mais ce n'est plus un *slow*. Et on est là, toujours enlacés, alors qu'autour de nous ça saute comme des sauterelles.

Je lui tourne le dos. J'ai l'impression d'avoir enfin retrouvé mes esprits.

—Eh, attends !

—Je rentre chez moi.

—Si tu veux, je te raccompagne.

—Pas la peine, ma mère va venir me chercher.

—Ça me ferait plaisir.

Pourquoi est-ce que je ne le pique pas une fois pour toutes ? Syntaxe ! Je ne suis même pas un vrai maringouin !

—Oh merde !

—Qu'est-ce que tu as ?

—Un peu mal au cœur !

—Viens ! Contre le mal de cœur, y a rien de tel que d'aller prendre l'air !

Je ne rouspète même pas et je le laisse me guider.

Dans les bras d'Alexandre Noël, les cheveux ébouriffés et le regard halogène, Mandoline nous aperçoit et me tape un clin d'œil qui n'échappe pas à La Mouche à feu.

Elle n'a absolument rien compris, la pauvre abeille !

CHAPITRE 16

— Ça ne t'engage à rien de sortir un peu avec lui pour te changer les idées! Juste pour te changer les idées!

— Arrête de m'achaler avec ça, OK! De toute façon, Mandoline Tétrault, s'il y en a une qui ne peut pas me comprendre, c'est bien toi!

— Qu'est-ce que tu veux dire? fait-elle, l'air intrigué.

Je le dis? Je ne le dis pas?

— Toi, tu changes de gars presque aussi souvent que de petites culottes!

Loin d'être blessée par ma remarque, elle esquisse son beau sourire de grande conquérante avant de revenir à la charge.

— Et toi, sainte Sara, qu'est-ce que tu comptes faire? Sacrifier ta vie à la mémoire d'un défunt? C'est bien triste, mais il est mort, ton beau Serge! Mort et enterré! Que tu te laisses dépérir n'y changera rien!

— Est-ce que je pourrais finir de manger mon sandwich en paix?

Mandoline a dans la tête de me faire oublier Serge dans les bras d'Emmanuel Ledoux.

Emmanuel Ledoux s'acharne à vouloir me faire sortir de ma torpeur (de mes gonds, oui!) en essayant de me convaincre de m'engager dans l'association étudiante.

Ma mère s'arrache les cheveux depuis qu'elle a trouvé une cannette de bière dans mon sac à dos.

Mon père, aussi découragé, fait des pieds et des mains pour ne pas me le faire sentir.

Le seul, parmi tous ces êtres vivants, à ne rien tenter désespérément pour que je change, c'est mon chat!

— Au moins si tu mangeais! me dit Mandoline en pointant le doigt vers mon sandwich abandonné après une bouchée.

— Quand j'ai besoin de parler, Willie m'écoute, lui! Sans faire de chichi!

— Quand tu as besoin de parler, c'est à ton chat que tu te confies! Pas à moi! réplique mon amie, un soupçon de tristesse dans la voix.

Mandoline me regarde avec insistance, et beaucoup de douceur au fond des yeux. Je sais qu'elle n'ajoutera rien. Elle attend que je me livre, au moins un peu.

— Ça ne va pas trop bien dans ma tête.

Mandoline pose sa main sur la mienne en me disant :

— J'aimerais ça t'aider, Sara! Mais je ne sais pas quoi faire!

Je pense : « Tu n'es pas la seule! »

Sauvée par la cloche, je froisse ma serviette en papier puis la lance en visant l'assiette. Elle heurte le plateau et retombe sur la table.

Nous traversons la cafétéria en silence.

À la sortie, Mandoline me dit à voix basse :

— Merde pour ton examen d'histoire!

Elle croise les doigts. Je hausse les épaules, nonchalamment.

Je n'ai pas révisé les notes que je n'avais pas prises de toute façon!

*

— Écoute, Sara, ton père et moi avons pris une décision.

J'ai à peine le temps de laisser tomber mon sac à dos. Pas encore digéré l'examen.

Ils sont là tous les deux, assis l'un à côté de l'autre, démesurément calmes, ce qui est en général alarmant.

J'enlève lentement mes bottines et mes bas humides.

Je les vois venir : ou je m'incline et j'accepte de rencontrer le psy en question ou on me flanque en famille d'accueil. Mais ça ne peut plus continuer comme ça !

— Ça ne pouvait pas continuer comme ça éternellement, tu comprends ? fait mon père d'une voix presque inaudible.

— Ce sera mieux pour nous trois, ajoute ma mère sur un ton plus convaincant, mais sa main tremble.

Merde ! Qu'ils arrêtent de tourner autour du pot et me parlent franchement !

— Vous me flanquez dehors, c'est ça ?

— Mais qu'est-ce que tu vas chercher là ! s'exclame ma mère en s'efforçant visiblement de sourire.

Mon père se lève et fait quelques pas à côté du divan. Je regarde ses pieds. Willie vient s'y frotter en miaulant. Papa le repousse d'un léger mouvement de jambe, puis revient s'asseoir sur l'accoudoir du fauteuil d'en face en se frottant le menton.

Maman saisit machinalement un livre sur la table et le retourne entre ses doigts en toussotant.

Les secondes sont longues. Je prends Willie sur mes cuisses. Il se roule sur moi en ronronnant à tue-tête.

— Ta mère et moi avons décidé de nous séparer… J'ai une chance d'avancement inouïe… à Toronto.

Toronto. Il a dit Toronto.

— Ça ne marchait plus entre nous, dit l'un.

— Depuis tellement d'années déjà…

Tellement d'années que je ne me rappelle pas que ça ait jamais collé entre eux !

Ma mère gardera la maison et les meubles : Sara incluse !

Je me lève en disant :

— Ah ! bon…

Je leur jette un regard tout neuf, comme si c'était la première fois que je voyais le couple qu'ils formaient.

J'ai les jambes toutes molles.

AÏE ! Willie s'amuse à enfoncer ses griffes dans mon bras.

— Arrête ! Syntaxe de merde ! Ça fait mal !

Toronto. C'est loin, Toronto. Le bout du monde. Mon père là-bas. Moi ici, toute seule avec ma mère.

Et quoi encore ?

CHAPITRE 17

L'année scolaire tire à sa fin. Année passée dans la brume. Je ne sais pas encore si j'aurai à la reprendre et ça ne me fait ni chaud ni froid.

Et cet été devant moi, à combler de je ne sais quoi ! À traverser comme un grand vide sans fin, un long tunnel noir-noir-noir. Ça ne me fait ni chaud ni froid.

Mandoline part un mois en croisière dans les Antilles, avec sa famille. Elle me manquera, même si, le plus souvent, elle joue à la mère avec moi.

Mon père a une petite amie, une Anglaise d'Angleterre, aux petits oignons avec lui : Rosamund. Jeune, jolie, *very* gentille. Trop. Elle en est achalante.

Lui, il a rajeuni de dix ans. Je ne le reconnais plus. L'air heureux, il semble décidément se plaire à Toronto.

J'y suis allée deux fois, deux fois pour constater qu'il est heureux sans nous.

Moi, il m'arrive même de me remémorer avec nostalgie les chicanes de mes parents.

Les derniers temps, maman faisait remarquer à papa combien le chat était affectueux, LUI !

— Effectivement, je l'envie, le maudit chat ! Il peut t'approcher, LUI ! Mais moi, si j'essaie, tu sors tes griffes ! répliquait-il, de plus en plus furieux.

Et maman d'ajouter :

— Tu aurais tout intérêt à observer Willie, au lieu de le maudire ! Tu saurais peut-être t'y prendre et, moi, je serais la première à ronronner !

À ce moment-là, mon père se mettait à siffler.

Depuis qu'il nous a quittées, ma mère m'appelle « mon poussin ». Et je vous jure qu'elle prend son rôle de couveuse au sérieux !

Tu me manques, papa.

CHAPITRE 18

— Sara !… Ce n'est rien…

— Il était là ! Dans le champ ! Je n'avais qu'à sauter la clôture… il me tendait la main… mais… je ne pouvais pas bouger !…

— Mon poussin, tu as fait un mauvais rêve. Ne t'inquiète pas, je suis là !

— … j'étais incapable de faire un pas…

C'est la nuit. Je suis dans les bras de ma mère, trempée de sueur de la tête aux pieds.

J'éclate en sanglots.

— On aurait juré qu'il était là…

Ma mère me berce en caressant mon front mouillé :

— Ton père te manque beaucoup, n'est-ce pas ?

— Ce n'était pas mon père !… C'était Serge !

Ma mère desserre son étreinte et m'incite à me recoucher en ramenant le drap sur moi.

— Essaie de te rendormir, me dit-elle en étirant son bras vers ma lampe de chevet.

Le bruit du verre qui bascule me fait tressauter. Je m'appuie sur mes coudes pour constater le dégât. Accroupie, ma mère ramasse ce qu'elle a fait tomber :

— Ta chambre est un vrai bordel aussi ! ne manque-t-elle pas de me rappeler en déposant le verre, mon baladeur, mon coffret à crayons et la reliure dans laquelle je garde le…

Je le vois, tombé à côté du lit : le portrait que Serge avait fait de moi.

Je dis à ma mère, sur le point de le prendre :

— Non, laisse !

Je le range moi-même.

— Je retourne dormir, essaie d'en faire autant ! me dit-elle en quittant ma chambre.

J'éteins la lumière.

Le sourire de la fille du portrait me reste dans la tête, me fait mal : mon sourire de l'été dernier.

*

Aujourd'hui je me sens complètement engourdie, comme si je ne parvenais pas à sortir du sommeil.

Je traîne au lit, longtemps, le plus longtemps possible.

Je me lève parce que j'ai trop envie de pipi et que ça ne peut plus attendre.

Le miroir de la salle de bains me confirme que l'apparence n'est pas toujours trompeuse : j'ai les traits tirés et le visage bouffi.

Je me dirige vers le réfrigérateur, en sors machinalement le contenant de crème glacée au chocolat, m'en sers un gros bol et décide d'aller manger au salon.

Au moment où j'étends mes pieds sur la table en verre, mon regard se pose sur un livre qui traîne depuis des mois. Malgré son obsession de l'ordre, ma mère n'a pas osé le ranger.

Mon père le lisait les derniers temps : *Les Songes en équilibre* d'Anne Hébert.

Je l'ouvre au hasard.

En vain dans mon cœur
Je guette.
Il ne passe rien,
Rien que la pluie,
Que la brume.
[…]
La brume s'étend
Par-dessus les champs
Chaleur blanche
Lumière blanche.

Je referme le livre, étrangement troublée. Je me lève et marche jusqu'à la fenêtre en baie. J'appuie mon front sur la vitre en répétant le dernier vers à voix haute : « Lumière blanche. »

Je frappe mon front contre la fenêtre.

Dehors, Frédéric Viens lance un ballon dans le panier.

Je ne sens rien.

*

— Franchement, mon poussin ! Tu ne vas pas passer l'après-midi écrasée devant la télé par un temps pareil !

— Chut !

Elle me tape sur les nerfs ! Elle m'achale. Elle m'énerve !

— Il fait un soleil superbe…

— M-E-R-D-E ! Si MOI j'ai envie de regarder un film !

— D'accord ! Te fâche pas ! (puis elle ajoute pour elle-même : « Ce qu'elle peut être soupe au lait ! »)… Je vais faire des courses avec Liette et Jean-Sébastien.

— C'est ça !

Je pense : « Bon débarras ! »

Je presse la commande de rebobinage du magnétoscope.

Juliette est sur son balcon, en robe de nuit. Roméo escalade le mur jusqu'à elle. Ils se jurent un amour éternel.

*

Occupée à son arrangement de fleurs séchées, la fleuriste ne me voit pas.

Je finis par m'annoncer en toussant.

— Oh, pardon! Qu'est-ce que je peux faire pour toi?

— Je voudrais un lys, s'il vous plaît.

— Très bien, me dit-elle en déposant la gerbe de petites fleurs mauves.

Elle ouvre le grand réfrigérateur où sont les fleurs, prend un lys et revient derrière son comptoir.

Elle essaie de me passer le plus rabougri.

— Je préférerais celui qui est complètement à gauche. Non, pas celui-là! Le plus grand!

Expéditive, elle l'emballe dans du papier transparent et enregistre le prix sur la caisse.

— Je pourrais avoir une petite carte, aussi?

— Évidemment, mam'selle!

Mam'selle toi-même, vieille pimbêche!

CHAPITRE 19

La fin de l'après-midi baigne dans un soleil aveuglant. Sous le vent, les arbres se secouent comme des chiens mouillés.

Le lys tremble entre mes doigts : je frissonne. C'est la première fois que je mets les pieds ici…

Les battements de mon cœur s'accélèrent. Je dois faire des efforts pour avaler ma salive tant ma gorge est serrée.

Je voudrais… Je voudrais avoir le courage de franchir cette grille ! Mais l'idée de chercher son nom gravé dans la pierre parmi toutes ces tombes me rend malade.

Et ce bourdonnement dans les oreilles ! Ce maudit bourdonnement !

Je m'agrippe à un barreau de la grille. Je dois me parler à voix haute :

— Vas-y, Sara ! Tu es capable !

Aujourd'hui, tout me pousse à venir sur sa tombe : le rêve de la nuit dernière, l'extrait du livre d'Anne Hébert ouvert au hasard, alors que ce livre était sous mes yeux depuis des lunes, et ce film, *Roméo et Juliette* ! J'avais besoin de le revoir ! Aujourd'hui ! Sans penser qu'aujourd'hui c'était l'anniversaire de Serge.

— Vas-y ! Vas-y !

J'avance, à petits pas, dans ce cimetière où mon amour perdu dort à jamais.

Chaque pas, un coup de couteau dans les souvenirs qui déboulent!

— Et qu'est-ce qu'ils font, entre ciel et terre, ces deux-là?

— Ils dansent. Et ils s'aiment.

— J'ai dit «je t'aime», Sara Lemieux!

— Non… tu… tu n'as pas dit Sara!

— N'oublie jamais que je t'aime. À la vie, à la mort!

Nous sommes le baiser que nous nous donnons, un baiser tout mouillé, unique.

C'est une rue à sens unique.

Juste un bourdonnement… épouvantable bourdonnement… elle n'avait pas le droit d'être là, l'auto!

Rien pu faire… je n'ai rien pu faire…

— Minou Chéri, écoute… je ne sais pas comment dire ces choses-là à une petite fille…

Des noms défilent. Les noms d'inconnus. Mes souvenirs me poursuivent dans ces allées de pierres tombales.

Et ce bourdonnement dans les oreilles…

Sur sa tombe… Liette recueillie. Elle tient la main de Jean-Sébastien.

Je reste en retrait.

Jean-Sébas se penche sur un bouquet de roses rouges. Il en cueille une. Liette fait un mouvement de la main. Il embrasse la fleur, puis la dépose à côté de la gerbe.

Liette se retourne et m'aperçoit. Jean-Sébastien reprend sa rose et la cache derrière son dos, me suppliant du regard de ne pas le dénoncer. Liette dit qu'il peut la garder.

— Bonjour, Sara, me dit-elle en s'approchant de moi.

Sans rien ajouter, elle m'embrasse sur les joues et me serre très fort contre elle.

J'ai le motton.

— Viens, Jean-Sébastien.

L'enfant marche à reculons de façon à me voir. Liette l'entraîne, sans se retourner.

Je suis seule à présent à quelques mètres de la tombe, avec mon lys.

Je m'avance en évitant de lire l'inscription.

Je regarde le bouquet de roses au pied de la pierre. Il en manque une. Il en reste quatorze. Serge aurait eu quinze ans aujourd'hui.

Je lève les yeux :

**Ici repose en paix
notre fils aîné bien-aimé.**

Je relis l'inscription. La relis, pour apprivoiser ce nom aimé, gravé dans la pierre : **SERGE VIENS**.

Je m'agenouille sur le gazon, face aux roses. Retire le papier transparent. Dépose ma fleur et la petite carte signée Sara.

Je sursaute, effrayée par un bruit : l'emballage du lys emporté par le vent. Je me lève pour aller le ramasser. On dirait un oiseau qui a du mal à prendre son envol.

Il finit par se poser au pied d'un chêne immense, après s'être heurté au tronc.

Je me penche pour le prendre. Quelqu'un passe derrière moi et me frôle le dos. Je ne bouge pas, je retiens mon souffle.

CHAPITRE 20

Le cimetière plonge dans une lumière d'un telle brillance qu'elle m'aveugle complètement.

Je m'appuie sur le chêne. Mon dos glisse le long du tronc, comme si on m'avait coupé les jambes…

Je me mets à trembler.

Mon souffle ralentit. J'ai de plus en plus de mal à respirer, comme si une main invisible essayait de m'étrangler.

Des larmes glissent sur mes joues, comme des lames tranchant ma peau.

Pourtant, malgré la violence de la sensation, je n'ai pas peur…

Sa silhouette se dessine.

Je ressens une bouffée de chaleur intense.

Il est là, devant moi.

Je reprends peu à peu mon souffle.

Il est là, devant moi : Serge.

Je regarde paisiblement son beau visage.

Son sourire m'apaise. Son regard m'inonde d'une joie sans nom.

Cela devrait durer éternellement.

— Bonjour, Sara !

Sa voix. De la douceur pure.

Il me tend la main, une main invitante. Oh! oui! Être touchée, caressée, aimée par elle! Oui! Oui! Oui!

Je me lève. Et me précipite à sa rencontre.

Je suis à quelques pas.

Sa silhouette s'efface doucement, comme les mots sur un tableau d'ardoise disparaissent sous les coups d'une brosse.

Je ne vois plus rien : ni le cimetière ni le chêne. Il n'y a que cette lumière trop scintillante! Et cette voix à l'intérieur de moi que j'entends clairement : «Non, tu n'as pas rêvé!»

Est-ce que je suis en train de basculer dans la folie?

Je suis complètement perdue.

— Non, tu n'as pas rêvé!

Je l'entends! Il me parle!

— Mais où es-tu, syntaxe de merde?

— Sara, calme-toi!

— Je t'en supplie, Serge, reviens!

— Sara! Ressaisis-toi, pour l'amour!

La gifle résonne dans mes mâchoires. Le regard affolé, ma mère me secoue par les épaules.

— Mais qu'est-ce que tu fais encore ici, à cette heure-là?

La lumière a disparu. Serge a disparu. Ma mère m'aide à me relever. Liette lui a dit m'avoir croisée ici en fin d'après-midi.

Il fait très noir tout à coup.

Je tousse. J'ai froid.

— Tu fais de la fièvre. Allez, viens!

Je la suis, jusqu'à sa voiture, jusqu'à la maison, jusqu'à ma chambre.

Elle dit qu'il y a un méchant virus dans l'air. Je dois l'avoir attrapé.

Elle installe l'humidificateur à côté de mon lit.

Elle dit que ça arrive parfois, quand la fièvre est très forte, on délire…

Elle prend ma température. Je n'en fais pas.

CHAPITRE 21

Je m'appelle Sara Lemieux. J'ai treize ans. Je suis couchée dans mon lit. C'est la nuit. Et moi je l'entends! Il me parle! Mais où est-il?

Le rejoindre. Je veux le rejoindre.

Et cette lumière qui s'immisce à présent, comme si le soleil se levait tout à coup dans ma chambre, à minuit passé!

— Respire, Sara! La respiration, c'est la clef du passage!

Je respire!

— Maintenant, concentre-toi très fort sur la lumière!

Je me concentre : ce n'est pas trop difficile, je ne vois qu'elle!

Elle s'intensifie. Encore et encore. Puis elle s'infiltre en moi, doucement.

Je suis bien. De plus en plus légère, comme une plume d'oiseau portée par la brise.

Si légère, tout à coup!

— Viens, Sara!

Oh, oui!

Il m'invite à le rejoindre. Je me lève et marche vers lui.

Il est là, devant moi. Il ne s'enfuira pas.

La lumière ne m'aveugle plus. Elle est blanche, blanche et délicieusement attirante.

Je bouge comme jamais je n'ai bougé, comme si j'avais porté jusqu'ici un manteau trop petit et qu'enfin je l'enlevais.

Je tourne la tête. Sur le lit, j'aperçois mon corps, inerte comme un cadavre.

Fascinée, je le regarde et cela ne m'effraie pas. Je m'en sens aussi détachée que de n'importe quel objet meublant la pièce.

J'ai l'impression de flotter. Il n'existe pas de mots pour décrire la sensation. Il n'y a pas de mots de toute façon. Dans cette dimension, ils sont inutiles.

Je nage dans l'éther d'azur et d'or :

— Je suis tellement bien ici. Tellement bien.

— Tu ne dois, en aucun cas, franchir la limite de la lumière blanche. Sinon tu oublierais qu'une enveloppe charnelle t'attend là-bas ! me dit-il.

Un courant d'une intensité infiniment douce me traverse tout entière.

Quelque part, dans la dimension terrestre, deux ambulanciers roulent en direction d'un hôpital.

À l'arrière, une femme d'une trentaine d'années, en pleurs. À côté d'elle, sur la civière, le corps d'une adolescente nommée Sara Lemieux.

CHAPITRE 22

Dans la salle d'attente, la femme fait les cent pas, le visage ravagé par l'inquiétude, les yeux terriblement cernés.

Un homme arrive, essoufflé, un sac de voyage à la main, qu'il s'empresse de déposer sur une chaise. Il peigne ses cheveux avec ses doigts et se frotte le menton, l'air anxieux.

Il n'a pas cessé de courir depuis qu'elle lui a téléphoné.

Il a sauté dans le premier avion. Puis il a pris un taxi à l'aéroport de Dorval.

— Il y a du nouveau ? demande-t-il à la femme.

— Non, rien ! répond-elle en se mordant les lèvres.

Je sais que cet homme et cette femme sont mes parents. Pourtant, je me sens tout aussi détachée d'eux que du corps de leur fille, branché à un respirateur au service des soins intensifs.

Je ressens le poids de leur peine et de leur inquiétude, mais je n'en souffre pas. Je ne peux rien pour eux, sinon vivre paisiblement l'amour que je leur porte.

Je me tourne vers Serge. Je lui souris.

— Je dois maintenant gagner la lumière, Sara. Et toi seule peut me permettre de la franchir.

— Comment ?

— En acceptant de me laisser partir.

— Et si je traversais la lumière blanche avec toi, nous serions ensemble, à jamais ! Comme Roméo et Juliette !

— Tu es libre de le faire, Sara, mais...

Il s'interrompt.

L'éclat de la lumière diminue légèrement puis s'intensifie de nouveau.

— Sara, crois-tu vraiment avoir achevé ton parcours sur terre ?

La lumière vacille.

Qu'est-ce qui me retient, là-bas, à part Willie, Shakespeare et Pat Metheny ?

Je fixe la limite de la lumière blanche : tout mon être se sent appelé par elle.

Je n'aurais qu'un pas à faire.

— Monsieur et madame Lemieux... Je suis vraiment désolé pour votre fille, dit le médecin en touchant l'épaule de ma mère.

Elle s'écroule de douleur dans les bras de mon père, qui frappe l'air d'un coup de poing.

— Je m'excuse de vous brusquer, mais nous avons un receveur...

Un pas. Un tout petit pas et je n'aurais plus à traîner le poids de la vie, là-bas, dans ma carcasse étroite.

Le front en sueur, mon père signe d'une main tremblante la formule d'autorisation pour la transplantation de mon cœur.

Ma mère pousse un grand cri de désespoir en m'appelant :

— SARA ! SARA ! SARA !...

Serge m'incite à repartir :

— Là-bas, dans quelques minutes, il sera trop tard.

Le temps n'existe pas ici. Une seconde ou l'éternité, c'est du pareil au même.

Dans un couloir de l'hôpital, on transporte le corps de Sara Lemieux jusqu'à la salle d'opération.

Serge s'éloigne tout doucement.

À la limite de la lumière blanchie, il se retourne.

Son regard me pénètre avec une intensité infinie. Je suis l'amour que je reçois de lui.

Il traverse la lumière.

Il est parti. Il est à l'intérieur de moi.

Un pas. Un tout petit pas pour le rejoindre.

Sur la table d'opération, le chirurgien s'apprête à ouvrir le corps de Sara Lemieux.

Je suis libre de franchir ou non cette limite.

Un pas. Un tout petit pas.

Retourner là-bas? Pourquoi?

Un pas. Un tout petit pas. Et j'oublierai qu'une enveloppe charnelle m'attend là-bas.

— SARA! SARA! SARA!…

Pourquoi?

Pour faire quoi?

Un pas.

— SARA! SARA! SARA!…

Il y a une voix en moi! Très douce, comme une étincelle pour éclairer ma route : « Raconte cette histoire! »

Je ne suis pas Shakespeare ni Juliette. Je suis Sara Lemieux.

Mais si je ne rentre pas dans ce joli petit corps sur le point d'être charcuté, qui pourra évoquer l'histoire de SERGE ET SARA?

La lumière blanche? J'aurai l'éternité pour la découvrir!

DEUXIÈME PARTIE

La Deuxième Vie

« Enfin, après des semaines d'une défensive quotidienne, on retrouve le chemin de soi-même, encore
un peu ahuri. »

Rainer-Maria Rilke
Lettres à un jeune poète

« Je vis, je meurs : je me brûle et me noye,
J'ay chaut estreme en endurant froidure...
Tout en un coup je seiche et je verdoye »

Louise Labbé
Vingt-trois sonnets

CHAPITRE 23

À côté de la tombe de Serge Viens, on s'apprête à porter en terre le cercueil de Sara Lemieux.

Mon cercueil.

La vue brouillée par d'intarissables larmes, ma mère lance une rose blanche et une poignée de pensées mauves dans le trou qui avale sa fille.

Désespéré, mon père cherche un sens au drame qu'il est en train de vivre. Le cœur de sa fille morte ne permet-il pas à un autre enfant de continuer à vivre? Il a beau s'accrocher à cette idée, il chancelle à la vue du cercueil qui descend lentement dans la fosse.

On jette à présent de lourdes pelletées de terre noire sur la bière blanche qui abrite ma dépouille.

Il est trop tard désormais pour faire marche arrière. Comme Juliette a rejoint Roméo, je retrouverai Serge. Serge, mon amour.

J'ai peur, tout à coup, dans le noir si noir : «Maman!»

— Mon poussin, je suis là! Ce n'est qu'un rêve, Sara. Un mauvais rêve.

Ma mère me berce. Je m'agrippe à son corps. J'enfouis ma tête dans sa poitrine. J'ai du mal à reprendre mon souffle. Dans ses bras chauds et enveloppants, je me rappelle que je suis vivante.

CHAPITRE 24

On ne rentre pas de l'au-delà comme on revient de chez le dépanneur! Je l'ai appris à mes dépens!

Fous de joie d'avoir retrouvé leur fille chérie, mes parents ne sont absolument pas réceptifs à l'idée d'entendre parler de mon expédition dans une autre dimension. Selon eux, je m'en tire à bon compte : des souvenirs d'hallucinations rapportés du coma. UN POINT C'EST TOUT!

Mon père croit dur comme fer à la réincarnation et à la vie après la mort; sa bibliothèque contient d'ailleurs plusieurs livres qui traitent de ces questions. Visiblement, le sujet l'intéresse mais dans la mesure où il n'est pas concerné.

Même Mandoline, ma meilleure amie, a spontanément émis des réserves devant mes révélations. Elle m'assure toutefois que ces divagations passagères n'affecteront pas notre amitié; ce ne sont pas les termes qu'elle utilise, mais c'est tout comme!

Sans oublier les efforts que je dois faire pour me réadapter à mon enveloppe charnelle! J'ai l'impression d'avoir enfilé un manteau d'une taille trop petite pour moi.

D'après ma mère, c'est tout à fait normal que je me sente lourde et un peu gauche : je suis ankylosée. UN POINT C'EST TOUT!

Et moi qui rêvais de crier sur tous les toits la belle histoire de Serge et de Sara ! Pour l'instant, je suis muette comme une tombe à propos de ce chapitre Extra-Ordinaire de ma vie. Je n'ai pas envie de me faire étiqueter d'O.V.N.I. : Objet Vivant Non Intégré !

Dans moins de deux semaines, je retournerai à la polyvalente Colette. J'ai à la fois peur et hâte. Peur de ne pas m'y retrouver. Hâte de renouer avec cet environnement connu. En attendant, je lis, je lis et je relis *Roméo et Juliette* de William Shakespeare. Cela m'apaise.

CHAPITRE 25

—Bonjour, Sara! Comment vas-tu, aujourd'hui? me demande ma mère.

Pour la première fois, la nuit dernière, mon sommeil n'a pas été bousillé par le cauchemar.

— Mieux. Beaucoup mieux.

Chaque matin, depuis le début de ma «convalescence», maman joue à l'infirmière avec moi et m'apporte le petit déjeuner au lit, sur un plateau garni de fleurs. Aujourd'hui j'ai droit à un joli bouquet rouge : des dahlias du jardin de Liette Viens.

Encore tout endormi, Willie sort de mes couvertures, s'étire de tout son long et vient poser une de ses pattes dans mon assiette.

— Je n'apprécie pas que tu le laisses prendre cette habitude! me dit ma mère.

Je lui réponds en donnant une bouchée de croissant à mon chat fidèle :

— Je te jure que lui, il apprécie!

Heureusement qu'il est là, ce cher Willie! À part moi, il est le seul à croire à mon histoire.

Ma mère me tend une lettre adressée à mon nom.

— Qu'est-ce que c'est?

— Je ne sais pas, l'adresse de l'expéditeur n'est pas écrite, me répond-elle.

Maman lève le store. Les rayons du soleil dansent sur les lattes de bois du plancher. Intriguée, je déchire délicatement l'enveloppe.

La carte illustre un champ d'herbes hautes envahi par des fleurs mauves. Je m'empresse de l'ouvrir.

Chère Sara,

> *Mon petit doigt me dit que tu as peut-être*
> *besoin de moi et il se trompe rarement.*
> *J'attends de tes nouvelles.*
> *Je t'embrasse et te serre très fort.*

> *Tante Marie-Loup*

Surprise, je dépose la carte sur le plateau, entre le jus d'ananas et les dahlias.

— Maman, c'est toi qui as prévenu Marie-Loup que j'ai été « malade » ?

Je déteste utiliser ce mot, mais je n'ai pas le choix de recourir au compromis pour me faire comprendre.

Le visage de ma mère s'assombrit.

— Bien sûr que non ! répond-elle sèchement.

Évidemment ! Leur querelle dure depuis des siècles et semble garantie pour l'éternité !

Il y a trois ans, maman a mis sa sœur à la porte, en plein souper. Depuis, elle agit comme si Marie-Loup n'avait jamais existé. Tout ça à cause d'une discussion trop animée sur la cruauté envers les animaux en laboratoire. Marie-Loup milite au sein d'une association pour la protection des animaux. Ma mère dirige une entreprise de cosmétiques qui expérimente ses produits sur les lapins.

— Qu'elle ne vienne pas fourrer son nez de pseudo-sorcière dans nos histoires ! Méfie-toi d'elle, Sara ! Ma sœur est complètement « capotée » !

— Suffit-il d'être écolo et végétarienne pour être « capotée » ?

Les yeux de ma mère me lancent des flammèches. Non, des flammes !

— Marie-Louise a toujours été mésadaptée, et ce, bien avant de se rebaptiser Marie-Loup avec un « p » et de sombrer dans l'ésotérisme ! De toute façon, je ne veux plus entendre parler d'elle ! Un point c'est tout !

Un point c'est tout !

— Inutile de grimper dans les rideaux ! Le store, je veux dire ! Tu risques de l'abîmer ! lui dis-je.

Mon jeu de mots ne l'amuse pas du tout !

— Allez mange ! Tes croissants vont refroidir !

Elle a perdu son sourire, ne s'assoit pas au pied de mon lit. Elle s'enfarge dans le tapis, jure contre lui, s'en va en refermant la porte. Presque brusquement.

Si ce n'est pas ma mère qui a avisé Marie-Loup, qui est-ce ? Et pourquoi cette carte après trois ans de silence ?

J'attends de tes nouvelles, m'a-t-elle écrit.

Ma marraine est peut-être un peu sorcière mais pas forcément « capotée » !

CHAPITRE 26

Le serveur apporte nos consommations et repart en chanton-nant : «Ah! Les jolies filles! Les jolies filles!»

Marie-Loup sourit, rayonnante. Elle a trois ans de plus que ma mère, mais on lui en donne dix de moins. Ce ne sont pas les produits sophistiqués Belle qui ont contribué à préserver son air juvénile.

— Alors, ma puce, tu reviens de loin? me dit-elle.

Intriguée, je lui demande :

— Tu l'as su comment?

Ma tante appuie son menton sur ses mains croisées :

— L'univers nous fait connaître tout ce que nous avons besoin de savoir! Une de mes copines infirmières était de service la nuit où tu as été hospitalisée.

J'ai un pressentiment.

— Une rousse aux yeux mauves? lui dis-je.

— Oui, Maruska, répond-elle.

Je ne peux pas m'empêcher de sourire. Maruska, la seule infir-mière du département qui ne m'a pas laissé entendre que j'avais eu la berlue.

— Sara, tu n'as pas été victime d'hallucinations!

Marie-Loup a insisté sur chaque mot. Je me sens dégonflée comme une balloune à laquelle on aurait défait le nœud : c'est-à-dire légère-légère-légère. J'ai envie de pleurer tellement ça fait du bien.

—Ma mère m'a dit...

—... de te méfier de moi ! Je m'en doutais !

Je reste bouche bée :

—Tu lis dans les boules de cristal ou quoi ?

—Mais non ! Je connais ma sœur !... Et disons que j'ai quelques amis du côté des anges, ajoute-t-elle en chuchotant.

Marie-Loup blague-t-elle ou pas ? Peu importe ! Je me sens terriblement bien tout à coup, dans ce café fleuri, en compagnie de cette jolie sorcière amie des anges ! Cela me donne envie de m'ouvrir. J'en ai long-long-long à lui raconter.

—Le plus dur, c'est de ne pas pouvoir parler librement sans risquer d'avoir une étiquette «cinglée» dans le front, tu comprends ?

—Tout à fait, me dit-elle en posant sa main sur la mienne.

Les mots se précipitent dans ma gorge, se bousculent, déboulent à toute vitesse. Je ne censure rien : ni le voyage dans une autre dimension ni les retrouvailles avec Serge.

—Tout ce que souhaitent mes parents, c'est que j'oublie ! Et ça presse ! dis-je, essoufflée par ce marathon de confidences.

Marie-Loup rapproche sa chaise de la mienne.

—Ce n'est pas que tes parents ne veulent pas te croire, Sara. Ils ne le peuvent pas !

Le regard de Marie-Loup s'éclaire davantage :

—Tu sais, au début de ma thérapie, j'étais paralysée par la peur. Ma psychologue me répétait sans cesse : «La vie est un cadeau, la peur, une porte fermée. Si tu n'ouvres pas la porte, tu ne peux pas savoir que le cadeau est dans la pièce d'à côté ! »

J'ingurgite ma dernière gorgée de chocolat avant de lui demander :

—Ça veut dire quoi en français ?

— C'est le propre de l'être humain de craindre ce qu'il ne connaît pas, me répond-elle.

— Alors ils seront nombreux à essayer de me convaincre que j'ai rêvé! dis-je tout bas, en pliant, dépliant et repliant un coin de mon napperon de papier.

— Comment pourrait-il en être autrement? S'ils n'ont pas la clef pour déverrouiller cette satanée porte, ils préféreront croire qu'il n'y a rien de l'autre côté! L'important, c'est que toi tu saches, ajoute-t-elle.

Mes doigts déchirent le coin du napperon et déposent le triangle lilas dans la soucoupe blanche.

Si les paroles de Marie-Loup ne me réconfortent qu'à moitié, sa présence me rassure.

Soudain je me sens moins seule, et c'est déjà beaucoup!

CHAPITRE 27

Aujourd'hui est un grand jour : ma prétendue convalescence est officiellement terminée et je célèbre l'événement en compagnie de ma meilleure amie. En d'autres mots, c'est la rentrée scolaire !

En direction de la polyvalente Colette, Mandoline et moi traversons bras dessus, bras dessous la cour envahie par les étudiants.

— Eh, les gars ! Dites-moi pas que notre Mandoline nationale a viré lesbienne !

— Pauvre con ! lance Mandoline à Bob Lahaye et à son troupeau qui s'est esclaffé.

Je glisse à l'oreille de mon amie :

— Le malaise des unes fait le plaisir des autres !

Mandoline leur jette un regard bourré de mépris. Moi, je ne suis pas du tout déçue d'être de retour parmi ces visages familiers, malgré les conneries de ces fils à papa sages comme des images, nouvellement recyclés dans la provocation !

Nous franchissons la porte de Colette allègrement, suivies de Bob Lahaye et compagnie.

Mando continue de me chuchoter les détails croustillants de sa nuit passée avec François II ; ne pas confondre avec l'avant-dernier élu de son cœur, Francisco Premier !

— Il a une langue tellement minuscule ! Je t'assure ! Au début je ne me rendais même pas compte qu'il *frenchait*.

Nous pouffons de rire. Bob Lahaye croit que nous nous moquons de lui. Nous ne faisons rien pour l'en dissuader.

— Salut, Mando ! Allô, Sara !

— Emmanouel mi amor ! s'exclame Mandoline en jouant les *latinas*.

Mon amie s'empresse d'embrasser Emmanuel Ledoux. De mon côté, j'esquisse un sourire à peine déchiffrable !

— Sara, j'ai su que tu avais été très malade, me dit-il.

— Ouais... mais je n'ai pas envie d'en parler.

Je garde mes distances avec Emmanuel depuis le fameux *party* organisé par Mandoline, l'an dernier. En état d'ébriété, j'avais dansé un *slow* avec lui et failli perdre la tête.

— Je suis content que tu ailles mieux, Sara, ajoute-t-il en souriant.

La cloche annonce le début des cours. J'amorce un pas vers le local de français où nous attend Michel Tardif. À en croire la tension qui monte dans le corridor, la solide réputation de ce prof bête et méchant en terrifie plusieurs !

— Tu ne veux toujours pas t'engager dans l'association étudiante ? me demande Emmanuel.

Je réplique sans hésiter :

— Toujours pas !

— C'est la politique qui y perd ! Dommage ! Bon, je file, j'ai un cours de physique ! Bye, les filles !

— Moi, je t'imagine plutôt bien en politicienne, me dit Mandoline, comme nous arrivons devant le local de français.

Une annonce épinglée au babillard, près de la porte, accroche littéralement mon regard.

Je balbutie :

— Excuse-moi, Mando, je te rejoins tout de suite.

Je n'en crois pas mes yeux. Il est écrit mauve sur blanc :

Fondation de la troupe
COLETTE
Au programme
ROMÉO ET JULIETTE
De William Shakespeare
Auditions : mercredi 16 septembre
16 heures
AUDITORIUM
local 2261

Installée au fond de la classe, Mandoline hausse les épaules pour m'exprimer sa désolation. Faute de place à côté d'elle, je me retrouve assise au premier rang, en face du prof : Michel Tardif alias Bêtéméchant.

CHAPITRE 28

M ercredi, seize septembre, seize heures six.
Ma main droite ne sait toujours pas si elle va pousser ou non
la porte du local 2261.

— Excuse-moi! me dit Greta Labelle.

Légère comme une gazelle, la plus belle fille de l'école passe
devant moi sans hésiter une seconde.

Un côté de moi me dit : «Tu n'as rien à faire ici!» L'autre
réplique : «Allez! Fonce!»

Je ne sais pas lequel des deux a raison, mais ce serait tentant et
si facile de prendre mes jambes à mon cou et de rebrousser chemin.

Je marche de long en large. Je tourne en rond.

Je repense à ce que m'a dit Marie-Loup : «La vie est un cadeau,
la peur, une porte fermée. Si tu n'ouvres pas la porte, tu ne peux
pas savoir que le cadeau est dans la pièce d'à côté!»

Seize heures seize. Pour l'instant, la peur a un numéro : 2261.
Et chaque seconde d'hésitation est un calvaire interminable.

*

Si je m'attendais à ÇA!

— *Quelle est cette dame qui enrichit la main de ce cavalier, là-bas?*[1] lance Emmanuel Ledoux en fixant son regard sur moi comme je pénètre dans l'auditorium.

— *Je ne sais pas,* monsieur, répond une jeune femme habillée en noir, assise dans la première rangée.

Ils sont une vingtaine à se retourner pour voir qui vient.

Emmanuel-Roméo enchaîne, sans cesser de me regarder :

— *Telle la colombe de neige dans une troupe de corneilles, telle apparaît cette jeune dame au milieu de ses compagnes!...*

Suis-je visée par cette réplique shakespearienne? En longeant l'allée pour rejoindre les autres, je combats fougueusement la gêne qui persiste à me talonner.

— *... j'épierai la place où elle se tient, et je donnerai à ma main grossière le bonheur de toucher la sienne. Mon cœur a-t-il aimé jusqu'ici? Non; jurez-le, mes yeux! Car jusqu'à ce soir, je n'avais pas vu la vraie beauté,* conclut-il.

— Pour une première lecture, Emmanuel, c'était vraiment bien! J'y ai cru à ton Roméo! dit la fille en noir.

Emmanuel quitte la scène et s'empresse de venir s'asseoir à côté de moi.

— Suivant! ajoute la metteure en scène.

Un étudiant que je ne connais pas monte sur les planches pour lire ses répliques.

— Pour une surprise, c'en est toute une! me dit Emmanuel à l'oreille.

— Pour moi aussi, tu peux me croire! Alors tu délaisses la politique pour le théâtre?

— Mais non! J'ajoute une corde à mon arc. La politique et le théâtre sont si proches parents! Je suis vraiment très content de te voir ici, tu sais!

---

1. Les répliques de *Roméo et Juliette* de William Shakespeare, en italique dans le roman, sont tirées de la traduction F.-V. Hugo, Le livre de poche, numéro 1066, 1983.

—Chut! fait Greta Labelle.

Elle a raison ; ce n'est pas très respectueux de chuchoter même si le gars qui se démène devant nous ne cesse de trébucher sur les mots.

—Merci, Olivier, dit la metteure en scène. Bel effort!

Je demande à Emmanuel :

—Qui est la fille en noir? Je ne l'ai jamais vue à Colette.

—Lena Cordeau, une finissante du Conservatoire. Elle vient juste d'être engagée. Elle a l'air super!

—On passe aux Juliette maintenant! dit Lena en croisant le regard de Nénette Dumouchel, qui a encore beaucoup engraissé cet été et frôle les cent kilos.

—Tu veux rire ou quoi! Je me vois plutôt en nourrice, pas toi? réplique Nénette.

Le fou rire de Nénette est contagieux. La metteure en scène lui tape un clin d'œil puis arrête son regard sur moi :

—Tu n'y étais pas lors des présentations! Je suis Lena Cordeau. Et toi? me demande-t-elle.

—Sara Lemieux.

—Bonjour, Sara. Tout d'abord, sache que je ne supporte pas les gens qui arrivent en retard. Je me fais bien comprendre?

Honteuse de me faire gronder devant tout le monde, je m'enfonce dans mon siège et j'acquiesce en hochant légèrement la tête.

—Bien! Alors, Sara, pour quel rôle voulais-tu auditionner? ajoute-t-elle, visiblement sans rancune.

À deux fauteuils du mien, Greta Labelle me dévisage ouvertement. Il est évident que la beauté divine de Colette n'est pas venue ici pour jouer les nourrices!

Je murmure :

—Juliette.

—Va pour Juliette! Tu veux bien commencer?

À l'idée de me lever, je sens mes jambes flageoler.

—Allez! insiste la metteure en scène, les sourcils froncés.

Je me redresse et m'empresse d'obéir avant que Mme Cordeau fasse de moi sa tête de Turc! Dans ma cage thoracique, pendant ce temps, mon cœur déchaîné comme un fou furieux crie : « Pitié! »

Les mains moites, je prends le texte aux pages que Lena vient de m'indiquer. Je connais ce passage sur le bout de mes doigts et je ne sais pas si je dois faire semblant de lire ou non.

Je dépose les feuilles sur le tabouret. Emmanuel m'encourage d'un sourire réconfortant.

À la fenêtre qui donne sur le jardin, Juliette croyait être seule lorsqu'elle confiait à la nuit le secret de son amour. Roméo, en bas, a surpris son aveu. À présent il sait qu'elle est folle de lui.

Je ferme les yeux en inspirant profondément.

Juliette. Je suis Juliette Capulet : *Ah! Je voudrais rester dans les bons usages ; je voudrais, je voudrais nier ce que j'ai dit. Mais adieu les cérémonies! M'aimes-tu? Je sais que tu vas dire oui, et je te croirai sur parole. Ne le jure pas, tu pourrais trahir ton serment : les parjures des amoureux font, dit-on, rire Jupiter... Oh! gentil Roméo, si tu m'aimes, proclame-le loyalement : et si tu crois que je me laisse trop vite gagner, je froncerai le sourcil, et je serai cruelle, et je te dirai non, pour que tu me fasses la cour : autrement, rien au monde ne m'y déciderait... En vérité, beau Montague, je suis trop éprise, et tu pourrais croire ma conduite légère ; mais crois-moi, gentilhomme, je me montrerai plus fidèle que celles qui savent mieux affecter la réserve...*

J'entends siffler Emmanuel et quelques autres. J'ouvre les yeux.

Je flotte sur un petit nuage rose en retournant m'asseoir.

— Tu as déjà joué Juliette?

Je prends soudain conscience que Lena s'adresse à moi. Je lui fais signe que non. Puis j'ajoute :

— Enfin, jamais en public.

— Tu as beaucoup de talent, Sara. Allez! À ton tour, dit-elle à la belle Greta.

— Je voulais jouer Lady Capulet, réplique-t-elle, calée dans son siège.

— Ah bon! Tu avais dit en entrant...

— ... que je pensais au rôle de Lady Capulet! répète Greta, un peu agressive.

— Quelqu'un d'autre avait l'intention d'auditionner pour Juliette? Non? Allons-y pour Lady Capulet.

— Je te connaissais des talents de musicienne, mais je ne savais pas que tu étais une actrice aussi douée ! Tu es géniale ! me dit Emmanuel en pressant mon poignet.

— Tu es gentil !

— Ça n'a rien à voir avec la gentillesse ! ajoute-t-il.

Je lui dis qu'il n'était pas mal non plus en Roméo.

— Grâce à toi ! Quand je t'ai vue entrer dans l'auditorium, j'ai glissé dans la peau de Roméo comme une main dans un gant !

— Serait-ce trop vous demander d'avoir un peu plus de respect pour vos camarades ? s'exclame Lena Cordeau, exaspérée.

Son intervention tombe pile !

Greta Labelle prête sa voix suave et sa beauté sublime à la mère de Juliette. On entendrait une mouche voler.

CHAPITRE 29

En mettant les pieds dans la maison, je m'écrie :
— Maman ! Maman ! J'ai le rôle !

Syntaxe qu'il fait noir ici ! J'allume. Ma mère dort sur le divan, avec son imper encore sur le dos.

Je marche sur la pointe des pieds pour ne pas la réveiller.

— Sara, c'est toi ? fait-elle, la voix enrouée.

Je reviens sur mes pas. Elle lève la tête, s'appuie sur un coude.

— Mon Dieu, c'est fou ! Je me suis endormie, dit-elle en retirant son manteau.

— Syntaxe que tu es pâle !

— Je dois couver une grippe. Et tout ce boulot, ces temps-ci ! Je n'ai pas une minute à moi ! Toi, ça va ?

Je fais un gros oui de la tête en criant presque :

— Devine quoi ?

— Mon Dieu que tu es énervée !

— Juliette, c'est moi !

— Juliette ? demande-t-elle, intriguée.

— Oui ! Juliette de *Roméo et Juliette* !

— Je ne te suis pas !

Évidemment, je ne lui en avais pas parlé !

— On monte la pièce à l'école et tu sais quoi ? J'ai trouvé ma vocation : je serai comédienne !

— Tiens donc...

Moi qui m'attendais à des « C'est fantastique ! », à des « Je suis fière de toi, ma fille ! », je frappe mon nœud !

— Tu te rends compte, maman, de ce que je viens de t'apprendre ?

— Oui, Sara. C'est très bien. As-tu faim ? Je vais préparer des pâtes. Je suis crevée, tu ne voudrais pas mettre l'eau à bouillir ?

Quel est le comble de la débandade ? Annoncer à sa mère qu'on a trouvé sa vocation et s'entendre demander de faire bouillir de l'eau ! Pourquoi pas se faire cuire un œuf, tant qu'on y est ?

C'est moi qui vais bouillir si je reste là !

J'ai envie de partager ma joie ! Pas de la ravaler !

*

Je referme la porte de ma chambre, m'empare du téléphone et me laisse tomber à plat ventre sur mon lit. Je décroche le combiné. Syntaxe ! Je ne connais pas son numéro. Je raccroche.

Je cherche mon carnet d'adresses dans le fouillis de mon sac à dos.

Je n'aime pas ranger mes affaires. Je n'aime pas les chercher non plus !

Je finis par secouer le sac de toile : une pluie de miettes de vieux biscuits, de bouts de mines et de mousses tombe sur ma couette fraîchement lavée. De quoi faire rager ma mère, en trois dimensions et en Dolby stéréo !

Où est-ce que j'ai foutu mon carnet, syntaxe ?

... Sur la table de chevet ! A-t-on idée aussi de s'en servir comme sous-verre !

— Allô, Marie-Loup ?

— Sara ! Quelle belle surprise !

133

— Écoute, j'ai du mal à tenir en place! En fait, je suis folle comme un balai! dis-je en ramassant les miettes de biscuits avec mes doigts. Es-tu bien assise?

— Voilà qui est fait!

— Ton petit doigt ne t'a rien dit, par hasard?

— Oui, que ma filleule m'appellerait pour m'annoncer... qu'elle jouera Juliette!

La réponse de Marie-Loup me stupéfie.

— Eh bien, dis à ton petit doigt qu'il a frappé en plein dans le mille!

— Ça ne m'étonne pas! Sara, c'est fantastique! Je suis fière de toi! Et mon petit doigt ajoute que tu vas faire un malheur!

— Syntaxe que tu es fine! Bon, je te laisse, il faut que j'annonce la bonne nouvelle à Mandoline! Je t'embrasse.

— Moi aussi, Sara. À très bientôt!

Je raccroche le combiné et m'écrie en crachant les miettes: «YARK!» J'ai pris ma bouche pour une poubelle, tellement je suis énervée!

*

Lorsqu'elle apprend que je me suis présentée à l'audition, Mandoline me crie au bout du fil:

— J'en tombe en bas de ma chaise!

Si elle ne me répète pas dix fois: «C'est super-au-boutte-de-toutte-mais-j'en-reviens-pas-pantoute!» elle ne le dit pas une fois. Elle ajoute:

— J'en connais un qui doit être content!

Je la traite de langue sale et lui dis:

— À demain!

Je suis perplexe en raccrochant. Visiblement, Mandoline était déjà au courant de la nouvelle. Sinon elle n'aurait pas dit: «J'en connais un qui doit être content!»

Mais pourquoi a-t-elle feint la surprise quand je lui ai annoncé que je serais Juliette?

*

Là, j'ai faim en syntaxe !

Mon ventre crie famine. Je crie à ma mère :

— Est-ce que c'est prêt ?

Elle ne répond pas. Je relance la question.

Pas de réponse.

Je décide d'aller voir de près.

Il fait noir à la cuisine. Pas d'eau qui bout sur le feu ni de mère à l'horizon.

Elle s'est rendormie sur le canapé, emmitouflée dans son imper. Ce n'est pas dans ses habitudes de piquer un somme ; deux, c'est déjà très louche.

CHAPITRE 30

Ce matin je voudrais rapetisser. Avoir cinq ans. Me faire bercer, border, raconter des histoires.

J'ai encore taché mes draps pendant la nuit. Mes règles irrégulières me jouent immanquablement des tours.

Vite, avaler au plus sacrant deux comprimés de Motrin IB avant d'être complètement dévastée par ces épouvantables douleurs menstruelles.

J'envie Mandoline. Réglée comme une montre suisse, elle ne souffre d'aucun symptôme, ni physique ni émotionnel.

Aujourd'hui, jour 3, jour chargé! Premier cours de l'avant-midi : français, avec nul autre que le très baveux Bêtéméchant. Je ne sais toujours pas si je peux piffer ou non ce prof!

Ça y est, syntaxe! Je commence à avoir mal au ventre!

*

En allant porter mes draps au lavage, je remarque que la porte de chambre de ma mère est fermée. Or il est huit heures trente.

J'ouvre. Maman dort. Je lui dis :

— Tu prends congé, aujourd'hui?

Pas de réponse. Je m'approche d'elle et la secoue légèrement. Elle ouvre les yeux et regarde son réveille-matin.

— Sincicroche! J'ai une réunion avec le conseil d'administration à neuf heures moins quart!

Elle se lève sans me voir et se précipite dans sa penderie.

Willie saute en bas du lit. Depuis quand ma mère dort-elle avec mon chat?

*

— Salut, Juliette!

Emmanuel m'a fait sursauter. Ça le fait rire, moi pas! Il s'en aperçoit et prend les devants pour ouvrir la porte de l'auditorium.

— La galanterie, ça n'excuse pas tout, je sais! me dit-il en m'invitant à entrer la première.

Je me surprends à lui répondre :

— Ah, Roméo! Ta gentillesse et ton honnêteté me désarment!

— Eh que tu es belle quand tu souris! ajoute-t-il.

Il est très convaincant! Je rosis.

— Excusez-moi! fait Lena Cordeau en courant derrière nous, dans l'allée centrale. Je ne pensais jamais arriver à temps! Panne sèche sur la métropolitaine en pleine heure de pointe! Faut le faire! Enfin... Bon, tout le monde est là? fait-elle en jetant un œil à la troupe.

Emmanuel s'installe dans la deuxième rangée. Je vais m'asseoir à côté de Nénette Dumouchel, en avant. La bouche pleine, elle jure que ces caramels hollandais super fondants l'entraînent directement dans le nirvana!

— Goûtes-y! insiste-t-elle en me tendant le paquet.

J'hésite. Le sucre, c'est fatal quand on est menstruée.

— Non merci!

Lena marche devant nous, les mains dans les poches de son blouson de cuir noir :

— Aujourd'hui, j'aimerais que chacun d'entre vous exprime la vision qu'il a de son personnage. Comment vous l'imaginez, le sentez, d'accord ? Mais d'abord, je vous trace un petit portrait de l'auteur. Vous saviez qu'il avait aussi été comédien ?...

Elle parle de Shakespeare comme une fille amoureuse par-dessus la tête du gars qu'elle aime.

Je sens un regard posé sur moi : celui d'Emmanuel. Il est bien gentil, le futur Roméo, mais ses grands yeux toujours braqués sur moi commencent à m'agacer royalement !

CHAPITRE 31

Dernièrement, j'ai grandi de trois centimètres et pris quatre kilos. Mes pieds étouffent dans mes bottines et mes vêtements me pètent sur le dos. Mes seins grossissent à une allure folle ; les soutiens-gorge de ma mère me font. Pour mon anniversaire, elle renouvelle ma garde-robe. Ce n'est pas un luxe mais une nécessité ! Avant-hier, à la piscine, il m'a semblé que tous les gars de la classe reluquaient mon imposante poitrine. Bob Lahaye m'a glissé à l'oreille que j'avais des belles boules. Une chance qu'il ne l'a pas crié sur tous les toits pour prendre sa troupe à témoin ! Je n'osais plus sortir de l'eau tellement j'étais gênée !

Aujourd'hui, 4 octobre, j'ai quatorze ans et j'arriverai en retard à ma répétition. L'annulaire de ma main gauche est enflé. Au début, je n'y ai pas prêté attention. Incapable de retirer le jonc que Serge m'avait offert, la veille de sa mort, j'ai dû me rendre à la bijouterie comme on va à l'urgence.

Le bijoutier est obligé de le couper avec des pinces.

— Ne t'inquiète pas, tu ne sentiras rien !

Cet homme ne connaît pas la valeur sentimentale de cet anneau pour parler ainsi ! J'ai l'impression que c'est mon cœur qu'il va trancher !

Le son détone dans mes oreilles. Violemment. CLIC !

— Voilà, ma belle, c'est fini! me dit-il en me montrant le jonc brisé.

Je m'empresse de lui demander s'il peut le réparer.

— Bien sûr. Une petite soudure et le tour est joué, répond-il.

Rassurée, je lui demande de l'agrandir un peu.

Le bijoutier grimace légèrement :

— Impossible, cet anneau est beaucoup trop mince. Je peux le rapetisser cependant.

Il constate mon désappointement :

— Tu n'auras qu'à le porter à ton petit doigt! ajoute-t-il, comme si ça allait de soi.

— Ce n'est pas pareil!

— Je le soude ou pas? demande-t-il en pinçant son menton pour me signaler son impatience.

Je ne sais pas quoi lui répondre. Je lui dis que je vais réfléchir.

Il dépose mon jonc dans une petite boîte, entre deux carrés d'ouate, et me la tend.

En quittant la bijouterie, j'ai un gros pincement au cœur.

*

L'auditorium est vide. Aucune note sur la porte ne mentionne que la répétition est annulée. Bizarre.

Je m'apprête à rebrousser chemin quand soudain le chœur entame :

« Ma chère Sara
C'est à ton tour
De te laisser parler d'amour... »

Cachée derrière le rideau, la troupe sort de sa cachette en continuant de chanter.

Les yeux trempes, je rejoins ma *gang*.

— Yé! Aujourd'hui on mange le dessert avant le plat principal! crie Nénette.

Emmanuel vient vers moi en me présentant la magnifique mousse au chocolat illuminée de feux de Bengale.

— Inutile de souffler, le vœu est garanti ! me dit-il.

— C'est Greta qui l'a fait ! ajoute Nénette en pointant son doigt vers le gâteau.

— Mais c'est Emmanuel qui a fait les courses ! dit Greta.

Je suis vraiment très surprise d'apprendre que Greta Labelle a cuisiné mon gâteau d'anniversaire.

— Bonne fête, Juliette ! ajoute Lady Labelle-Capulet en m'embrassant sur les joues.

— On y goûte à ce chef-d'œuvre ? Je n'en peux plus, moi, de le regarder ! C'est un vrai supplice ! s'exclame Nénette en me tendant un couteau, une spatule et une pile d'assiettes en plastique. Allez, coupe ! Coupe !

Au grand désespoir de Nénette, Lena me remet une carte d'anniversaire au nom du groupe. Je dois la lire à haute voix :

À notre Juliette préférée,

Nous te souhaitons une longue carrière remplie de succès. Nous sommes tous et toutes convaincu(e)s de ton grand talent de comédienne. N'oublie surtout pas : THE SKY IS THE LIMIT.

Bonne Fête !

Ont signé en ce quatrième jour d'octobre :
Roméo, Nourrice, Lady Capulet, Mercutio, Frère Laurent, Tybalt, Montague, Capulet, Lady Montague, Le Prince, Paris, Lena...

— Je t'avertis, Juliette, si tu ne coupes pas ce gâteau immédiatement, je vais poigner les nerfs à deux mains ! s'impatiente Nénette.

Je m'empresse d'exécuter l'ordre de cette chère nourrice, mais le premier morceau lui passe sous le nez. Je l'offre à Lady Capulet.

*

De retour à la maison, j'ai un peu de mal à ne pas déchanter.

Papa m'a envoyé un chèque, des bises et une invitation pour Toronto par la poste. J'aurais apprécié un coup de fil, même s'il est allergique au téléphone.

Marie-Loup m'offre un souper dans le meilleur resto végétarien de la ville et une heure de super-détente dans un bain flottant. «Cela permet de retrouver la béatitude du fœtus dans le ventre de sa mère, en présumant que celle-ci soit détendue, bien sûr!» m'a dit ma tante.

Mandoline a oublié mon anniversaire.

CHAPITRE 32

— J'ai couché avec lui, hier soir. Je te jure, Sara, il baise comme un dieu! s'exclame Mandoline.

— Ça baise comment un dieu? J'ai du mal à l'imaginer!

Baiser. Ce mot me rebute, mais je garde cette pensée pour moi. Mandoline me trouve romantique, idéaliste, sainte-nitouche et vieux jeu; ça n'altère en rien notre complicité puisque nous nous foutons la paix avec nos visions du monde et de l'amour.

— Et tout à coup, il s'est mis à m'embrasser entre les cuisses, poursuit-elle, sans gêne, dans le brouhaha de la cafétéria.

Avant de rentrer dans les détails, elle ferme les yeux quelques secondes et fait mine de frissonner. Je la soupçonne de prendre davantage de plaisir à raconter ses aventures (de plus en plus croustillantes) qu'à les vivre.

— Ça s'appelle cunnilingus.

Je lui signale qu'elle ferait une sacrée prof de sexo, mais elle ne m'entend pas.

— Là où ça se gâte, c'est après. On n'a rien à se dire. On se roule les pouces. S'il n'y avait pas la télé, on parlerait de la pluie et du beau temps! Mais ses mains! Ah! ses mains, je t'assure qu'elles en disent long! Et toi, quoi de neuf?

Je commençais à croire qu'elle avait oublié ma présence.

— Je travaille mon rôle...

Mandoline me coupe aussitôt la parole :

— Ouais, depuis que tu fais partie de cette troupe, il n'y en a plus que pour Juliette !

— C'est vraiment fascinant de créer un personnage, lui dis-je.

— Oh, moi, tu sais, je fais ça tout le temps ! déclame-t-elle.

Nous éclatons de rire ; parce qu'elle n'a pas tout à fait tort. Déguisée aujourd'hui en Moyenne-Orientale, demain elle se fera rockeuse, hippie ou bourgeoise outremontaise. Avec Mandoline, on ne sait jamais à « qui » s'attendre ! Surtout ces temps-ci ; mais ça n'a rien à voir avec son habillement. J'ai de plus en plus souvent l'impression qu'elle est là sans y être. Même si elle parle, parle, parle.

— Ma mère m'a fait une de ses crises, ce matin ! J'avais piqué le demi-buste noir en dentelle qu'elle venait d'acheter dans une boutique super chic, rue Laurier...

— Salut, les filles ! Je peux vous déranger une minute ?

— Roméo en personne ! Dérange-nous tant que tu voudras ! Je suis sûre que Juliette n'y voit pas d'inconvénients ! Hein, Juliette ?

Je lui lance un regard signifiant : « Holà-les-nerfs-la-mère ! »

Mandoline hausse les épaules puis rapproche une chaise en signalant à Emmanuel qu'elle est pour lui. Il s'assoit et se penche vers moi :

— En fait, Sara, comme Lena nous l'a suggéré, on a intérêt à préparer nos scènes ensemble en dehors des répétitions. Je te propose qu'on le fasse chez moi après les cours. Ma mère travaille de seize heures à minuit, on aura l'espace et la paix. Qu'est-ce que tu en dis ?

Qu'est-ce que j'en dis, qu'est-ce que j'en dis... J'éprouve un vague malaise à l'idée de me retrouver en tête-à-tête avec Emmanuel. Je ressens surtout un grand plaisir à glisser dans la peau de Juliette.

— OK.

Emmanuel se lève, l'air pressé.

— Tu ne manges pas, Emmanuel ? demande Mandoline.

— Jamais avant un examen de chimie. Les grandes illuminations ne frappent que les estomacs vides! Sara, on se rejoint au café-étudiant à quinze heures quarante-cinq?

— D'accord.

Mandoline le regarde s'en aller.

— C'est tout de même un fichu de beau gars, tu ne peux pas le nier! me dit-elle.

— Je ne le nie pas.

— Il a des petites fesses bien rondes comme je les aime! En plus, il est intelligent; ça ne nuit pas! poursuit-elle en soupirant.

J'ajoute :

— Et gentil.

— Tu l'as remarqué! Sara Lemieux, tu viens de grimper d'un barreau dans l'échelle de mon estime! s'exclame Mandoline.

Évidemment, elle me rappelle qu'Emmanuel avait presque réussi à lui briser le cœur, il y a deux ans :

— Dieu sait que je lui ai rôdé autour! J'ai tenu pendant des mois dans mon rôle de fille réservée, hyper-sensibilisée par les grandes causes écolo! Mais peine perdue! Je ne suis pas son genre!

Elle a prononcé la dernière phrase en me dévisageant.

— Qu'est-ce que tu veux, il préfère les saintes-nitouches inaccessibles!

Dans la bouche de Mandoline, une telle remarque est dénuée de méchanceté. C'est sa façon à elle de dire que je n'aurais qu'à lever le petit doigt pour voir Emmanuel se jeter à mes pieds.

Je ne lèverai pas le petit doigt.

— Il faudra bien que tu te déniaises, un de ces quatre!

— Mandoline, je ne suis pas niaiseuse!

— Mais tu ne sais pas ce que tu manques!

— Si, justement.

Serge aurait pu être ici, avec nous, dans cette cafétéria de polyvalente. J'aurais laissé son regard me pénétrer jusqu'au fond de l'âme. J'aurais été impatiente que la cloche annonce la fin du dernier cours pour pouvoir le rejoindre, l'embrasser, longtemps et doucement. J'aurais pu...

— On va faire un tour dehors ? demande Mandoline.

Je fais oui de la tête.

Nous ramassons nos plateaux et allons dans la cour. Mandoline m'entraîne derrière un bosquet et allume un pétard, comme elle dit.

— Tu en veux ? me demande-t-elle.

— Non merci. Je ne sais pas comment tu réussis à suivre la prof de math après avoir fumé un joint.

— Qui a dit que je suivais ? réplique-t-elle.

CHAPITRE 33

Des photos d'Emmanuel, accrochées au mur, me rappellent que je suis chez lui pour répéter la cinquième scène du premier acte de *Roméo et Juliette*.

Je n'arrive pas à entrer dans la peau de mon personnage.

— *... permettez à mes lèvres, comme à deux pèlerins rougissants, d'effacer ce grossier attouchement par un tendre baiser,* me dit le jeune inconnu en prenant ma main.

Mal à l'aise, je la retire.

— Sara, qu'est-ce qui se passe ?

— À propos du baiser...

— Quoi le baiser ?

— Ce n'est vraiment pas nécessaire qu'on s'embrasse aujourd'hui. Il y a suffisamment de répliques à travailler sans...

Aussi bien mettre les cartes sur table :

— Écoute, Emmanuel, j'aime autant que tu le saches, avec moi, tu perds ton temps !

— Ça, c'est toi qui le dis ! réplique-t-il en me souriant légèrement, l'air un peu trop sûr de lui.

Emmanuel me tourne le dos puis se retourne aussitôt.

— Sara, je vais te dire ceci juste une fois : je ne te cacherai pas que ce que je ressens pour toi m'aide énormément à nourrir mon personnage. Je sais qu'il y a un fantôme entre nous, et je respecte ça. Si un jour tu t'aperçois que tes sentiments vont dans le sens que je souhaite, fais-moi signe, d'accord?

Je suis bouche bée. Mais qu'est-ce qui me prend de lui lancer :

— Il y a tellement de filles disponibles qui rêvent de se faire un petit ami!

Emmanuel m'interrompt en haussant un peu la voix :

— Je ne veux pas UNE fille! Tu m'intéresses, TOI! J'ai envie de te connaître, TOI!... Mais je ne suis pas pressé!

Mon malaise ne se volatilise pas.

— Et surtout, tu n'as pas à t'en faire parce que tu me plais, ce n'est pas ta faute! ajoute-t-il sur un ton beaucoup plus léger.

Nous éclatons de rire. Je n'ai pas du tout envie de sortir mes griffes. Emmanuel ébouriffe mes cheveux :

— On se remet au boulot? fait-il.

J'acquiesce en fermant les yeux.

Nous ne sommes plus à Montréal, à l'aube du XXIe siècle, mais en pleine Renaissance, à Vérone. Je ne m'appelle pas Sara Lemieux mais Juliette Capulet. Ce soir, mon père donne une grande fête. Le garçon en face de moi n'est pas Emmanuel Ledoux mais l'un de nos invités.

Il porte un masque. Je ne le connais pas.

Il me regarde. Je ne réussis pas à détourner les yeux. J'essaie, mais je n'y arrive pas. Son regard me trouble. Je n'ai pas ressenti le centième de ce que je suis en train de vivre quand j'ai rencontré Paris, le gentilhomme que je dois épouser.

Je ne vois plus l'inconnu masqué. Je le cherche, discrètement mais désespérément.

Il est à quelques pas de moi. Je suis bouleversée. Il retire son masque. Je devrais m'enfuir. Il se rapproche. Je reste là.

Il prend ma main. Je ne la retire pas.

— *Si j'ai profané avec mon indigne main cette châsse sacrée, je suis prêt à une douce pénitence : permettez à mes lèvres, comme à deux pèlerins rougissants, d'effacer ce grossier attouchement par un tendre baiser*, me dit-il.

Je sens que je pourrais tout lui donner. Je sais que je lui donnerai tout.

Son visage se penche sur le mien. Mon cœur fait trois tours dans ma poitrine. Je rougis.

À l'instant même je redeviens Sara Lemieux et il n'est pas question qu'Emmanuel Ledoux m'embrasse !

CHAPITRE 34

Bêtéméchant nous a suggéré d'oublier que nous faisions une création littéraire : «Laissez votre imagination courir sur la page blanche. Partez à l'aventure! Ouvrez-vous à l'inconnu. Allez à sa rencontre!»

— Où vas-tu, cette fois? demande le prof à Mandoline sur le point de quitter la classe.

— Chez le dentiste. Traitement de canal.

— Si tu continues, très chère, tu ne passeras pas l'année! ajoute-t-il.

Elle dit : «Ouais ouais!», l'air complètement dans les vapes, avant de refermer la porte derrière elle.

Mandoline commence à m'inquiéter sérieusement. Un matin, il y a deux semaines, elle a fait une entrée remarquée avec son *look* Marilyn Monroe. Depuis sa dernière métamorphose, elle sèche ses cours de plus en plus souvent et les raisons qu'elle donne tiennent de moins en moins debout.

Dès que j'essaie d'aborder le sujet, elle se défile. Elle sait que je ne crois pas à ses prétextes, mais elle joue à faire semblant, même avec moi. Notre amitié nous glisse entre les doigts comme une poignée de sable fin et cela m'attriste. Je l'aime tellement, cette fille!

Et qui est cet oncle qui vient l'attendre, dans sa Porsche rouge, à la sortie de l'école pour l'amener à ses rendez-vous chez le dentiste ou chez «sa tante malade»?

Mandoline me ment. Elle tolère ma présence dans la mesure où j'avale ses histoires de moins en moins croustillantes et de plus en plus indigestes.

Je jette un œil à la fenêtre. Mon amie court à la rencontre de son soi-disant oncle. Elle monte dans le bolide rouge. Elle a troqué son jeans pour une minijupe noire moulante et des souliers à talons hauts.

Là, si je ne reviens pas à ma création, c'est moi qui aurai des problèmes!

Je relis ce que j'ai écrit.

UN JOUR COMME LES AUTRES
Il faisait très beau, ce jour-là. J'attendais l'autobus. Il se mit à pleuvoir. Je n'avais pas apporté mon parapluie même si ma mère me l'avait conseillé.
L'autobus arri

Complètement pourri. Je froisse ma feuille. L'heure avance. Laisser courir l'imagination sur la page blanche. Courir.

L'HOMME À LA PORSCHE
Il avait la cinquantaine passée, une grosse bedaine et l'œil mauvais. Sa passion : les jeunes filles en fleurs. Il ne les aimait pas mais se servait d'elles.
Sa prochaine victime s'appelait Marie-Dodeline, une rêveuse anonyme parmi tant d'autres. Sournoisement, il la briserait, à grands coups de rêves déguisés : des couteaux aux lames empoisonnées qu'il lui enfoncerait en plein cœur.
Rasa, sa meilleure amie, pressentait le drame qui flottait au-dessus d'elle, tel un nuage de brume épaisse sur le point de l'envelopper. Un manteau taillé dans un tissu de mensonges.
Rasa aurait tant voulu arracher Marie-Do des griffes de l'homme à la Porsche rouge.

— Stop ! Déposez vos stylos !

La voix de Bêtéméchant me fait sursauter.

Ma main avait du mal à suivre les mots tellement ils couraient vite sur la page.

CHAPITRE 35

La nuit dernière, j'ai rêvé que nous étions à table, ma mère et moi. Malgré les traits de son visage adulte, maman avait la taille d'un bébé. Je lui avais préparé son petit déjeuner et l'aidais à manger avec une immense cuillère en or massif. Soudain, elle a pris le bol de nourriture avec l'intention de le lancer par terre. J'ai posé ma main sur son bras, très doucement, pour empêcher son geste et je lui ai fait remarquer la couleur de la bouillie : violet. Puis je lui ai chuchoté : « Tu ne dois pas gaspiller ce précieux aliment. » Ensuite, j'ai mis une main sur sa tête. Un grand frisson m'a traversée. Je pouvais voir, à l'intérieur de son cerveau, une ligne pointillée noire. J'ai dit alors à ma mère. « Ne t'inquiète pas, je suis là. » Et je pensais : « Je ne dois pas l'affoler. » J'ai alors plongé ma main dans la bouillie violette et appliqué la substance gluante sur mon visage, en insistant sur mes paupières. À cet instant, j'ai eu conscience que j'étais en train de rêver.

*

Au petit déjeuner, maman se plaint de maux de tête persistants. Je lui demande pourquoi elle ne consulte pas un médecin.

—C'est la compagnie qui me sort par les oreilles! Avec toutes ces compressions budgétaires, nous devons multiplier nos tâches par trois.

Ma mère a maigri. Elle n'accorde plus autant d'importance à son maquillage.

À la maison, elle est moins maniaque de l'ordre. Souvent, elle s'en va sans faire son lit.

Encore ce matin, elle est partie sans me dire au revoir.

*

À la première pause de l'avant-midi, je m'empresse de téléphoner à Marie-Loup. Je lui parle de mon rêve et je lui fais part de mes inquiétudes à propos de maman et de Mandoline. Elle m'écoute attentivement et me rappelle que je peux compter sur elle en tout temps.

Je suis perplexe en raccrochant. Marie-Loup n'a pas dit : « Ne t'en fais pas, voyons! Ce n'est rien. » C'est ce que j'aurais voulu entendre.

*

—Pourquoi tant de mystère, Sara? Tu te lances dans l'espionnage ou quoi? s'exclame Emmanuel.

—Pour l'instant, ne me pose pas de questions, d'accord? Si tu peux m'aider, tant mieux, sinon, je me débrouillerai autrement.

—En fait, tu me demandes de manquer un labo de physique pour jouer les chauffeurs de madame? ajoute-t-il, déçu que je ne veuille pas lui divulguer le secret de mon plan.

—Emmanuel, je ne te demanderais pas ce service si ce n'était pas très important!

Il choisit de me faire confiance, même s'il préférerait que je lui explique dans quelle galère je désire l'entraîner.

—La confiance, c'est la première condition de l'amitié, non? me dit-il en esquissant un sourire.

—Tu es vraiment sympa, Emmanuel.

Il ajoute :

—Je vais faire de mon mieux, mais je ne peux pas te garantir que ma mère acceptera de me prêter sa voiture.

La cloche sonne. Je m'apprête à quitter le café-étudiant pour me rendre à mon cours d'écologie. Emmanuel retient mon bras :

—Une dernière chose, Sara. Je suis content qu'il y ait une petite place pour moi dans ton polar. Vraiment, ça me touche ! Mais c'est dommage que tu n'aies pas suffisamment confiance en moi pour me mettre carrément dans le coup !

Nous n'avons plus le temps de discuter. Il me téléphonera ce soir, pour me confirmer s'il aura ou non la voiture de sa mère.

En me dirigeant vers la classe, je réfléchis à la remarque d'Emmanuel. Il a raison, chacun a droit à la confiance de l'autre. N'est-ce pas ce que je reproche à Mandoline, depuis quelque temps, de me refuser la sienne ?

CHAPITRE 36

Assis derrière le volant, Emmanuel ronge son frein.
— Écoute, il est encore temps de changer d'avis. Tu n'as pas
signé de contrat, lui dis-je.

À travers la grille clôturant Colette, nous apercevons la Porsche
rouge.

— Excuse-moi, Sara, c'est vrai que je ne me sens pas très à l'aise
à l'idée de...

Emmanuel prend souvent le temps de peser ses mots avant de
les prononcer.

— ... coincer... une amie.

— Mais tu as vu dans quel état elle est, notre amie? Il ne s'agit
pas de la coincer mais de lui prouver qu'on ne se fiche pas d'elle. À
quoi servent les amis, s'ils ne sont pas là quand on est mal pris?

Quand j'étais complètement abattue, l'an dernier, que plus rien
ne me faisait rien, que je me balançais de tout, même d'elle,
Mandoline ne m'a pas laissée tomber.

— Si elle avait besoin de nous, elle nous le ferait savoir, non?

— Peut-être pas! Je te l'ai dit, Emmanuel, tu n'es pas obligé de
m'accompagner. Je peux prendre un taxi.

La porte de l'entrée principale s'ouvre. Emmanuel et moi, nous
nous tapissons sur les banquettes de la Golf pour ne pas être
démasqués.

Mandoline sort et court à la rencontre de l'homme à la Porsche. Ça me fait froid dans le dos.

— Et moi, je t'ai dit que tu pouvais compter sur moi, alors allons-y! fait Emmanuel en démarrant.

— Garde tes distances pour qu'elle ne nous voie pas!

— Oui, chef!

Moi non plus je ne me sens pas vraiment en paix de faire cette chasse à ma meilleure amie. Mais c'est plus fort que moi, plus fort que tout: j'ai besoin de savoir ce qui fait fuir Mando. Je veux en avoir le cœur net et je l'aurai.

La Porsche se dirige vers le pont Papineau. Nous sommes à quelques mètres de l'île de la Visitation. Je n'y suis jamais retournée depuis la nuit où Serge m'a offert mon jonc, la veille de sa mort.

La Porsche continue de foncer à toute allure en s'engageant dans la sortie de l'autoroute. Nous entendons ses pneus crier.

— Ce type est complètement fou! s'exclame Emmanuel.

La Golf ralentit avant d'amorcer le virage:

— Excuse-moi, Sara, mais je n'ai pas envie de finir la journée à la morgue! ajoute-t-il.

Nous arrivons à Laval.

Un camion transportant un yacht s'interpose entre la Porsche et nous.

Nous avons perdu la Porsche de vue.

— Je fais de mon mieux, me dit Emmanuel.

— Je sais.

Le camion signale qu'il tournera à droite.

La Porsche est déjà stationnée. À droite.

Mon cœur capote.

Emmanuel gare la voiture. Le silence se fige entre nous, comme de l'asphalte sous le soleil bouillant.

Il n'y a plus que cette enseigne sordide illuminée par des néons rouges, que ce mot clignotant:

CU
PI
DONNE

Je voudrais qu'Emmanuel me parle, dise n'importe quoi, des niaiseries, pour faire taire l'horreur qui s'anime en moi.

CUPIDONNE

Un bar de danseuses nues. Mandoline. À l'intérieur.

— Tu voulais savoir. À présent tu sais, me dit Emmanuel, prêt à repartir.

Qu'est-ce qu'on fait, une fois qu'on sait? Qu'est-ce qu'on peut faire? J'ai envie de crier, de frapper ma tête contre le pare-brise. Et cette douleur qui s'étire de tout son long dans ma poitrine! L'arracher de moi. Arracher Mandoline à cette horreur organisée. Ma main ouvre la portière. Emmanuel retient mon bras.

— Laisse-moi!

J'ai parlé tout bas, à travers des larmes qui n'en peuvent plus d'être ravalées.

Mandoline! Mon amie! C'est mon amie!

— Il faut que j'essaie de la sortir de là, tu comprends? Avant qu'il soit trop tard!

— Tu veux que j'y aille avec toi? me demande Emmanuel, le trémolo dans la gorge.

Je lui signale que non. J'essuie mon visage.

Essayer. C'est tout ce que je peux faire. C'est la seule certitude que j'ai.

Je descends de la voiture. Emmanuel m'interpelle :

— Es-tu sûre que c'est une bonne idée?

— Non! Mais si je n'y vais pas, je resterai avec mon doute.

Mes pas. Le bruit de mes pas sur l'asphalte. Jusqu'à cette porte. Cette maudite porte à ouvrir.

CHAPITRE 37

— Fous le camp! Sinon je t'arrache les yeux! Et t'avise pas d'ouvrir ta grande trappe, parce que c'est la langue que je t'arrache! me lance Mandoline.

Elle cache ses seins avec ses mains.

Ses paroles m'assomment. Je ne tiens plus sur mes jambes. Je dois m'appuyer, n'importe où, syntaxe! Ma main agrippe le dossier d'une chaise. Je voudrais disparaître dans la fumée qui empeste cet endroit puant, infect et maudit. Ne pas voir ce que je vois : ces filles nues offertes aux regards de vieux cochons ivres. Elles se tortillent devant eux. Pour leur plaisir.

— Fous-la dehors, Rony! crie-t-elle, enragée, au portier.

L'armoire à glace accourt :

— T'as compris ce qu'a dit Lilas? Dehors! À moins que tu veuilles nous montrer ta jolie viande! me dit le gros porc avarié, en osant toucher ma nuque.

J'ai vraiment envie de cracher sur son visage pourri, rouge et boursouflé. Je crie :

— Touche-moi pas, sale doberman!

Le chien galeux m'attrape par le chignon du cou. Que je le veuille ou non, il va me jeter dehors! Je cherche désespérément Mandoline dans les yeux de Lilas. Elle détourne la tête.

Près de la porte, je croise l'homme à la Porsche rouge. Je sais que c'est lui. Son regard me dévaste. J'ai la chair de poule.

—Viens, on rentre! me dit Emmanuel venu m'attendre à la sortie.

Son bras entoure mes épaules.

Dans la voiture, je suis muette, défaite. Emmanuel pose sa main sur mon bras avant de démarrer la Golf.

J'ai honte d'avoir vu ce que j'ai vu. Honte de ressentir ce que je ressens : un mélange d'excitation, de grande tristesse et de dégoût.

Comment empêcher ces images de me poursuivre : derrière le paravent, les yeux démesurément brillants, les seins nus, Mandoline s'apprête à retirer son cache-sexe devant un type qui pourrait être son père!

Je me sens impuissante! Inutile! Sale!

La tête, le cœur, les yeux me font mal, mal, mal!

CHAPITRE 38

—Non, non et non! Qu'est-ce qui se passe avec toi, Sara? s'exclame Lena en déposant sèchement son texte sur le siège. Tu n'y es pas du tout! Où est Juliette, hein? Ça fait deux répétitions qu'elle file en douce. Ça suffit! Nous n'avons plus une seconde à perdre! Tu joues Juliette ou tu vas rêvasser chez toi, branche-toi!

Mandoline n'a pas remis les pieds à Colette. Je ne peux pas m'empêcher de penser que c'est ma faute.

— Sois un peu indulgente, Lena, Sara a eu un gros pépin dernièrement.

— Merci pour le conseil, Emmanuel, mais tu me laisses travailler, d'accord? On peut rester bien au chaud et se lamenter contre l'hiver ou s'habiller chaudement et sortir faire des bonhommes de neige! *Capitch?* Faire AVEC! Ça ne veut pas dire ravaler! Vous en arrachez? Servez-vous-en pour créer! N'oubliez jamais la règle d'or : *the show must go on!* Le public n'attend pas, lui!

Lena s'approche de moi. Son regard s'adoucit. Sa voix aussi :

— Ça ne va pas?

Je lui fais signe que non. Elle frotte mon dos. On dirait que le mouvement de sa main vient chercher ma tristesse.

La nuit dernière, un rêve m'a encore laissé un goût étrange. La terre était mauve. Ma mère et Mandoline riaient aux éclats en courant devant moi. Je ne pouvais pas les suivre, mes pieds calaient dans le sol. Soudain, maman s'est retournée en me disant : « Deux fois ! Tu passeras deux fois par ce sentier avant de retrouver la route. » Puis elle a disparu. Mandoline a cessé de rire et s'est mise à m'injurier.

J'ai le cœur au bord des larmes. Lena masse ma nuque et demande à Maxence Lemoine de se tenir prêt pour l'acte IV, scène I, réplique 26.

— Laisse sortir ta peine, Sara ! Et donne-la à Juliette. On a banni celui que tu as épousé en cachette et que tu aimes plus que tout au monde ! On veut te forcer à en épouser un autre. Ça te rend malade rien que d'y penser ! Pour l'instant tu es coincée et tu souffres à vouloir en crever ! Vas-y, Juliette !

Lena donne le signal à Maxence.

— *Ah ! Juliette, je connais déjà ton chagrin, et il m'angoisse bien au-delà de mon entendement. Je sais que jeudi prochain, sans délai possible, tu dois être mariée au comte*, me dit Frère Laurent.

— *Ne me dis pas que tu sais cela, frère, sans me dire aussi comment je puis l'empêcher. Si dans ta sagesse tu ne trouves pas de remède, déclare seulement que ma résolution est sage, et sur-le-champ je remédie à tout avec ce couteau*, lui dis-je en feignant de lui montrer le poignard.

— C'est bon ! Mais ça sera encore mieux, dit Lena. Allez, on reprend !

CHAPITRE 39

Liette nous avait invitées pour célébrer le réveillon. Maman ne s'est pas levée quand son réveil a sonné à vingt-trois heures. Je l'ai laissée dormir. Je n'ai pas voulu la réveiller non plus quand papa a téléphoné à minuit et a demandé à lui parler.

— Tu sais, elle n'est vraiment pas en forme, ces temps-ci, lui ai-je dit.

— Bon... Mais n'oublie pas de lui transmettre mes meilleurs vœux !

Ensuite, il a ajouté :

— Sara, je pense beaucoup à toi, tu me manques et j'ai très hâte que tu viennes me voir.

Il n'a pas cherché à savoir si j'en avais l'intention ni quand ni rien. En raccrochant, j'ai pleuré.

Liette a envoyé par Frédéric deux parts de bûche de Noël, une tourtière, un grand paquet plat emballé dans du papier rouge et vert, avec une petite carte : *Pour Sara, de la famille Viens.*

Je déballe mon cadeau : l'affiche laminée du film *Romeo e Giuletta* de Franco Zeffirelli. L'attention de Liette me touche.

Willie joue au soccer avec le chou en ruban. En cette nuit de Noël, je ne me suis jamais sentie aussi seule. Ou plutôt si, mais chaque fois c'est comme la première fois.

CHAPITRE 40

On lui a fait passer une scanographie.
Assise sur le bout d'une chaise, les coudes sur la table, son menton appuyé sur ses mains, maman ne dit rien.

Je souhaite que son silence perdure.

Nous sommes à table, ma mère et moi. Malgré les traits de son visage adulte, on dirait une petite fille épuisée. Je lui ai préparé son petit déjeuner.

Maman prend son assiette. Je pose aussitôt une main sur son bras, très doucement, pour l'empêcher de se lever. Je lui fais remarquer qu'elle n'a rien avalé. Je mets ma main sur sa tête. Lui caresse les cheveux. J'ai une impression de déjà-vu. Un frisson me traverse.

Ce rêve que j'ai fait il y a quelques mois me revient en mémoire.

Je voudrais être ailleurs. Je connais bien cette sensation : ne pas vouloir entendre ce que je sais déjà. Quand j'ai écrit mon dernier texte de création dans le cours de français, mon esprit était au courant du secret de Mandoline et de l'homme à la Porsche rouge. Qu'avais-je appris alors, dans ce rêve de bouillie violette et de ligne pointillée noire, à propos de ma mère ?

Sa main serre mon poignet. Je souhaite que son silence dure encore un peu. Laisse-moi encore du temps, maman. Encore un peu de temps.

— Et la pièce, ça avance ? me demande-t-elle.

— Oui. Nous aurons les costumes à la prochaine répétition.

Les mots, du baume sur une plaie qui n'est pas encore nommée. Laisse-moi encore un peu de temps, maman.

Elle a maigri. Elle a perdu son entrain de femme d'affaires passionnée.

Elle a revu le spécialiste. J'ai très peur tout à coup. Elle dit qu'on va peut-être l'opérer.

Ligne pointillée noire. Les mots ne sont plus du baume. La plaie est nommée : « tumeur ».

Ligne. Pointillée. Noire. Ma mère a une tumeur au cerveau. Chienne de mort ! Tu m'as déjà pris mon amour ! Tu ne m'arracheras pas ma mère ! Je ne te laisserai pas faire !

Maman s'efforce de sourire mais son regard la trahit.

— Ne t'inquiète pas, maman, je suis là.

D'où me vient ce calme soudain ?

CHAPITRE 41

Les graffiti dansent sous mes yeux. Je ne sais plus depuis combien de temps.

LOULOU LOVE LULU

LA VIE C'EST DE LA MARDE

À QUOI ÇA SERT DE SE BATTRE CONTRE ELLE?

T'AS JUSTE À LA FLUSHER! T'ES À LA BONNE PLACE

Je détache les cordons de mon sac à dos, sors mon coffret à crayons, l'ouvre et prends un feutre. J'ajoute sur la cloison grise à la peinture écaillée :

CHIENNE DE MORT!!!

Assise sur le siège des toilettes, je pleure un bon coup, en me mouchant avec du papier hygiénique. Je tire la chasse.

Je m'asperge le visage d'eau glacée.

Je vais à ma répétition.

CHAPITRE 42

— *Tybalt n'est plus, et Roméo est banni! Roméo, qui l'a tué, est banni*, me dit Nourrice, effondrée, en lançant l'échelle de corde derrière moi.

Ce n'est pas vrai! La main douce de mon amour ne peut pas avoir versé le sang de mon cousin!

— *Oui, oui, hélas, oui!* me répète Nourrice.

La terre s'ouvre sous mes pieds et je glisse.

Juliette Capulet n'existe plus. Je porte à présent le nom ennemi de ma famille : Montague.

Que la malédiction m'emporte avec elle, je ne dirai pas de mal de celui que j'aime! Tybalt a voulu tuer mon mari. Roméo n'a fait que sauver sa peau. Il est vivant. Mais banni.

Banni, ce mot me tue!

Je regarde l'échelle, gisante à mes pieds comme un cadavre souriant :

— *Pauvre échelle, te voilà déçue comme moi, car Roméo est exilé : il avait fait de toi un chemin jusqu'à mon lit; mais, restée vierge, il faut que je meure dans un virginal veuvage.*

Ce n'est pas Roméo qui prendra ma virginité mais un tombeau!

— *Courez à votre chambre; je vais trouver Roméo pour qu'il vous console... je sais bien où il est...*

Nourrice me secoue en élevant la voix :

— *Entendez-vous, votre Roméo sera ici cette nuit!*

Roméo? Ici? Ah oui! Qu'il vienne! Et vite!

J'enlève ma bague et la donne à Nourrice :

— *Remets cet anneau à mon fidèle chevalier et dis-lui de venir me faire ses derniers adieux.*

— Très bien, les filles! Juste un petit détail; Nénette, assure-toi de jeter l'échelle aux pieds de Juliette. Tout à l'heure, le public ne pouvait pas la voir! Toi, Sara, quand tu dis que Roméo en avait fait un chemin jusqu'à ton lit, prends l'échelle, ferme les yeux, et caresse-la comme si tu caressais ton amant. D'accord? Bon, terminé pour aujourd'hui, vous avez tous mérité une bonne nuit de sommeil! dit Lena.

— Pas avant un bon hot dog! Et une montagne de frites! lance Nénette. J'ai un gros petit creux et je vais le combler chez Valentino! Qui m'aime me suive!... Y a juste Greta qui m'aime?

— Mais non, on est deux! dit Emmanuel en l'embrassant sur la joue.

Maxence chantonne une marche nuptiale archiconnue.

— Juliette, ma fille, fais attention! Roméo fait les yeux doux à ta nourrice! s'exclame Dominique Marny alias Monsieur Capulet.

Les rires fusent. Je ramasse mes affaires en me rappelant que ce soir, je ne rentre pas chez moi mais chez Liette, notre voisine, la meilleure amie de maman, la mère de Serge.

— Ça va, toi? me demande Emmanuel.

— Quand je quitte la peau de Juliette... disons que c'est plus difficile.

— Il y a du nouveau pour ta mère?

— Elle a été hospitalisée ce matin.

— Ah! Merde! me dit-il.

— Vous venez ou pas? s'impatiente Nénette.

— Il y a vraiment juste ton gros ventre qui compte, hein? s'exclame Emmanuel, exaspéré.

Sa réplique nous stupéfie et crée un malaise général dans l'assistance. Il s'excuse immédiatement à Nénette. Elle répond qu'elle a une couche de protection assez épaisse pour ne pas être atteinte. Puis elle ajoute :

— Sais-tu, Emmanuel, je commençais vraiment à penser que tu étais parfait. Je suis contente de m'apercevoir que ce n'est pas le cas !

Je les laisse régler leurs affaires.

À partir de ce soir, maman dormira à l'hôpital, mon chat, chez Marie-Loup, et moi, dans la chambre de Serge.

CHAPITRE 43

—Frédéric te prête sa chambre. J'ai pensé que...

J'interromps Liette aussitôt :

— Je te remercie de l'attention, mais je préférerais dormir dans le lit de Serge. Si tu n'y vois pas d'objection.

— C'est comme tu veux, Sara, me répond-elle.

Je prends mon sac à dos et ma valise. Liette me précède jusqu'à la porte. Elle s'apprête à l'ouvrir. Je la devance et l'entrouvre légèrement.

— Je te laisse t'installer. Fais comme chez toi, ajoute-t-elle, douce et accueillante, comme toujours.

Elle m'embrasse sur les joues et se retire.

Je n'ai encore jamais mis les pieds dans sa chambre. Je pousse la porte et reste dans l'embrasure. Mon regard fait le tour de la pièce et se pose à distance : sur son lit, sa table de chevet, les murs tapissés de ses dessins.

J'entre et vais au-devant de *La Lumière blanche*, l'aquarelle qui lui avait valu le premier prix au concours « La soif de vivre ». En ce temps-là, comment aurais-je pu me douter que ce tableau était prémonitoire ? J'étais dans la chambre d'à côté, à faire des maths avec Frédéric, alors que Serge appliquait ses couleurs, ici même.

Ma main glisse le long du cadre, effleure la vitre. Ce jeune couple lumineux, c'était nous. Nous qui aurions rendez-vous, dans une autre dimension, au bord de la lumière blanche.

Je tourne le dos au tableau pour échapper à la bouffée de tristesse qui cherche à m'envahir.

Le mur d'en face est couvert de renards.

Je m'avance tranquillement et découvre avec beaucoup d'émotions que ce sont SES derniers dessins.

RENARDEAUX JOUANT
RENARD MONTRANT LES DENTS
LE RENARD ET L'AMANTE I
LE RENARD ET L'AMANTE II

Je frissonne à regarder *Le renard et l'amante I et II*.

I : Une fille de dos flatte un renard trois fois plus gros qu'elle. La bête sourit.

II : Le renard de dos a posé une patte dans la main de la fille. Trois fois plus grande que l'animal, la fille sourit.

Cette fille, c'est moi!

Je m'approche du lit, me déshabille devant la photo de Serge, posée sur la table de chevet, et me glisse nue sous les draps.

Je prends la photo et dis à voix basse : «Bonne nuit, Serge... et merci.» Je n'ai pas besoin de lui expliquer pourquoi. Il le sait.

CHAPITRE 44

Ce matin, j'ai encore fait un rêve troublant. Nous marchions, ma mère et moi, sur une route de campagne. Encore une fois, la terre était mauve. Maman insistait pour que je l'accompagne jusqu'à ce sentier dont je lui avais tant parlé. Je ne comprenais pas pourquoi elle disait que je connaissais cet endroit.

Lorsque j'ai ouvert les yeux, mon regard s'est fixé machinalement sur *La Lumière blanche* de Serge.

*

Chambre 410. Je pousse la porte. Maman dort. Je rentre sur la pointe des pieds, dépose mon sac à dos, m'assois sur la chaise à côté du lit.

Je la regarde dormir. Elle est si menue dans son uniforme de malade : une chemise bleu ciel, ouverte dans le dos.

Je voudrais la toucher, mais je n'ose pas. Ma main se pose sur l'oreiller, tout près de sa tête.

— Marie-Louise, tu es là ? dit-elle en se retournant.

Je suis surprise que ma mère parle de Marie-Loup.

— Non, c'est moi, lui dis-je.

— Bonjour, ma grande. Je ne t'avais pas entendue arriver. Marie-Louise est partie ?

— Elle est venue te voir ?

— Oui. Ma sœur est fantastique, tu sais ! me déclare-t-elle, les yeux brillants.

Je suis tellement contente d'apprendre que le traité de paix est signé.

Maman est si pâle. J'essaie de lui sourire, mais c'est difficile. Cela me prend tout mon petit change pour avaler : ma salive, mes larmes, ma tristesse, ma peur. Je fais un effort.

Sa main prend la mienne et la presse légèrement.

— Sara, tu connais le sentier que je dois traverser, n'est-ce pas ?

Ma boule d'émotions reste coincée dans ma gorge.

Pourquoi je ne réponds pas ce que lui disent les autres, Liette, ses copines, ses collègues, les infirmières : « Voyons donc, Solange, d'ici peu de temps, tu vas danser la lambada ! Dans le temps de le dire, tu vas être en train de brasser des grosses affaires ! Sacrée Solange ! Pas capable d'aller au Club Med comme tout le monde ! »

Je m'entends lui dire :

— Oui, maman. Ne t'inquiète pas, il est très beau.

— Tu sais que j'ai rêvé à toi, la nuit dernière, murmure-t-elle. Nous faisions un bout de chemin ensemble. Jusqu'au sentier. Devant, tout était blanc.

Tout était blanc...

Je suis décontenancée. Nous avons fait le même rêve. Je n'ose pas le lui avouer.

Lumière blanche...

Une entente, entre elle et moi. Nos yeux se parlent. Disent tout. Scellent notre pacte.

— Toc, toc, toc ! Je ne vous dérange pas, j'espère ? demande Marie-Loup en entrant.

Une étincelle passe dans les yeux de maman :

— Je croyais que tu étais partie ! répond-elle, visiblement contente de revoir sa sœur.

—Tu me ronflais au nez, alors je suis descendue boire une tisane, dit Marie-Loup. Bonjour, filleule d'amour! Comment va ma Juliette préférée? ajoute-t-elle en m'embrassant.

Entre l'hôpital, les cours et les répétitions, je n'ai presque pas de temps pour penser. Tout va si vite; comme si ma vie déboulait dans un escalier. Un escalier en spirale. Qu'est-ce que je ferais si je n'avais pas Juliette pour éponger un peu ma peine?

—Juliette? Elle travaille fort et elle m'aide beaucoup, dis-je à ma marraine.

Marie-Loup s'assoit sur le lit et demande à sa petite sœur :

—Solange, mon ange, qu'est-ce qui te ferait plaisir?

—Reste encore un peu, Loulou, et relis-moi le passage de la rencontre entre le renard et le Petit Prince.

Marie-Loup essuie discrètement ses yeux en allant chercher le livre sur le bord de la fenêtre.

C'est bon d'assister à leurs retrouvailles. C'est tout doux. Doux-doux-doux.

—*Je ne puis pas jouer avec toi, dit le renard. Je ne suis pas apprivoisé...*

CHAPITRE 45

Vraiment désolé, mon père m'annonce qu'il ne pourra pas venir voir la pièce. Un colloque de dernière minute l'oblige à partir pour le Colorado le jour de la représentation. Il a remué ciel et terre pour trouver un remplaçant (mon œil!), mais ça n'a pas marché.

Il est navré! Sincèrement! Il sera de tout cœur avec moi (mon autre œil!). Et me dit le mot de Cambronne : merde!

Merde! Merde! Et re-merde! Syntaxe!

*

J'ai encore téléphoné à Mandoline. Je lui laisse des messages sur le répondeur. Elle ne me rappelle pas.

La vie est un cadeau? La peur, une porte fermée? Connerie!

Tu m'as menti, Marie-Loup! Il y a un cadenas sur la serrure! Et je n'ai pas la clef pour l'ouvrir!

CHAPITRE 46

—Sara! Je te cherchais! me dit Emmanuel en courant derrière moi.

Je me retourne.

— On va à la même place, à ce que je sache! lui dis-je comme nous arrivons devant l'auditorium.

— Je voulais te parler en privé, ajoute-t-il.

— Salut, Sara! Salut, Emmanuel! nous dit Nénette.

— Roméo et Juliette sont aussi touchants dans un corridor de polyvalente que sur une scène, tu ne trouves pas, Nénette? s'exclame Maxence avant d'entrer.

Je ne peux pas m'empêcher de répliquer :

— Pauvre con!

Emmanuel m'entraîne un peu à l'écart, près de l'escalier :

— Sara, c'est à mon tour de te demander un grand service.

Le ton grave de sa voix m'intrigue.

— Et qu'est-ce que je peux faire pour me rendre utile?

Emmanuel chasse le chat de sa gorge.

— Veux-tu m'accompagner à mon bal de fin d'études?

Je réponds :

— Pourquoi pas! Entre amis, il faut bien s'entraider!

Les yeux écarquillés, Emmanuel reste pantois.

Il se tape sur la cuisse, m'ébouriffe les cheveux en répétant : «Tu es fine! Tu es super fine!» et sautille jusqu'à la porte.

Lena regarde sa montre. Tout le monde est déjà en place.

*

Ce jeune inconnu n'est pas celui que la vie me destinait. Je devrais le fuir et je le laisse prendre ma main. Je me sens si belle dans ses yeux. Moi, Juliette Capulet.

— *Les saintes n'ont-elles pas des lèvres, et les pèlerins aussi?* me demande-t-il.

Il me bouleverse.

— *Oui, pèlerin, des lèvres vouées à la prière,* lui dis-je.

Mais qui est-il? Sous son regard lumineux, ma pudeur fond, comme la cire au contact de la flamme.

— *Oh! alors, chère sainte, que les lèvres fassent ce que font les mains. Elles te prient; exauce-les, de peur que leur foi ne se change en désespoir,* ajoute-t-il en se rapprochant de moi.

Je ne sais pas pourquoi tu te trouves sur mon chemin. Je ne veux plus me torturer l'esprit à vouloir comprendre. Peux-tu lire mes pensées sans que je te les dise? J'ai envie que tu me prennes dans tes bras! J'ai envie que tu m'embrasses.

— *Les saintes restent immobiles, tout en exauçant les prières,* lui dis-je en plongeant mon regard dans le sien si bleu.

Je n'ai plus d'histoire, plus de nom. Je ne te connais pas, je te reconnais.

— *Reste donc immobile, tandis que je recueillerai l'effet de ma prière,* murmure-t-il.

Je ne bouge plus. Son visage se penche sur le mien. Lentement. Très lentement.

Ah! Oui. Oui. Oui! Que son visage se penche sur le mien! Que ses lèvres frappent à la porte de ma bouche! Je lui ouvre mes lèvres. Je lui donne ma langue. Embrasse-moi, mon amour. Embrasse-moi encore!

Je n'entends plus ce qu'il me dit ! Je ne sais plus ce que je lui réponds.

— *Madame, votre mère voudrait vous dire un mot !*

Nourrice, fous-moi la paix !

— Coupé ! dit Lena en toussotant. Trop, c'est comme pas assez ! Non, non ! Je blague, vous étiez très crédibles ! ajoute-t-elle.

Que s'est-il passé ?

— En tout cas, le public va en avoir pour son argent ! lance Maxence.

Gênée, j'essuie mes lèvres et mes joues encore mouillées de salive.

Mais qu'est-ce qui m'a pris ? Je l'ai embrassé. Pour vrai. Avec ma langue.

— Excusez-moi, je reviens, dit Emmanuel, l'air aussi troublé que moi.

Il évite mon regard.

Je suis sens dessus dessous. Qui a embrassé qui ? Juliette, Roméo ? Ou Sara, Emmanuel ? Qui a vibré ? Juliette... ou moi ?

J'entends claquer la porte de l'auditorium.

CHAPITRE 47

J'ai rendez-vous avec Serge. Il m'attend.

Je l'aperçois, appuyé sur un immense mur de pierres, les mains dans les poches. Je m'élance à sa rencontre. Je cours vite, très vite.

Je trébuche sur une roche mais évite la chute de justesse. Les bras de Serge m'attrapent et m'enveloppent. Je colle ma tête contre sa poitrine. Son cœur bat très fort. Je frémis. Je sais qu'il va m'embrasser. Je savoure chaque seconde d'attente. Il soulève mon menton et caresse mon cou du bout des doigts. La caresse brûle en moi. J'ai terriblement chaud. Terriblement envie de lui. Terriblement.

Ses lèvres agacent les miennes, s'entrouvrent, se referment, mordillent. J'ai du mal à respirer. Je soupire. Je languis de désir. Un désir fou, torride, avide.

Sa langue effleure les commissures de mes lèvres, se pose entre mes dents. Elle n'en peut plus, ma langue. Elle surgit comme une tigresse affamée puis s'offre, généreuse.

J'ai chaud. Tellement chaud.

— Je t'aime, Sara.

Les yeux de Serge ne sont pas vert pomme mais bleu clair. Affolée, je m'enfuis en pressant mes paumes contre mes oreilles. Je hurle : « Va-t'en ! » mais le cri meurt dans ma gorge.

Je n'étais pas dans les bras de Serge! Ce n'était pas Serge que j'embrassais! Ce n'était pas Serge qui me caressait mais Emmanuel!

L'éclat du verre m'arrache brusquement au sommeil.

J'ouvre les yeux. Une main entre mes cuisses humides. Je suis excitée. Au bord de l'orgasme.

Je stoppe mes caresses et sors du lit en vitesse, honteuse.

Je me fige sur place. J'allais poser le pied sur un morceau de vitre. À l'envers, sur les lattes de bois, l'aquarelle *La Lumière blanche* gît parmi les éclats du verre qui la protégeait.

J'appuie le cadre contre le mur, ramasse la vitre brisée.

Je m'habille à la hâte et quitte la maison des Viens, le cœur serré et l'esprit en fouillis.

CHAPITRE 48

Sara Lemieux, prends ton courage à deux mains! Prends le taureau par les cornes!

— Emmanuel... je...

— Oui?

Le courage est un taureau, je le prends par les cornes!

— ... je voulais m'excuser pour hier.

— T'excuser? Mais pourquoi?

Il se fout de ma gueule ou quoi?

— T'excuser pourquoi? insiste-t-il.

Difficile. Difficile de nommer certaines choses par leur nom.

— Parce que... parce que je t'ai carrément sauté dessus... je... je ne sais pas ce qui m'a pris. Tu sais, je suis pas mal perturbée ces temps-ci avec tout ce qui m'arrive.

— S'il te plaît, Sara, regarde-moi quand tu me parles, me dit-il en soulevant mon menton.

Impatiente, je réplique :

— Syntaxe! On joue dans moins d'une semaine, ce n'est pas le temps de tout gâcher!

Il prend mes mains.

— Sara, tu l'as dit toi-même : avec tout ce qui t'arrive, tu es pas mal perturbée. Ta vie n'a pas besoin d'un drame de plus, alors n'en rajoute pas! Tout ça pour dire : t'en fais pas pour moi. Un : j'ai adoré que tu m'embrasses comme ça! Deux : je ne me fais pas d'idées! Trois : je ne désespère pas non plus. Quatre : tu es la plus merveilleuse des Juliette! Cinq : je suis ton meilleur ami, du moins je l'espère. Six : je pourrais continuer ma liste, mais mon autobus est arrivé.

Emmanuel me plaque un petit baiser sur la tête et monte de justesse comme les portes se referment.

CHAPITRE 49

— Les renards ne déposent pas leurs excréments le long des sentiers sans raison ; ils s'en servent pour communiquer, affirme Muguette Dubois, la prof d'écologie.

Mes affaires sont déjà rangées et, pour la millième fois, je regarde l'horloge en maudissant l'heure qui n'avance pas assez vite à mon goût.

— Ils communiquent aussi vocalement en glapissant, ajoute-t-elle.

La voix traînante du prof d'écologie ne me tape pas sur les nerfs, elle les flagelle ! Ce qui est beaucoup plus pénible.

Syntaxe de cloche ! Si tu ne sonnes pas, c'est moi qui vais glapir !

Mais qu'est-ce que ça va changer à ma vie de savoir que les renards peuvent aussi japper ?

— N'oubliez pas ! Examen la semaine prochaine, proclame la prof en guise de conclusion.

Je me lance sur la porte, comme une flèche tirée par une main de maître atteint sa cible.

Les après-midi où nous ne répétons pas, je ne pense qu'à une chose : aller voir ma mère.

Elle ne parle plus. Ne mange plus.

Sara,

Avant de partir, passe sans faute à l'A.E.C. Bonne nouvelle à t'annoncer.

Emmanuel

Intriguée, j'arrache la note collée sur la porte de mon casier, m'habille et fais un détour par l'Association étudiante.

*

— Tu connais l'histoire de la montagne qui vient à toi si tu ne peux pas te rendre à elle?

Je n'ai vraiment pas la tête à jouer aux devinettes.

— Emmanuel, de quoi tu parles?

— Il y aura une équipe vidéo. Tout est arrangé! me dit-il.

Je ne sais toujours pas où il veut en venir. Le ton monte:

— Syntaxe! Emmanuel, accouche!

— Je suis en train de te dire que ta mère pourra voir *Roméo et Juliette*, de William Shakespeare, mettant en vedette sa fille Sara Lemieux!... à l'hôpital!

C'est lui qui en a eu l'idée. Il a tout organisé. On filmera la représentation, pour maman. Très émue, je me radoucis:

— C'est vraiment chouette de ta part, Emmanuel!

Je l'embrasse sur la joue:

— Merci!

— Et l'autre? me dit-il.

— Quoi, l'autre?

— L'autre joue! Elle est ultra jalouse! répond-il en me tendant la gauche.

Je souris en l'embrassant. Emmanuel est vraiment le meilleur copain qu'on puisse avoir.

CHAPITRE 50

— Sara, arrête de cligner des yeux, sinon je vais t'en mettre plein la figure! me dit Jasmine, notre patiente et dévouée habilleuse-maquilleuse-coiffeuse.

Je déteste le mascara. Je ne tiens plus en place. J'ai la chienne, une grosse chienne à poils longs! Et elle grogne en montrant ses crocs.

— Apprivoise-la!

— Qu'est-ce que tu dis? me demande-t-elle.

— Non, non, je me parle toute seule.

Jasmine s'énerve :

— Mais vas-tu arrêter de bouger!

— Attends, je dois retourner aux toilettes! lui dis-je en tentant de me lever.

— Pas question! Tu m'as déjà fait le coup deux fois! C'est juste des pipis nerveux. Ferme les yeux, j'achève! réplique-t-elle sévèrement.

La vie est un cadeau, la peur, une porte fermée. Si tu n'ouvres pas la porte, tu ne peux pas savoir que le cadeau est dans la pièce d'à côté. La vie est un cadeau, la peur, une porte fermée... Ouvrir la porte.... Ouvrir... Cadeau.

— Cadeau!

— Quoi encore ? demande Jasmine.

— J'ai dit : cadeau ! cadeau ! cadeau !

Les yeux ronds, Jasmine hausse les épaules en déposant le fard à joues et le pinceau :

— Excuse-moi, Juliette, mais j'y comprends rien !

Je réponds :

— Ce n'est vraiment pas grave !

— Mais fais attention, Nénette ! Tu es assise sur ma perruque ! crie Greta.

— Oh ! Pardon !

— Roméo ! C'est à ton tour ! dit Jasmine. Quelqu'un a vu Emmanuel ?

À moins d'une heure d'entrer en scène, nous sommes tous sur le gros nerf.

— Du calme ! s'écrie Lena.

Plus facile à dire qu'à obtenir !

∗

Maman, ce soir je jouerai pour toi. Maman, je t'aime ! Maman, tu me manques ! M'entends-tu, maman ?

LA POLYVALENTE

COLETTE

Présente

Roméo

&

Juliette

DE

WILLIAM SHAKESPEARE

MISE EN SCÈNE

LENA CORDEAU

LE MOT DE LA METTEURE EN SCÈNE

William Shakespeare (1564-1616), comédien, poète et dramaturge anglais, nous a légué une œuvre monumentale : *Hamlet, Othello, Macbeth, Le Roi Lear, Antoine et Cléopâtre, La Mégère apprivoisée, Le Songe d'une nuit d'été...*

Roméo et Juliette, ce sont d'abord les personnages d'un conte italien de Luigi Da Porto. En 1554, Matteo Bandello reprend le thème dans une nouvelle qui inspire à Shakespeare, en 1594, la pièce qui immortalisera les jeunes amants. Cette passion tragique entre deux adolescents aux prises avec l'incompréhension de leur milieu reste d'une éternelle fraîcheur.

À l'aube de l'an 2000, il faut voir avec quelle ardeur des adolescent(e)s d'aujourd'hui, étudiant(e)s de cette école, font revivre sous nos yeux cette magnifique histoire d'amour créée il y a quatre siècles.

Que le rideau se lève !

Lena Cordeau

EN SCÈNE

EMMANUEL LEDOUX : *Roméo*
SARA LEMIEUX : *Juliette*
FLORENCE COBURN : *Le chœur, Lady Montague, un valet, un garde*
PASCALE DI MAGGIO : *Balthazar, un page, un vieillard*
NÉNETTE DUMOUCHEL : *Nourrice*
GRETA LABELLE : *Lady Capulet*
PIERRE LARUE : *Escalus, Prince de Vérone, Frère Jean*
BRUNO LEFRANÇOIS : *Montague*
MAXENCE LEMOINE-DUMOULIN : *Frère Laurent, un citoyen*
DOMINIQUE MARNY : *Capulet*
MONICA MARTINÈS : *Benvolio, premier garde*
LOUIS MARTEL : *Paris, un citoyen*
OLIVIER PARENT : *Tybalt, l'Apothicaire, un valet*
DELPHINE SOULIÈRE : *un musicien, un citoyen, guetteur de nuit*
MARY O'CONNOR-TESSIER : *Mercutio, un garde*

EN COULISSE

LENA CORDEAU : Mise en scène

LULA CHUNG : *décors*
STÉPHANE PLANTE : *assistant aux décors*
ZOÉ LAROUCHE : *costumes*
JASMINE VILIAPANDO : *maquillages, coiffures*
KATHERINE VILLE-DIEU : *éclairages*
JEAN-MICHEL SIGOUIN : *ambiance sonore*
MARIE-SOLEIL ROY : *publicité et programme*
LISON LECLERC : *réalisatrice vidéo*
XAVIER LABELLE : *réalisateur adjoint vidéo*

MERCI À LA BOUTIQUE *L'ACCOUTREMENT*
POUR LE PRÊT DES COSTUMES ET DES ACCESSOIRES,
AINSI QU'À LA DIRECTION DE LA POLYVALENTE COLETTE
D'AVOIR RENDU POSSIBLE LA RÉALISATION DE CE SPECTACLE.

CHAPITRE 51

Une nuit pour vivre dans les bras de mon amour. Une seule nuit pour tout donner, pour tout prendre.

Le rossignol a chanté. Le jour n'est pas proche !

— *C'était l'alouette, la messagère du matin,* me dit Roméo, *et non le rossignol. Regarde, amour, ces lueurs jalouses qui dentellent le bord des nuages.*

Comment empêcher le jour d'entrer pour qu'il ne chasse pas mon amour ?

— *Je dois partir et vivre, ou rester et mourir,* ajoute-t-il.

Tais-toi, mon amour ! Tais-toi !

Je pose un doigt sur ses lèvres et ses dents le mordillent.

Je me pends à son cou. Je m'agrippe. Je supplie :

— *Reste donc, tu n'as pas besoin de partir encore !*

Je me tais. Mon regard l'implore de ne pas m'abandonner. Je ne m'en remettrais pas.

Caresse mon visage, mon amour !

Ma tête entre tes mains, comme si on déposait la terre sur deux piliers parce qu'elle ne tourne plus, ni sur elle-même ni autour du soleil.

J'ai si peur, Roméo ! Tellement peur ! Parle-moi !

— *J'ai plus le désir de rester que la volonté de partir...* me dit-il, le regard bleu triste.

Dis-le encore, cher amant !

L'alouette !

Roméo a raison, c'est l'alouette qui chante aussi faux ! Mon amour, je ne veux pas que tu t'en ailles ! Mais je ne veux pas que tu meures !

— *C'est le jour, c'est le jour ! Fuis vite, va-t'en, pars !... Oh ! maintenant pars. Le jour est de plus en plus clair,* lui dis-je, paniquée.

— *De plus en plus clair ?... De plus en plus sombre est notre malheur,* me dit Roméo en essuyant la larme qui glisse doucement sur ma joue.

Il quitte le lit conjugal.

Nourrice, oiseau de malheur ! Qu'est-ce qu'elle vient faire dans notre nuit de noces ?

— *Madame, votre mère va venir dans votre chambre. Le jour paraît ; soyez prudente, faites attention,* chuchote-t-elle avant de repartir comme elle est venue, sur la pointe des pieds.

J'ai trop mal, je crie :

— *Allons, fenêtre, laisse entrer le jour et sortir ma vie !*

— *Adieu... adieu ! Un baiser, et je descends,* me dit l'homme que j'aime en se rhabillant en vitesse.

Un baiser d'adieu et mon amour s'en va.

Je me penche sur le balcon. Mon regard fixe le sol. Je voudrais me laisser tomber tellement j'ai mal !

*

Emmanuel fait les cent pas en silence. Greta médite dans son coin. Nénette gruge ses ongles avec acharnement et sirote un Coke tiède et dégazéifié.

— C'est bon, mes amours ! Au-delà de mes espérances ! s'exclame notre metteure en scène enthousiaste.

— Lena, il ne faut jamais vendre la peau de l'ours avant de l'avoir tué ! Les amoureux devront faire leurs preuves dans leurs rôles de cadavres avant de crier victoire! s'exclame Maxence avant de pouffer de rire.

—S'il te plaît, Frère Laurent, baisse le volume! Ton humour tranchant massacre ma concentration! dit Greta, énervée.

Maxence lui fait la gueule et se joint aux gardes et aux valets qui se délectent des blagues cochonnes du Prince de Vérone.

—Qui veut un coup d'eau? demande Jasmine en déposant verres et bouteilles parmi le maquillage et le démaquillant.

Lison Leclerc, la réalisatrice du vidéo, et Xavier Labelle, son assistant et le frère de Greta, nous rejoignent en coulisse.

—Hé! la gang! J'ai un aveu à vous faire : je ne suis pas déçu d'avoir accepté le contrat! dit Xavier.

—Dis donc la vraie vérité! l'interrompt Lison après lui avoir donné un léger coup de coude dans les côtes.

Xavier attrape Lison par la main et l'attire à lui :

—Disons que ma blonde m'a carrément tordu le bras et je suis bien content qu'elle ait autant de poigne!

Lady Greta Capulet délaisse sa méditation avec un sourire :

—Mon cher frère, serais-tu en train de faire notre éloge, par hasard?

—C'est à peu près ça! répond-il.

Nous encaissons le compliment avec plaisir et trinquons à la finale. Maxence alias Frère Laurent fait mine de bénir la troupe.

Lena regarde sa montre.

—Allez, mes amours! Le spectacle continue! nous dit-elle.

J'ai des chenilles dans le ventre. Miracle : ce ne sont plus des papillons géants.

Emmanuel prend mon verre vide et l'emboîte dans le sien. Nos regards se croisent. Nous nous sourions sans rien dire. Nous préservons notre énergie pour aller mourir sur scène.

CHAPITRE 52

*—M*a *fille, quitte ce nid de mort, de contagion, de sommeil contre nature! Un pouvoir tout-puissant a contrecarré nos plans. Viens, viens, partons!* s'exclame Frère Laurent en me prenant le bras.

Mes yeux s'entrouvrent péniblement. Où suis-je? L'humidité froide et l'odeur de pourriture me saisissent. Je frissonne. J'ai mal au cœur.

L'effet du narcotique qui a fait croire à ma mort s'estompe. Encore engourdie, je m'étire et tente de m'asseoir. Le voile qui me couvrait glisse par terre. J'échappe un cri de terreur à la vue du spectacle morbide qui s'offre à mon regard : des cadavres en décomposition, des squelettes livrés aux araignées qui ont tissé leurs toiles à même les os.

Mon cœur ne résiste pas. Je vomis à côté de mon cercueil.

J'ai froid. J'ai peur. J'essaie de rester calme. Où est Roméo? Nous avions rendez-vous ici. Frère Laurent l'a prévenu de la supercherie : «Juliette est vivante et elle t'attend dans le tombeau des Capulet.»

Mon amour ne devrait pas tarder.

Je me redresse.

Roméo! Roméo est là, à quelques pas de mon cercueil. Il dort paisiblement. Je me précipite sur lui. Me colle contre sa poitrine.

— *Ton mari est là, gisant sur ton sein...* me dit Frère Laurent en me secouant.

Mais qu'est-ce qu'il raconte? Ne voit-il pas que Roméo est venu comme prévu!

— *Allons, viens, chère Juliette... Je n'ose rester plus longtemps!* ajoute-t-il, le regard fou, avant de s'enfuir.

J'aperçois la fiole dans la main de Roméo :

— *Qu'est ceci?*

Les mots de Frère Laurent percutent ma mémoire : «*Un pouvoir tout-puissant a contrecarré nos plans. Ton mari est là, gisant sur ton sein...*»

Mes doigts se resserrent sur le flacon. Je commence à comprendre. Roméo n'a pas eu la missive à temps!

Mon amour ne dort pas. Il est mort! Empoisonné.

NON!

J'ouvre ma bouche, secoue la fiole au-dessus de ma langue, suce désespérément le goulot, lance cette bouteille maudite de toutes mes forces :

— *L'égoïste! il a tout bu! il n'a pas laissé une goutte amie pour m'aider à le rejoindre! Je veux baiser tes lèvres : peut-être y trouverai-je un reste de poison dont le baume me fera mourir...*

Mes larmes affluent sur son visage encore tiède. Je force ses lèvres, les oblige à s'ouvrir :

— *Tes lèvres sont chaudes!*

L'écho de ma voix résonne dans le tombeau.

Je vois le couteau de Roméo, m'en empare. Sois bénie, lame tranchante et pointue!

Quelqu'un vient! Je dois me dépêcher! :

— *Ô heureux poignard! voici ton fourreau!... Rouille-toi là et laisse-moi mourir!*

Rien ni personne, à présent, ne pourra nous séparer. Attends-moi, mon amour, je te rejoins!

Mon cœur en échange de nos retrouvailles.

*

L'immense trou noir s'estompe dans les applaudissements. L'auditorium en délire est plein à craquer.

Emmanuel prend ma main et la serre fort à m'en casser les doigts. Je rentre doucement dans la peau de Sara Lemieux. Je flotte sur un gros nuage rose lorsque nous saluons.

Le trou noir a des centaines et des centaines de visages, tout à coup. Marie-Loup est assise au premier rang, à côté de Liette et de Frédéric. Debout derrière eux, Bêtéméchant bat la cadence en criant : « Bravo ! »

Au troisième rappel, je n'en peux plus ; je me mets à pleurer comme un veau tellement je suis émue, contente et fière de moi.

CHAPITRE 53

La porte est entrouverte.

Maman dort, de plus en plus longtemps, de plus en plus profondément.

Assise à côté du lit, Marie-Loup se lève et vient à ma rencontre dès qu'elle m'aperçoit. Je l'embrasse.

Nous chuchotons des mots légers, sans danger : comment ça va ? bien, et toi ? oui, ça va, et Willie ?

Mon chat adore la campagne et s'entend à merveille avec monsieur Cher, gros labrador et fidèle compagnon de Marie-Loup. Willie me manque, surtout le soir quand je me couche.

— Je vais casser la croûte et je reviens, me dit ma tante.

Je remarque les traits tirés de son visage et les petits cernes bleutés sous ses yeux.

Je ferme la porte doucement.

Sans faire de bruit, je colle le fauteuil contre le lit. Je retire *Le Petit Prince* de Marie-Loup et le dépose sur la table.

Je m'assois, le plus près possible de ma mère.

Je flatte ses cheveux, très doucement.

Mais qu'est-ce que ce triangle noir fait là ? Intriguée, je soulève délicatement le coin de l'oreiller. Ce triangle n'était qu'une pointe de l'iceberg. Une bouffée de joie très vive m'inonde. Maman dort, la vidéocassette de *Roméo et Juliette* sous son oreiller.

— Collation? demande l'intrus qui vient d'ouvrir la porte. Imbécile!

— Chut! dis-je en lui signalant que nous n'avons besoin de rien.

Je suis effrayée, tout à coup, en regardant dormir ma mère. Chaque jour, je cours à son chevet. Je suis avec elle. Je suis ici pour elle. Je vis chaque petit bout de tendresse comme si c'était le dernier. Et je tiens bon, d'un bout à l'autre.

Comme des renardeaux découvrent la forêt, au sortir du terrier... les mots pesants, affolants, ceux que je ne prononce pas, ceux que j'évite de formuler même en pensée, arrivent à ma conscience : peur, maladie, tristesse, colère, mort.

Le garçon que j'aimais a été écrabouillé par une voiture. Ma meilleure amie a disparu derrière un paravent, dans un bar de danseuses nues. Mon père fait semblant de s'ennuyer de moi. Je regarde ma mère s'éteindre doucement.

The show must go on! J'ai écouté Lena Cordeau. J'ai nourri mon personnage de Juliette, quotidiennement, à grands coups de peine. Beaucoup, beaucoup, beaucoup de peine.

Je suis fatiguée.

Je voudrais me bercer d'illusions, au moins un petit peu! Mais je ne peux pas; la nuit, mes rêves m'attendent et me parlent, de plus en plus clairement.

J'ai déjà désiré la mort. Je suis allée au-devant d'elle. C'est elle qui n'a pas voulu de moi. «C'est le propre de l'être humain de craindre ce qu'il ne connaît pas», disait Marie-Loup. Aujourd'hui, je ne peux plus la craindre puisque je la connais.

J'aurais pu, oui, j'aurais pu franchir la lumière blanche et rejoindre Serge.

À présent, j'ai la certitude qu'il avait raison, mon amour, lors-qu'il m'a demandé : «Sara, crois-tu vraiment avoir achevé ton parcours terrestre?»

Non, je ne peux plus craindre ni désirer ni maudire la mort. Mais je lui en veux, syntaxe! Je lui en veux de me voler ceux que j'aime!

La main gauche de maman se soulève légèrement. Elle ne parle plus, je ne parle pas, mais je suis certaine qu'elle m'entend. Certaine.

J'ai perdu le corps, la douceur de la voix et des caresses de Serge, mais je n'ai rien perdu de l'amour qu'il a semé en moi. Aujourd'hui c'est une fleur que je peux offrir à ma mère.

Sa main s'ouvre. Elle s'ouvre pour recevoir cette fleur. Une fleur invisible pour les yeux : l'essentiel disait...

Oui, maman, elle est pour toi.

Je perçois un soupçon de sourire sur ses lèvres pâles et immobiles.

L'index de sa main droite a bougé. Il bouge.

Avec son doigt, maman trace des mots. Sans papier ni crayon, elle m'écrit : *Merci. Je t'aime.*

Des mots magiques.

Je m'étends à côté de ma mère. Me couche dans les mots magiques.

Je me permets de pleurer dans son cou! Et ce n'est pas du tout triste!

CHAPITRE 54

Je m'apprête à déposer mon sac à dos dans mon casier ; mon regard se heurte à la note que j'ai trouvée sur la porte ce matin.

Sara,

Si tu as deux minutes à l'heure du dîner, passe me voir à l'Association.

Bises,

Emmanuel

J'ai jonglé toute la matinée à son fichu mot.

— Sara, as-tu ton lunch ou tu bouffes à la café ? me demande Greta, qui vient d'arriver derrière moi.

— J'ai mon lunch.

— Il fait tellement beau, on pique-nique ensemble dehors ? ajoute-t-elle.

Touchée par l'invitation, j'accepte sans hésiter, mais cela ne règle pas le cas Emmanuel.

— Tu as l'air bien songeuse, me dit-elle.

À deux doigts de lui parler d'Emmanuel, je me ravise.

Syntaxe ! Je ne peux tout de même pas continuer à éviter mon seul vrai copain comme si c'était une tache ambulante !

*

— Salut, Sara! me dit l'un des «ex» de Mandoline.

— Allô, Francisco.

— ¡Hasta la proxima! ajoute-t-il en quittant l'A.E.C.

Emmanuel est seul dans le local. Il tourne la tête vers moi. J'entre.

— Tu manges ici?

— C'est plus tranquille pour étudier. Assieds-toi, me dit-il en s'essuyant les mains.

Que s'est-il passé depuis la représentation de *Roméo et Juliette*?

— Emmanuel, je n'ai pas vraiment le temps.

— Deux minutes. Deux petites minutes, OK? insiste-t-il en me tirant une chaise.

Je m'assois.

— Je m'ennuie des répétitions, pas toi? fait-il en repoussant son plateau.

— Oui. Ça me manque aussi, dis-je.

En répondant à la question, j'ai senti l'appât.

— Écoute, je ne veux pas t'embêter. Je voulais que tu saches... tu le sais déjà mais je voulais te le dire...

Je vois le filet.

Emmanuel poursuit :

— Ce ne sont pas vraiment des répétitions que je m'ennuie, mais des scènes où on s'embrassait.

Trop tard, je suis piégée.

— Tu n'avais pas l'air de détester ça, toi non plus! ajoute-t-il.

Je me débats.

— C'était Juliette qui embrassait Roméo, pas moi!

Il cherche mon regard, le trouve difficilement mais le trouve. Non, Emmanuel! NON! NON! NON!

— Je t'aime, Sara.

Je baisse les yeux. Je suis fourbue, complètement.

— Emmanuel... tu étais mon meilleur copain!

Il sourit.

— Mais je le suis encore, me dit-il doucement.

Je hausse un peu le ton :

— Syntaxe, Emmanuel ! La pièce est terminée ! Décroche du personnage ! OK ?

La tension monte, comme au théâtre.

Il me prend le poignet et m'oblige à le regarder en face :

— Ce n'est pas Roméo qui t'a fait une déclaration ! Tu le sais très bien, alors sois pas méchante avec ton meilleur copain !

Sois pas méchante avec ton meilleur copain. Il a presque murmuré les dernières paroles.

La cloche sonne.

— Emmanuel, j'ai un cours avec Michel Tardif ! Tu sais comment il est...

— Je voulais juste te dire « je t'aime », c'est tout, fait-il en lâchant mon bras.

Je me lève en évitant son regard :

— Il faut que j'y aille !

Dans l'embrasure, je me retourne :

— Et moi je t'aime beaucoup !

Mon meilleur copain embrasse sa main et souffle le baiser dans ma direction.

*

— La poésie ! Cela évoque-t-il quelque chose en vous ? lance Bêtéméchant sans même nous saluer.

Personne n'ose s'aventurer, excepté mon voisin de droite qui se met à siffler.

— Un chant d'oiseau malade, d'accord ! Les autres, ça ne vous dit rien ? Je m'en doutais ! persifle le prof.

Ce n'est pas le même homme qui est venu féliciter la troupe dans la loge, après la représentation. Il avait assisté à la pièce. Il avait été ému. Il nous l'a répété gentiment, à deux reprises. Puis il m'a glissé à l'oreille : « Sara Lemieux, le gaspillage de talent est un crime qui n'est pas, hélas, passible de prison! N'arrête surtout pas de jouer, d'accord?» J'ai répondu : «D'accord.»

— *Les œuvres d'art sont d'une infinie solitude; rien n'est pire que la critique pour les aborder. Seul l'amour peut les saisir, les garder, être juste envers elles.* Extrait de *Lettres à un jeune poète*, de Rainer-Maria Rilke. En passant, je vous suggère ce petit bijou. Si vous avez du temps à perdre entre un vidéoclip et un rendez-vous galant! dit-il, cinglant, en déposant le livre à la couverture rouge usée jusqu'à la corde.

Son regard noir et glacial fait le tour de la classe :

— Et l'amour, cela vous parle-t-il davantage que la poésie?

Le visage de Serge s'accroche à ma mémoire. Celui de ma mère glisse doucement sur celui de Serge.

Je regarde ma main se lever, déterminée.

— Oui, Sara?

— Oui, à moi, ça me parle. L'amour, je veux dire...

— Et qu'est-ce que ça te dit? me demande Michel Tardif, moins bête et moins méchant.

— C'est difficile de reconduire une personne qu'on aime à la frontière et de la laisser traverser, sans chercher à la retenir. Même si on souhaitait par-dessus tout qu'elle reste. Et rentrer seule chez soi, parce qu'on n'a pas encore de passeport pour franchir les lignes.

J'ai droit à un sourire Tardif, denrée rare à Colette.

Maman m'appelle. Je le sens. Je le sais.

Mes yeux roulent dans l'eau. Mon nez coule. Je fouille dans mon sac à dos : pas de Kleenex. Je me lève et me dirige vers la porte, en reniflant.

Une soixantaine d'yeux me fixent. Je m'en fous. Je renifle, dans la classe, dans le corridor, aux toilettes.

*

LOULOU LOVE LULU
LA VIE C'EST DE LA MARDE
L'AMOUR AUSSI!
À QUOI ÇA SERT DE SE BATTRE CONTRE ELLE?
CONTRE QUI?
T'AS JUSTE À LA FLUSHER!
T'ES À LA BONNE PLACE!
CHIENNE DE MORT!
WOUF! WOUF!
QU'EST-CE QUE T'ATTENDS
POUR TIRER LA CHAÎNE?
NON! TIRE LA CHIENNE!

Je prends mon feutre mauve.

Sur la cloison grise à la peinture écaillée, entre *CHIENNE DE MORT* et *WOUF WOUF*, j'ajoute un long graffiti :

LA MORT EST UN RENARD QUI JAPPE
TANT QU'ON NE L'A PAS APPRIVOISÉ.

Je ne retourne pas en classe. J'ai un rendez-vous.

CHAPITRE 55

J'ai dit à l'infirmière de nous laisser seules.

Je vais fermer la porte, comme ça nous serons plus tranquilles.

N'aie pas peur, Solange. Respire, maman. Je t'aime, maman. Tu vas voir le magnifique sentier dont je t'ai parlé! Viens, maman, on va faire un bout de chemin ensemble, d'accord? Ne force pas, Solange. Doucement, très doucement. Allez, ma grande, on y va! Tu le savais, n'est-ce pas, qu'on la ferait ensemble, cette balade? Je t'aime, maman! Respire, maman. Oui, respire! Tu pars en voyage, ma belle! Vois-tu la lumière? Non, ne force pas. Concentre-toi sur cette lueur, là-bas, au bout du sentier. Ne crains rien, je t'accompagne.

S'il te plaît, petite Solange, ne t'inquiète pas pour moi, je connais le chemin du retour.

TROISIÈME PARTIE

La Chambre d'Éden

« En définitive, nous devons nous préoccuper de ce qui crée le bonheur s'il est vrai qu'avec lui nous possédons tout, et que sans lui nous faisons tout pour l'obtenir. »

Épicure, *Lettre sur le Bonheur*

CHAPITRE 56

Sara, ma chère fille,

Lorsque tu écouteras cette cassette, je serai déjà partie. J'aurais voulu te parler en face, mais je n'en ai pas eu le courage ni la force. Pour la femme orgueilleuse que je suis, c'est difficile de l'admettre.

Excuse mon hésitation. Je cherche mes mots. Je ne suis pas une championne en démonstration de tendresse... mais aujourd'hui je ne veux pas passer à côté de cet élan qui me pousse à t'exprimer tout ce que j'aurais voulu pouvoir te dire depuis toutes ces années.

Tout d'abord, je dois t'avouer que je ne me suis jamais sentie à la hauteur dans mon rôle de mère. J'ai toujours eu l'impression que les femmes que je connaissais savaient naturellement comment s'y prendre avec leurs enfants, tandis que moi je tâtonnais, sans jamais être certaine de faire ce qu'il fallait avec toi.

Quand j'étais enfant, puis adolescente, je savais où je m'en allais dans la vie. En fait, je l'ai toujours su, sauf avec toi... et avec ton père. Ce n'est pas peu, je te l'accorde. C'est curieux, mais je ne me sens plus autant rongée par les remords et les regrets. Je suis trop fatiguée pour me taper sur la tête et trop occupée à préparer mon départ. Je viens de mettre de l'ordre dans mes papiers et mes effets personnels. Pendant que j'effectuais ce rangement, j'ai senti l'urgence d'en faire de même avec toi. Alors que je ressens très fort le désir, et la difficulté, de me rapprocher de ma fille, je sens aussi fortement le manque de ma mère, cette femme que je n'ai pas connue et à qui j'en ai tellement voulu d'être morte si jeune. Lorsque tu étais dans mon ventre, à peine grosse comme une graine de fleur, je t'avais juré de t'aimer doublement, de te donner tout ce que ma mère n'avait pas eu la chance de me donner. Je t'ai donné ce que j'ai pu.

Ma belle, quand est-ce que je t'ai dit simplement que je t'aimais ? C'était si facile avant... Avant que tu quittes la maison, déterminée comme je l'avais été, pour t'en aller, sûre de toi, à la maternelle. T'en souviens-tu, Sara ?

Tu commençais à peine ta vie de petite fille que j'avais déjà du mal à te serrer dans mes bras et à t'embrasser. Et je ne réussis pas davantage à faire les pas vers toi, autrement qu'en cachette, avec ce magnétophone. Au moins je sais que tu m'entendras un jour, et cela me console.

Sara, tu es le cadeau le plus précieux que la vie m'ait offert : une fille intelligente, courageuse, talentueuse, belle... et déterminée. Qu'est-ce qu'une mère pourrait souhaiter de plus ? Rien. Tu es ma fille, je t'aime et je suis fière, très fière de toi. Même si je n'arrive pas à te le communiquer comme je le voudrais. En ce moment, cet amour est si clair, si bon. Oui, si bon.

Ouf !... Il y a tant de choses encore que je voudrais ajouter, mais tabarnouche que je trouve ça difficile de mettre des mots sur les émotions ! Te dire quoi ? Que j'ai été jalouse de la complicité qui existait entre ton père et toi ? Vos rires, vos chatouillements, vos caresses me dérangeaient parce qu'ils me jetaient à la figure ma difficulté à me détendre et à m'amuser. Une mère peut-elle avouer le ressentiment qu'elle a éprouvé envers sa petite fille parce qu'elle réclamait les histoires inventées de son papa avant de s'endormir ? Des histoires, j'étais incapable de t'en inventer, Sara. Je n'ai pas le talent de Marc. Je m'appliquais à t'en lire, mais ça tombait toujours à plat. C'est fou ce que je te raconte, non ?... C'est encore plus fou que ça me fasse pleurer... mais c'est comme ça. Excuse-moi, je te reviens.

*

Rebonjour, ma grande.

J'ai failli effacer la dernière confidence que je t'avais faite. J'ai mis l'appareil à *Pause* parce que j'avais honte de moi. Comme tu peux le constater, je me suis ravisée.

Non, pour une fois, je ne me cacherai pas devant ma fille. Et si c'était ça, l'essentiel : être honnête jusqu'au bout avec toi ?

Ton père me reprochait d'être contrôlante et rigide. Toi aussi, tu me l'as reproché. Je ne veux pas me justifier. À chacun ses défenses. C'est aussi ce que je reprochais à mon père. C'est d'ailleurs pour cette raison que j'ai coupé les liens avec lui. Mais tu vois, à l'heure où je te parle, je me sens soudain très proche de cet homme. Et je crois que, pour la première fois de ma vie, je ressens l'amour qu'il m'a donné ; maladroitement peut-être, mais donné tout de même !

Ton chat frotte sa tête contre ma cuisse. L'entends-tu ronronner ? Le sacripant ! Il m'a eue à l'usure avec ses câlins félins ! Je vais t'avouer un autre secret : c'est d'abord à Willie que j'ai appris le résultat de ma scanographie. C'est devant ton chat que j'ai pleuré lorsque j'ai dû envisager les conséquences de cette tumeur maligne... Tu avais trouvé bizarre de le voir dormir avec moi. Eh bien, sache que je le lui avais carrément demandé ! Le vlimeux, il faut croire qu'il a compris !

Ça me fait tellement de bien, Sara, de te raconter tout ça. Pourquoi est-ce que j'ai tant lutté pour te cacher ma vulnérabilité ? Est-ce que nous aurions été meilleures amies ? Peut-être que oui, mais ce n'est pas sûr. Tu devais défendre ton territoire ; c'est le propre de l'adolescence. Est-ce que j'aurais pu être une meilleure mère pour toi ? Honnêtement, je ne crois pas. Je t'ai donné tout ce que j'ai pu, avec tout ce que ça implique de manques. Mais j'ai confiance en toi. Oh oui ! j'ai confiance en ma fille. Comme c'est bon de te le dire ! J'espère, de tout mon cœur, que tu sentiras ma confiance en toi, quand tu douteras de toi. Et je sais que tu trouveras toujours auprès de ma sœur une alliée solide pour t'appuyer. Enfin, je ne doute pas une seconde de l'amour que te porte ton père. Je n'en ai jamais douté, d'ailleurs.

Avant de te dire au revoir, je voudrais t'offrir un livre. Je l'ai toujours gardé aussi précieusement que la prunelle de mes yeux, puisqu'il avait appartenu à ma mère. J'y ai puisé du courage lorsqu'à ton âge il m'arrivait de maudire la vie d'être aussi dure avec moi. Lis ce livre, et prends-en soin. Qui sait? Peut-être qu'un jour tu le confieras à ta fille, toi aussi! C'est le témoignage d'une adolescente courageuse et lucide. Elle s'appelle Anne Frank. Je te laisse en sa compagnie.

Je t'aime, ma grande. Je te le répète, pour toutes ces fois où je n'ai pas su le faire : je t'aime.

CHAPITRE 57

Toronto, 2 juillet

J'ai acheté un cahier avec un petit cadenas et une clef. Après avoir longuement marché dans High Park, en écoutant la voix de maman, je me suis assise près d'un bassin bordé de fleurs et j'ai pleuré. Au retour, je me suis arrêtée dans une papeterie.

À part mon père et sa blonde Rosamund, je ne connais personne à Toronto. Mon chat et moi, nous détestons cette ville. Nous sommes forcés d'y vivre parce que ma mère est morte.

J'ai lu le Journal *d'Anne Frank. Cette fille de mon âge est morte à quinze ans dans un camp de concentration pendant la Deuxième Guerre mondiale. C'est à cause d'elle que j'ai décidé de tenir mon journal, moi aussi.*

J'écris pour ne pas hurler. J'écris pour oublier et pour ne pas oublier. Pour ne plus sentir ce grand vide à l'intérieur de moi. Par moments, j'ai l'impression qu'il va m'avaler. Mais il ne m'avale pas.

Pour l'instant, je m'accroche à ces paroles d'Anne Frank : « Souvent, je me suis sentie abattue, mais jamais anéantie. »

Est-ce ma mère qui a souligné cette phrase dans le livre aux pages jaunies ? Maman, t'est-il arrivé de t'accrocher à ces mots, toi aussi ?

4 juillet

Encore ce matin, j'ai appelé Marie-Loup en pleurant. Ma marraine s'évertue à me soutenir à distance, mais elle ne fait pas de miracles; elle ne me rendra pas ma mère.

Je ne m'habitue pas à l'idée de ne plus jamais revoir maman, de ne plus l'entendre me sermonner, de ne plus l'envoyer promener parce qu'elle me tape sur les nerfs.

Entre nous, c'est vrai, l'affection avait souvent le don de se cacher dans l'impatience et la colère. À l'hôpital, nous l'avons récupérée de justesse. J'ai la nostalgie de cette urgence-tendresse. Et je m'ennuie de Montréal, de la troupe de théâtre, de Greta Labelle, de Liette Viens, de Lena Cordeau, de Mandoline. Mando, disparue sans laisser la moindre trace. Par ma faute, peut-être...

Ici, mes seuls amis s'appellent Anne Frank et Willie, mon chat fidèle.

8 juillet

Cher, très cher journal,

Une chance que tu es là! Je peux tout t'écrire, même mes pensées les plus folles. Tu ne rouspètes pas. Tu ne me juges pas. Tu ne me casses pas les pieds sous prétexte de vouloir me remonter le moral.

Je ne suis pas une jeune Juive obligée de vivre en captivité parce qu'un fou furieux au pouvoir s'est mis en tête d'éliminer ma race. Je suis une adolescente québécoise, prisonnière dans une tour d'habitation au bord du lac Ontario. La guerre a éclaté en moi. Lorsqu'elles explosent, les bombes ne détruisent pas les immeubles de la ville. Est-ce que ça rend ma douleur moins légitime? À l'aube du troisième millénaire, je crève de peur et de froid dans une prison aux barreaux invisibles. Même si le sang n'éclabousse pas les trottoirs et les rues de Toronto!

9 juillet

Un chien dans un jeu de quilles; voilà comment je me sens dans cet appartement trop petit pour nous quatre. Même Willie est déboussolé. Il chiale et se replie sur lui-même autant que moi. En plus, il a toujours faim, il manque d'exercice et il grossit. Rosamund, qui a cru bien faire, lui a acheté un attelage et une laisse pour que je puisse le promener dehors. Mon chat grogne et menace de mordre quiconque l'approche avec cet attirail.

— Je ne suis pas un chien, foutez-moi la paix! miaule-t-il d'un air ulcéré.

10 juillet

La blonde de mon père a beau faire des pieds et des mains pour m'amadouer, elle me laisse indifférente. En fait, je n'ai envie de parler avec personne d'autre que mon chat... et de me confier à mon journal.

11 juillet

Mon père a décidé que nous avons besoin de recharger nos batteries.

— Nous nous brancherons sur le courant du Niagara! s'est-il exclamé en me regardant droit dans les yeux.

Je crois qu'il commence à craindre les effets néfastes de ma réclusion chronique.

12 juillet

Rosamund a trouvé un prétexte pour nous laisser filer en douce : le père, la fille et le fantôme de la femme morte. Je lui en suis reconnaissante, même si je ne le lui ai pas dit. Après tout, ce deuil ne la concerne pas.

Niagara, 13 juillet

C'est dans cette ville, en plein hiver, que j'ai été conçue.

J'ai reçu cette confidence, ce midi, alors que nous observions les chutes toutes-puissantes.

— De l'iroquois Onyakarra, Niagara signifie « tonnerre de l'eau », a précisé mon père.

Tout à coup, notre voyage a pris un sens très différent. Mon père et moi ne sommes plus des touristes ordinaires dans un lieu archi-achalandé. Nous effectuons un pèlerinage. Je suis vraiment émue que mon père m'ait amenée à cet endroit. Mais, après cette allusion à la lune de miel de mes parents, il n'a plus été question de maman ni de nous.

J'ai appris cependant que l'écrivain Chateaubriand est venu dans les parages en 1791 et qu'il évoque les célèbres chutes dans son roman Atala : une autre histoire de fille qui se suicide par amour !

Je sais aussi que Laura Secord n'est pas qu'une marque de chocolat.

— En 1813, cette femme a permis à un lieutenant anglais de faire mettre bas les armes à un bataillon américain...

Bas les pattes, professeur Lemieux !

Mon père continuait de me bombarder d'informations historiques. Moi, fille du tonnerre, j'imaginais un couple de jeunes mariés, main dans la main, en voyage de noces, ici même, il y a seize ans : mes parents.

En résumé, je suis contente d'avoir mon père à moi toute seule pour quelques jours, mais je ne suis pas à l'aise avec lui pour autant. Je souhaitais que cette escapade nous permette de retrouver l'aisance qui a marqué l'époque Minou-Chéri. Ce n'est pas le cas.

Pourquoi mon père est-il devenu aussi malhabile avec moi ?

15 juillet

Depuis notre retour, les tourtereaux ne se lâchent pas d'une semelle. Ça me fatigue un peu, beaucoup, énormément !

19 juillet

Emmanuel Ledoux m'a envoyé une photo de nous deux, prise à son bal de fin d'études. Dans le hall de l'hôtel, sur une marche d'escalier, il m'enserre et me regarde. Moi, je fixe l'objectif.
Au verso, il a écrit ces quelques mots à l'encre rouge :

À Sara alias Juliette,

En souvenir de cette soirée sublime qui a duré jusqu'au matin. Tu me manques. Vite, donne des nouvelles.
Bises,
Emmanuel alias Roméo

Ce soir-là, le seul en fait depuis la mort de maman, j'étais vraiment joyeuse. Peut-être même un peu trop. Je préfère ne pas repenser à ce qui s'est passé... J'ai honte.

10 août

Mon père vient de m'annoncer que nous déménagerons le premier septembre à l'étage au-dessus, dans un appartement plus spacieux. Au moins j'aurai ma chambre. Depuis le début de mon exil, je fais du camping dans le bureau des tourtereaux.
Décidément, je ne m'habitue pas à leurs roucoulements et minouchages continus : « My dear » par-ci, « Ma doudoune » par-là !
Heureusement que les baladeurs existent !

16 août

Ces derniers jours, comme Sissi, j'avais l'impression de devenir folle si je ne bougeais pas. Marcher dans High Park était la seule chose qui réussissait à m'apaiser un peu. Si j'avais pu monter à cheval, je l'aurais fait.

L'impératrice d'Autriche que j'ai trouvée dans la bibliothèque de mon père ressemble peu à l'héroïne amoureuse des films que j'ai vue à la télé. La belle souveraine désenchantée a écrit dans la réalité :

« Je chemine solitaire sur cette terre,
Depuis longtemps détachée du plaisir, de la vie ;
Nul compagnon ne partage le secret de mon cœur,
Jamais aucune âme n'a su me comprendre. »

Moi, je la comprends.

18 août

J'ai écrit une longue lettre à Greta Labelle pour la remercier de tout ce qu'elle a fait pour moi avant mon départ pour Toronto. Cette fille que j'avais toujours secrètement jalousée n'est pas du tout celle que je croyais.

Quand nous répétions Roméo et Juliette, *je ne me doutais pas que nous nous rapprocherions autant, elle et moi. Aux funérailles de maman, Greta ne m'a pas lâchée. Par la suite, elle est venue m'aider à empaqueter mes affaires.*

Quand je pense que Greta jouait le rôle de ma mère dans la pièce !

2 septembre

Une chambre à soi ! Est-ce un hasard ? Willie a recommencé à ronronner comme avant...

J'ai installé, bien en évidence, les deux affiches de Roméo et Juliette : *celle du film, laminée, et celle de notre troupe, épinglée.*

Je ne me décide pas à suspendre le tableau que m'a offert Liette Viens, juste avant que je déménage à Toronto : Le Renard et l'Amante II, *dernier portrait que Serge a fait de moi, avant de s'en aller pour toujours, lui aussi.*

4 septembre

Mon père ne m'avait pas prévenue puisqu'il tenait à m'en faire la surprise. Mon piano, entreposé depuis l'été dernier, est arrivé aujourd'hui. Moi qui croyais qu'il avait été vendu !

— Je n'en jouerai plus. À quoi bon le garder ? avais-je dit à papa.

— Tu as raison. De toute manière, l'appartement de Toronto n'est pas assez grand pour le recevoir, m'avait-il répondu, bien hypocritement.

Papa espère de tout son cœur que je me remettrai à la musique. Il n'en est pas question !

— Sara, ne dis jamais : « Fontaine, je ne boirai pas de ton eau » ! s'entête-t-il à me répéter.

Qui vivra verra, verrat !

13 septembre

Je me passerais volontiers de cette double adaptation : une nouvelle école, dans une autre langue.

Je ne me fais pas à l'idée de parler English, *de vivre en anglais.*

Mother, tu me manques.

17 septembre

Maman était là, vaporeuse et rayonnante. Elle m'avait donné rendez-vous. C'est la deuxième fois que cela arrive depuis qu'elle nous a quittés. Elle me disait : « Sara, ne t'inquiète pas. Là où je suis, je veille sur toi. »

Était-ce un rêve ? Le sommeil permet peut-être aux esprits des défunts et des vivants de se rencontrer.

Quand j'ai ouvert les yeux, ce matin, je me sentais en paix. Je n'ai qu'à me rappeler les paroles prononcées par ma mère, et doucement mon courage revient.

1er octobre

Enfin une planche de salut à laquelle m'accrocher... au bord du lac Ontario. Mardi soir prochain, j'ai rendez-vous avec Sylvain Labrise : un comédien québécois, exilé comme moi en Ontario. Il donne des cours privés d'art dramatique. C'est miss Black, ma prof d'English, qui m'a donné ce tuyau!

L'idée de renouer avec le théâtre me sourit, m'enchante, me donne des ailes.

4 octobre

Aujourd'hui j'ai quinze ans. Au programme ce soir, un souper au resto de mon choix avec les tourtereaux. C'est mieux que rien!

6 octobre

Sylvain Labrise, la vingtaine avancée, est beau, grand, mince. Sa voix, grave, profonde, sensuelle... Envoûtante, quoi!

J'aurais écouté cet homme me parler pendant des heures et des heures.

Il m'a dit qu'il était très sévère avec ses élèves et, surtout, qu'il n'avait pas de temps à perdre. Je lui ai répondu illico (en projetant bien ma voix) :

— Qu'est-ce que vous croyez, monsieur! Moi non plus je n'en ai pas à perdre! Je veux et je vais devenir comédienne!

— Sara, tu peux me tutoyer et m'appeler par mon prénom. J'ai l'impression d'être un vieux croulant!

Un vieux croulant, lui? Ma foi, il ne s'est pas regardé dans un miroir!

9 octobre

Cher journal, j'ai besoin de te confier un grand secret : je ne tiens plus en place. Je ne pense qu'à mon cours de théâtre avec Sylvain

*Labrise. Cet après-midi, la prof d'*English *m'a touché l'épaule en me disant :*

— Sara, where are you?

J'ai carrément sursauté. Miss Black m'avait désignée pour répondre à la question qu'elle venait de poser. Inutile de dire que je ne l'avais pas entendue. Le plus drôle, c'est que lorsqu'elle m'a demandé si je voulais bien descendre de mon pink cloud, *j'étais en train de m'imaginer confortablement assise sur le futon fuchsia de Sylvain. Ah! Ah!*

13 octobre

Assise devant la télé, je zappais à tout hasard sans rien trouver d'intéressant. Puis je l'ai vue, dans une émission pour enfants : Lena Cordeau, notre metteure en scène à la polyvalente Colette, l'an dernier.

Fée archi-distraite, elle passait son temps à oublier, à perdre ou à se faire voler sa baguette magique; ce qui lui occasionnait beaucoup de problèmes.

Je m'ennuie tellement-tellement-tellement de ma gang *de Colette!*

23 octobre

Mon beau prof de théâtre n'y va pas avec le dos de la cuillère pour critiquer mon jeu. Ce soir, j'ai éclaté en sanglots en plein milieu d'une scène et j'ai voulu démissionner.

Sylvain m'a retenue comme je m'apprêtais à franchir la porte.

— *Mais qu'est-ce qui te prend,* miss *Volcan? m'a-t-il demandé.*

— *Tu n'as pas de temps à perdre! Je n'ai pas le talent qu'il faut! Alors...*

Monsieur s'est mis à rire. Je lui aurais sauté dessus tellement j'étais insultée.

— *Qui a dit que tu n'avais pas le talent? a-t-il ajouté.*

— *Je sais lire entre les lignes! ai-je répliqué.*

Son regard d'une intense gravité restait posé sur moi. Au bout d'un moment, j'ai eu droit à ce discours bref et punché :

— Tu es bourrée de talent, Sara Lemieux. Soit tu le développes en vue de devenir une professionnelle ; dans ce cas, tu me fais confiance et tu cesses de piquer tes petites crises de prima donna ! Soit tu restes une amateure plutôt douée et tu ne reviens plus chez moi, d'accord ?

J'étais figée sur place : rouge de colère et bleue de honte (au fait, de quelle couleur est la honte ?).

Ensuite, il m'a gentiment foutue dehors, après m'avoir donné un exercice supplémentaire : méditer sur mon extrême susceptibilité.

J'étais sonnée en quittant son appartement.

Sylvain Labrise me fait suer !

12 novembre

Cher journal,
Je te néglige, mais je n'ai pas le choix. L'école et mes cours de théâtre ne me laissent pas grand répit. Ça va mieux avec Sylvain. Je le trouve moins dur avec moi. Il affirme que je suis moins sur la défensive avec lui. Qui a raison ?

J'ai constaté, lors de mon dernier examen oral, que je m'étais beaucoup améliorée en anglais. Miss Black is very fière de moi.

11 décembre

Sylvain s'en va se faire dorer la couenne au soleil. Il célébrera Noël, le Nouvel An et l'Épiphanie au Mexique, avec un ami.

Je panique à l'idée qu'il s'absente aussi longtemps. Au moins je suis soulagée sur un point : il ne part pas avec une fille.

13 décembre

J'ai reçu une carte de Noël de Greta. Elle m'invite à passer la voir si je vais à Montréal durant le temps des fêtes.

17 décembre

Tout est arrangé. Je passerai Noël en famille recomposée, à Toronto, et le jour de l'An à Montréal, chez ma tante Marie-Loup.

6 janvier

À peine rentrée à Toronto, je recommence à rêver en anglais! J'égrène les heures en attendant de revoir Sylvain. J'espère qu'il s'ennuie de moi.

Toi, cher journal, t'es-tu ennuyé? Je t'avais complètement oublié... sur ma table de chevet. Pour être honnête, je n'aurais pas eu une minute à te consacrer.

J'ai vraiment apprécié ma semaine de vacances chez Marie-Loup. J'ai passé une nuit blanche chez Greta Labelle. J'adore cette fille. Tu sais ce qu'elle m'a avoué aux petites heures du matin?

— Au début, je ne pouvais pas te sentir. Tu m'énervais, mais tu m'intriguais.

Je lui ai confirmé la pareille.

Nous avons bien ri de notre ancienne rivalité.

11 janvier

Dans moins de vingt-deux heures je serai chez lui...

12 janvier

ENFIN! Je l'ai revu.

Pâlot, il est beau. Basané, c'est Apollon réincarné. Beau à vous couper le souffle et le sifflet!

— Tu m'as manqué, miss Volcan! m'a-t-il dit.

Il ne m'en fallait pas plus pour que je retourne sur mon little pink cloud.

Les joues brûlantes comme de la lave, miss Volcan *avait de la misère noire à se concentrer sur son texte.*

Ce soir, une seule réplique m'intéressait : « Tu m'as manqué, miss Volcan ! »

Je m'attendais à ce que Sylvain se fâche, mais il ne l'a pas fait.

À toi, je peux bien le dire, cher journal : je me sens de taille à concurrencer n'importe quelle Vénus !

N.B. : En partant, j'ai croisé David, un copain de mon prof. Lourdaud, rougeaud, chauve et gauche. Qui s'assemble ne se ressemble pas toujours !

J'ai trouvé ce garçon ABSOLUMENT antipathique. Je n'ai pas aimé, surtout, la façon dont il regardait Sylvain.

19 février

Mon père assiste à un congrès à Vancouver. Rosamund est partie faire des courses. C'est la première fois que je me retrouve seule avec elle pour un week-end.

Ce matin, dans la cuisine, devant des tasses de café refroidi, nous avons pleuré toutes les deux en parlant de nos mères mortes.

Rosamund m'a dit :

— Le temps n'efface rien, mais il apaise.

C'est le mieux qu'il puisse faire.

I miss you, mom !

*

Tu ne devineras jamais ce qui m'est arrivé ! Seule à l'appartement, j'errais comme une tigresse (enragée) en cage.

J'ai fini par aller m'asseoir sur le banc du piano. Je suis restée là, je ne sais combien de temps. J'entendais dans ma tête un air de Chopin que ma mère aimait beaucoup. J'ai soulevé le couvercle. Mes mains se sont placées sur le clavier, puis ont feint de jouer le prélude. Je revoyais maman sourire. Tout à coup, mes doigts se sont enfoncés pour de vrai, comme s'ils avaient voulu tirer la musique hors de moi. Ils s'accrochaient dans les fausses notes, mais ce n'était pas grave.

J'ai dit : « C'est pour toi, maman. »

Puis j'ai senti une présence derrière moi. En tournant la tête, j'ai vu Rosamund, appuyée contre le mur, à l'entrée du salon.

Nous nous sommes regardées en silence.

Elle ne m'a pas lancé d'âneries du genre : « C'est ton père qui sera content ! Tu vois qu'il avait raison de ne pas désespérer ! »

Elle a juste dit :

— C'était beau, Sara.

Je l'aime bien, Rosamund, parce qu'elle ne force pas les choses.

CHAPITRE 58

Pour la première fois, j'ai ressenti le besoin de lire ce que j'avais écrit à mon arrivée à Toronto, il y a quatre ans.

Voilà où j'en suis : bombardée par les souvenirs de mes quinze ans. Quelle troublante sensation ! Comme si les mots qui dormaient sagement sur les lignes de ce cahier s'étaient réveillés d'un coup.

Une chenille insouciante longe le bord de ma fenêtre, à l'abri du vertige. Comment a-t-elle pu grimper jusqu'au sixième étage ? Willie, qui ne s'habitue pas à sa diète pour chats obèses, la mange des yeux en bougeant la queue.

J'attends toujours avec impatience la réponse du Conservatoire. Elle doit arriver d'un jour à l'autre.

J'ai bien failli massacrer la boîte aux lettres quand j'ai constaté qu'elle était encore vide !

Et, comme d'habitude, j'ai salué Greta par Internet, et je pense à Sylvain, même si...

— Sara, je peux t'arracher un moment à ta méditation ?

Je n'avais pas entendu mon père arriver.

— Pas de problème. De toute façon, j'avais terminé, lui dis-je en verrouillant mon cahier.

— Ma femme passe la soirée avec ses copines. Ça te plairait de souper en tête-à-tête avec ton vieux père ?

Lorsqu'il dit « ma femme », en parlant de Rosamund, on jurerait qu'il est l'homme le plus chanceux du monde.

— Ça fait des siècles que ça ne nous est pas arrivé, non ? ajoute-t-il, l'air timide.

Je fais mine de réfléchir et d'hésiter.

Puis je dis, un peu émue :

— Ce serait pour moi un grand honneur. Dis donc, ça sent bon ou j'ai la berlue ?

— Tu ne te trompes pas ; le gigot d'agneau est prêt.

CHAPITRE 59

En dégustant l'agneau, papa et moi parlons de Solange : son ex-femme, ma mère. Cela me fait tout drôle de l'entendre évoquer cette femme qu'il a aimée.

De mes parents, j'ai gardé l'image de deux êtres mal assortis, acharnés à maintenir à tout prix une structure chancelante depuis la nuit des temps.

Ils se sont désirés jusqu'à la dernière minute de leur vie commune, malgré leurs différends quotidiens et croissants.

— Solange était une femme très sensuelle, me dit-il.

Ma mère, que j'avais étiquetée comme «contrôlante pure et dure», aimait l'amour. Pendant plus de quinze ans, elle a séduit cet homme qui me parle d'elle. Je ne m'en serais jamais doutée. La révélation me renverse.

— Alors, dis-moi, papa : qu'est-ce qui ne collait pas entre vous?

Mon père a un drôle de sourire. Nostalgique?

— Le mot passion signifie souffrance, ne l'oublions pas, répond-il en se levant.

Il disparaît dans la cuisinette et revient, le regard fier, avec deux coupes remplies à ras bord de sa suprême mousse au chocolat. Il les dépose sur la table en discourant sur les affres du manque, le besoin et l'impossibilité de posséder l'autre :

— Tant que nous nous obstinons dans cette quête frénétique, nous tenons le coup. Jusqu'au jour où nous baissons les bras parce que nous n'avons plus la force de continuer.

Il ajoute :

— Un jour, je n'ai plus eu la force de continuer. C'est ce qui m'a sauvé.

— Avec Rosamund, c'est différent ?

— C'est une question ou une affirmation ? me demande-t-il, le sourire moqueur, en nous versant du vin.

Ma question est vaine. Je connais la réponse. Entre ma belle-mère et lui, il n'y a pas de flammes fulgurantes qui s'allument et s'éteignent en laissant derrière elles des forêts ravagées.

— Braises constantes, dit-il.

Puis il ajoute :

— Peut-être que je deviens pépère !

— Je ne crois pas. Tu es radieux, papa.

Il est touché par ces paroles. Vraiment. Il prend le temps de me le dire avec ses yeux et pose sa main sur la mienne.

— *Sorry* d'interrompre votre tête-à-tête, dit Rosamund en nous saluant de la main.

Je jette un coup d'œil à l'horloge. Le temps a filé à toute vitesse.

— Si tu l'avais fait deux minutes plus tôt, je t'en aurais voulu, mais à présent ça va. J'ai appris de très belles choses à ton sujet, lui dis-je.

Rosamund rougit :

— Je peux savoir lesquelles ? s'empresse-t-elle de demander.

Mon père et moi feignons de ne pas vouloir la mettre dans le coup.

— Allez ! Ne soyez pas chiches ! ajoute-t-elle.

Je demande à mon père :

— Je lui dis ou non ?

— Tu fais comme tu veux ! Tu es majeure ! Moi, je n'en ferai rien sinon elle va s'enfler la tête et elle ne sera plus parlable.

Rosamund croise les bras et plisse les yeux. Mon père lui tire la langue.

Je fais signe à Rosamund de s'approcher et je lui glisse à l'oreille :

— Mon père m'a confirmé que tu le rendais heureux.

— C'est vrai, Marc ?

— Que tu es une horrible Anglaise orgueilleuse et maniérée ? Bien sûr, chérie !

— Maniérée ? Qu'est-ce que ça veut dire ? demande-t-elle.

Elle me tape un clin d'œil, m'embrasse sur la joue et tire sur la manche de chemise de mon père en s'exclamant :

— Espèce de francophone mal lécheux !

— Mal léché, Rosamund, pas lécheux ! réplique-t-il en se levant.

Je signale à mon père que je m'occuperai de débarrasser la table. Il dépose un baiser sur mon front, puis enlace Rosamund.

En direction de leur chambre, elle lui dit :

— Tu vas passer, non pas un, mais plusieurs mauvais quarts d'heure, espèce de mal lécheux !

Et mon père de répliquer :

— Mal léché, Rosamund !

— *You don't understand !* Mal lécheux, c'est juste un petit peu pire.

— On ne dit pas un petit peu pire...

Une fois la porte refermée sur eux, je ne peux pas m'empêcher de me demander : Rosamund sait-elle aussi bien s'y prendre avec lui que ma mère ?

— Willie ! Qu'est-ce que tu fais ? Descends de là tout de suite ! La mousse au chocolat, c'est néfaste pour toi !

Mon gros chat m'implore du regard de le laisser goûter.

— D'accord, mais pas sur la table, lui dis-je en déposant la coupe à mes pieds.

CHAPITRE 60

— Oh! Sarâ! Tu es déjà rentrée. Il y a deux *letters for you*, me dit ma *very nice* belle-mère en déposant les sacs d'épicerie devant la porte d'entrée.

Rosamund cueille mon courrier dans l'un des sacs et me le donne. Mon cœur se met à faire du deux cents pulsations à la minute. Je laisse tomber l'une des enveloppes sur la table basse et retourne entre mes doigts tremblants celle qui contient peut-être une page déterminante de mon destin.

— Mais qu'est-ce que tu attends pour l'ouvrir, *dear?* s'exclame Rosamund, visiblement impatiente de connaître le verdict.

— Je ne peux pas. Pas tout de suite! lui dis-je en bondissant sur le téléphone.

Je compose le numéro en me répétant mentalement : «La réponse est à l'intérieur.»

— *You have reached Sylvain Labrise's telephone. I can't get to the phone right now. I will be happy to return your call if you leave a message.* Vous êtes bien chez Sylvain Labrise. S'il vous plaît, accordez-moi deux plaisirs : celui de vous entendre et celui de vous rappeler. À bientôt. Bip.

Je balance sèchement mon message au répondeur : «Sylvain, c'est Sara. *Shit !* Pourquoi es-tu absent dans un moment pareil? J'ai reçu la lettre du Con...»

— Bonjour, Sara ! Inutile de crier, je ne suis pas sourd !

Il a décroché. Bénédiction !

— Alors, cette lettre ? ajoute-t-il.

— Je n'ai pas encore osé l'ouvrir.

— Tu veux venir le faire chez moi ?

Je crie : « Oui ! »

— Alors amène-toi, trésor ! Comme par hasard, j'ai deux steaks, mais grouille, je suis mort de faim !

— J'arrive !

Je préviens Rosamund que je ne mangerai pas à la maison. Elle accepte de me prêter sa voiture.

Je ne prends pas le temps de me pomponner au moins un peu. Je planque la lettre dans mon fourre-tout et déguerpis à toute vitesse.

Au sous-sol, dès que les portes de l'ascenseur s'ouvrent, je me rue vers la sortie et entre en collision avec mon père.

— Où vas-tu encore, trotteuse ? me demande-t-il en replaçant son pardessus.

— Chez Sylvain. On se voit plus tard.

— On peut se faire la bise, même s'il n'y en a que pour ton cher professeur ?

Je lui tends mes joues.

— Tu as l'air bien énervée, Sara, me dit-il très calmement.

— Mais je le suis, papa ! Tu ne peux pas savoir à quel point !

Mon père comprend qu'il devra patienter avant d'obtenir les détails.

— Ne fais pas de folies ! ajoute-t-il en entrant dans l'ascenseur.

— Toi non plus ! *Ciao !*

Les portes se referment sur lui. Je fonce au garage.

CHAPITRE 61

La table est mise comme pour les grandes cérémonies : nappe blanche finement brodée, serviettes assorties roulées dans des anneaux en bois laqué, couverts de porcelaine, flûtes à vin en cristal.

L'éclairage discret du candélabre aux bougies blanches crée une atmosphère à la fois intime et solennelle.

La chorégraphie des cinq petites flammes me fascine.

— Tu l'ouvres ou pas, cette sacrée enveloppe ? demande Sylvain.

J'arrache difficilement mon regard aux brins de feu.

Je sors la lettre de mon fourre-tout. La réponse est à l'intérieur.

— Tiens, fais les choses proprement, ajoute-t-il en me tendant son coupe-papier.

La reproduction miniature d'une épée médiévale tremble entre mes doigts.

Je déchire, je déplie, je respire, je lis, je m'assois, je m'écrie : « C'est oui ! »

Mon cri strident résonne dans l'appartement. Je ne tiens plus en place : je gesticule, gigote, sautille…

— Tu te rends compte, Sylvain Labrise ! J'ai été choisie !

Moi, Sara Lemieux, je suis acceptée au Conservatoire d'art dramatique de Montréal!

— Bon, bon, on ne va pas en faire tout un plat! me lance bêtement celui qui m'a fait bûcher, baver, brailler, qui a su me consoler, me rassurer, m'encourager sans relâche depuis quatre ans.

Je ne comprends pas sa réaction. Sylvain le lit dans mes yeux, mais il me tourne le dos, comme si de rien n'était, et ouvre la porte du réfrigérateur.

Quelle mouche l'a piqué? Quel bourdon, plutôt?

— Je préfère le Veuve Clicquot, mais il n'y en avait pas en demi-bouteille! dit-il en se retournant vers moi.

Du champagne! Du vrai! Du Cordon rouge. Il m'a bien eue!

Sylvain se paie ma tête, à présent, en imitant l'air déconfit que je lui faisais il y a quelques secondes.

Le bouchon saute. Sylvain verse la dive liqueur dans les flûtes.

— À ta victoire, trésor! Il y aura du pain sur les planches, c'est le cas de le dire! s'exclame-t-il, très chevaleresque, en me tendant une flûte.

Je lui demande pourquoi il avait acheté du champagne avant de s'assurer qu'il y avait bel et bien une raison de fêter.

— Ma chère, peu m'importait le résultat, ça valait la peine d'être souligné.

Nous faisons tchin-tchin, avant de porter nos verres à nos lèvres.

En un éclair, je prends conscience de ce que représente la fameuse réponse du Conservatoire : retourner à Montréal, ne plus voir Sylvain.

Je cale mon verre. Sylvain me regarde.

— Vas-y doucement, trésor. Le champagne, c'est traître! Au début, on ne se rend pas compte de son effet, ensuite, on ne se rend plus compte de ce que l'on fait!

Ne plus l'entendre m'appeler « trésor ».

Je tends ma flûte à Sylvain, l'observe la remplir. J'aime ses mains. J'aime son visage aux traits délicats, son regard mordoré aussi sombre que perçant, ses cheveux, dont on ne peut affirmer avec certitude s'ils sont noirs ou brun foncé. On ne lui donnerait jamais trente-trois ans.

— Ne me dis pas que tu es déçue de quitter Toronto? me dit-il.

— Toronto, non. Toi, oui.

Ces mots sont sortis tout seuls.

Je lui tends ma flûte de nouveau. Il la remplit à moitié. Je bois une gorgée.

Sylvain dépose son verre, s'approche de moi, me prend par les épaules :

— Sara, deux grands rêves t'habitent depuis que je te connais : retourner vivre à Montréal et devenir comédienne! L'heure est venue! Qu'est-ce que tu attends pour te réjouir?

Je pose ma flûte vide sur la table, y verse ce qu'il reste de vin doux et pétillant :

— En partant, je te perds. Tu es mon prof, mon ami, mon frère, mon...

Sylvain s'apprête à parler, mais je l'en empêche :

— Si je n'ai pas coulé à pic en arrivant à Toronto, c'est grâce à toi!

— Menteuse! C'est grâce à toi! Et tu le sais! Moi, j'ai eu le bonheur de me trouver sur ton chemin pour t'appuyer, mais tu étais déterminée à réussir! Cette place au Conservatoire, tu ne l'as pas volée! Je suis bien placé pour le savoir! affirme-t-il en prenant son air sévère de professeur consciencieux.

La tête commence à me tourner. Je quitte la cuisine.

Je me laisse tomber sur le futon fuchsia. Sylvain me rejoint au salon. Je me rapproche de lui. Un peu. Beaucoup. Je pose un doigt sur ses lèvres : «Chut!»

Comme je l'intrigue, à présent, mon beau professeur!

Non, je ne suis pas en train de jouer une scène que nous avons travaillée. Je ne donnerai pas les répliques d'un texte appris par cœur. Au contraire, les mots arrivent pêle-mêle dans mon esprit, se précipitent et se bousculent à la sortie :

— Sylvain, je ne te l'ai jamais dit, je pense à toi, ce n'est pas...

Je m'assois sur ses genoux.

— Sara, qu'est-ce que tu fais ? Le champagne te monte à la tête !

Je soulève son menton. Le doigt qui a fait « chut » écarte ses lèvres, caresse ses dents.

Cette scène, je l'ai imaginée des centaines de fois.

La main de Sylvain se pose sur mon poignet.

— Sara, arrête.

Non ! Je n'arrête pas. Le courant m'emporte. J'ai chaud, très très chaud, comme il y a longtemps.

Je colle mes lèvres contre les siennes. En dehors d'ici, tout s'estompe.

— Sara, je t'en prie !

— Moi aussi, je t'en prie.

Sylvain se dégage et m'embrasse sur le front. Affront !

— Sara, ça n'ira pas plus loin, dit-il avec fermeté.

Je le sais. Je le savais. J'ai pourtant cru qu'avec moi ce serait différent.

— Trésor, tu es adorable, désirable, délicieuse : un mélange exquis et explosif de candeur, de sensualité, de sensibilité et de détermination...

Joli prix de consolation que ce charmant portrait, mais je n'en ai rien à cirer !

— ... Mais tu ne réussiras pas à me faire virer de bord, ajoute-t-il.

Cette flèche que je voyais pourtant venir m'atteint en plein cœur, mais ma sensibilité n'en fait pas de cas. Ma détermination l'emporte sur ma candeur. À moins que ce ne soit l'inverse. Je prends Sylvain par le cou.

— Oui, mais...

Sylvain sabote mon élan sensuel et me rappelle mon statut de muse platonique.

— Il n'y a pas de oui-mais ! Je t'aime énormément, trésor, tu le sais ! Les filles ne m'attirent pas sexuellement, ne m'ont jamais attiré et ne m'attireront jamais. Ça aussi, tu le sais !

Il me serre fort contre lui. Comme un frère, un ami, un père. Je lui en veux ! Non, j'en veux à son orientation sexuelle !

— Eh! Fais pas cette tête-là! ajoute-t-il en desserrant son étreinte.

Je capitule en marmonnant :

— Du vrai gaspillage!

— Trésor, ce qui t'arrive est fantastique!

Je le sais, même si en ce moment je ne le sens pas.

— Et si on prenait soin de nos pauvres estomacs? lance-t-il en se levant.

Bonne perdante, je souris :

— Je ne suis pas contre.

— Alors, répartissons les tâches : tu t'occupes de l'ambiance sonore, et moi, de la bouffe?

Sylvain va à la cuisine. Je me lève et me dirige vers la discothèque, légèrement titubante.

Je choisis un compact de Frank Zappa, l'idole de Sylvain, pour sa version fofolle de ma chanson préférée de Led Zeppelin.

Je savais qu'il était homosexuel, mon beau professeur.

Je retire mes chaussures.

Je savais aussi qu'il ne succomberait pas à mes charmes, aussi évidents et nombreux fussent-ils à ses yeux. Et pourtant, l'espace de quelques secondes, j'y ai cru.

Je me mets à danser : ma déception.

Tout à coup, je me parle : «Tu te rends compte, Sara Lemieux, l'automne prochain tu étudieras au Conservatoire!»

Je continue à danser : ma victoire.

Appuyé dans l'embrasure, assiettes en main, Sylvain me regarde planer.

— Madame est servie, annonce-t-il.

Je lui réponds en chantant :

— *And she's buying a stairway to heaven.*

CHAPITRE 62

Le jour va se lever. Je tombe de fatigue. J'ai peu et mal dormi sur le futon fuchsia de Sylvain.

Les portes de l'ascenseur s'ouvrent. J'entre et appuie sur le bouton numéro 6.

Je pense soudain à ma mère. Je n'ai pas rêvé à elle depuis plusieurs mois. En longeant le corridor, je le lui reproche à voix basse : «Ça fait longtemps que tu n'es pas venue me voir, maman. Pourquoi?»

Je me sens grognon.

J'entre à l'appartement sur la pointe des pieds pour ne pas réveiller mon père et Rosamund.

Greta m'avait fait promettre de lui communiquer la réponse du Conservatoire aussitôt que je l'aurais.

J'allume mon ordinateur et lui transmets l'information. Mon amie internaute sera ravie de trouver mon message à son réveil.

Couché dans mon lit, Willie soulève la tête et me salue dans sa langue de chat. Je m'assois à côté de lui et flatte son cou : «Ah! Willie! C'est compliqué! Ce que je désirais par-dessus tout est sur le point de se réaliser, et je suis incapable de savourer mon bonheur. Tu penses que je suis mal faite?»

Willie ne se laisse pas ébranler par mes questions existentielles. Il en a entendu d'autres et continue de ronronner à pleins moteurs.

Les premières lueurs du matin éclaboussent ma fenêtre.

Chat ingrat! Après avoir obtenu sa dose de caresses, il s'étire en me regardant droit dans les yeux, l'air de penser : «Écoute, ma vieille, ce n'est pas moi qui vais résoudre le problème à ta place.»

Je lui réponds :

— Je le sais bien!

Montréal m'attend. J'ai hâte. J'ai peur. Je foncerai; cela, je l'ai appris.

— Va-t'en pas, Willie!

Il a sauté en bas du lit. J'aperçois une lettre. L'autre lettre.

Je prends l'enveloppe que mon chat gardait au chaud sous son ventre. Dans mon euphorie d'hier soir, je l'avais complètement oubliée. L'adresse à Lamont écrite dans le coin gauche m'intrigue. Je ne connais personne là-bas. Mes yeux se ferment tout seuls, mais la curiosité l'emporte. Je l'ouvre et lis la signature au bas de la dernière page.

De peine et de misère, je retiens mon cri de joie. Je suis folle-folle-folle comme un balai, comme dirait Marie-Loup.

Une bonne nouvelle n'arrive jamais seule.

CHAPITRE 63

Lamont, Le Partage, 15 mai

Bonjour Sara,

*J*e sais que tu vas être surprise de recevoir ma lettre. Au cas où tu ne le saurais pas, LE PARTAGE est un centre de désintoxication. Eh oui!

Je n'aurais jamais cherché à entrer en contact avec toi si je n'étais pas passée par où je suis passée dernièrement. Je t'en voulais trop. Bourrasque! que j'ai pu te haïr pendant toutes ces années! Années de bas-fonds de plus en plus profonds!

Excuse ma pensée si elle est décousue, mais je préfère ne pas la censurer. Ici, j'apprends à me délivrer. Je t'assure que ce n'est pas une tâche facile pour la championne de la fuite que je suis devenue.

Une fille de dix-neuf ans ne débarque pas au PARTAGE pour l'hospitalité et le confort des lieux. Parce qu'elle est intoxiquée? Non, parce qu'elle n'a plus le choix : le sexe, l'alcool et la drogue ne suffisent plus à la geler assez pour étouffer son mal de vivre. Parce qu'un matin elle se fait prendre à piquer une babiole dans un grand magasin et se retrouve avec la police sur le dos!

À mon arrivée ici, le thérapeute m'a dit que cet incident m'avait pro-bablement sauvé la vie. T'en fais pas que je l'ai envoyé promener quand il m'a balancé cette phrase à la figure! Comme si mon «pedigree» n'était pas assez chargé, il fallait maintenant m'étiqueter de voleuse!

Et tu sais ce qu'elle a volé, cette pauvre fille perdue, au rayon des jouets chez La Baie? Tiens-toi bien! Un toutou en peluche, en solde (13,95 $)! Il y a de quoi rire, non? Quand on pense à tout le fric qui a pu me couler entre les doigts!

Et cet ourson quétaine m'aurait sauvé la vie? Aujourd'hui, je suis convaincue que c'est vrai. Lilas, la paumée que j'étais devenue, s'acharnait à se détruire. La petite Mandoline a crié: «Ça suffit!» C'est elle qui a piqué l'ourson. Elle qui en avait besoin pour se consoler de tout ce que Lilas lui faisait subir (je t'épargne les détails). Elle qui s'est arrangée pour qu'on coince Lilas.

Si je t'ai détestée autant, Sara, c'est justement parce que tu avais essayé de me piéger il y a quatre ans. J'avais besoin de mes drogues pour survivre. Comment aurais-je pu supporter l'image que tu me renvoyais de moi, alors que je faisais TOUT pour l'oublier?

Je voudrais pouvoir t'écrire qu'à présent tout baigne dans l'huile, mais ce n'est pas le cas. Par moments, j'ai l'impression de pédaler dans le beurre et j'en ressens un vertige effrayant. J'ai encore le réflexe de vouloir me cacher, mais je choisis de me donner une chance.

Il m'aura fallu cette arrestation pour que la lumière rouge s'allume. Tout le monde n'a pas la chance de voir la lumière blanche! Je ne sais pas ce que l'avenir me réserve, mais aujourd'hui je fais mon possible pour guérir.

J'ai appris pour ta mère. Je suis désolée. Excuse-moi de t'offrir mes condoléances quatre ans en retard.

Et toi, que deviens-tu en Ontario? J'ai pu te retrouver grâce à ta tante Marie-Loup. As-tu réussi à t'adapter à Toronto? Rêves-tu encore de devenir comédienne? Et l'amour? Tu sais que je t'enviais d'être aussi romantique et vieux jeu.

Tu m'as peut-être complètement rayée de ta mémoire. Tu m'en veux peut-être encore (ou me condamnes, je comprendrais). Si ce n'est pas le cas, voici mon adresse:

10 030, chemin Boismenu
Lamont, Québec
G7L 2M1

Mandoline

P.-S. : Je ne veux pas me créer d'attentes, mais recevoir de tes nou-
velles me ferait plaisir EN SYNTAXE! (Est-ce toujours ton juron?) Est-
ce que Willie est toujours vivant? Es-tu restée en contact avec
Emmanuel Ledoux?

CHAPITRE 64

—Maman!

Enfin, elle est revenue! C'est si réconfortant de la voir.

— Bonjour, Sara.

J'ai conscience de rêver. Tout à l'heure, je me réveillerai et me rappellerai sa visite comme une grâce. Ces rencontres privilégiées ont toujours lieu dans ce magnifique endroit, paisible et verdoyant.

Ma mère me tend les bras. Que se passe-t-il? Pour la première fois en allant au-devant d'elle, je suis happée par une appréhension aussi vive que soudaine. Le calme qui émane d'elle est pourtant rayonnant.

Maman pose sur moi son regard lumineux.

— Sara, je te rencontre ici pour la dernière fois, dit-elle doucement.

Le choc est brutal. Je réagis avec emportement :

— Pourquoi?

— Tu n'auras plus besoin de moi.

— Ce n'est pas vrai!

Je ne supporte pas l'idée de la perdre de nouveau! J'en ai ras le bol de l'arrachement! Je suis prête à me révolter, à me battre.

Je me sens si fragile tout à coup. Je puise désespérément toute la tendresse au fond de ses yeux.

— Sara, je t'apporte un cadeau.

Avec sa main droite, maman cueille une petite flamme au creux de sa paume gauche puis se rapproche encore plus de moi.

Elle me l'offre. J'hésite à la prendre à mains nues.

— Ce feu éclaire mais ne brûle pas, m'assure-t-elle.

Je reçois la flamme. Elle pénètre aussitôt dans ma main. La douceur du feu qui court sous ma peau m'étonne et me rassure.

Maman cueille une autre flamme :

— Il y en a sept, me dit-elle.

Elle m'en donne une deuxième, puis une autre et encore une autre. Les petites flammes entrent en moi, et la sensation de douceur se répète.

— Voici la dernière, annonce-t-elle.

Je n'ai compté que six flammes. Maman sourit :

— La septième, tu la verras en temps et lieu.

Je réplique :

— Pourquoi tant d'énigmes, maman ?

— Sara, je dois te quitter maintenant. Je t'aime.

Elle me tourne le dos. Je tente de la retenir en criant :

— Alors si tu m'aimes, ne pars pas !

Elle me répète qu'elle m'aime.

Elle s'en va.

Elle a dit qu'elle ne reviendrait plus. Je ressens l'épouvantable vide.

Je me réveille, apeurée par l'annonce de son départ définitif, apaisée par les six flammes qu'elle m'a données.

J'ai dormi habillée, la lettre de Mandoline entre les mains.

Je me déshabille, enfile ma jaquette et me glisse sous les couvertures en espérant me rendormir.

CHAPITRE 65

— *Telephone for you!* Dépêche-toi, Sara, c'est un interurbain, dit Rosamund en me secouant.

La voix pâteuse, je demande :

— C'est qui ?

— Greta, répond-elle en bâillant.

Je jette un coup d'œil à mon réveil. Encore toute fripée par cette nuit de sommeil fragmentée, je sors de mon lit en marmonnant : «Elle n'aurait pas pu me laisser un message sur Internet ! Il faut être zélée pour réveiller le monde à 8 heures 26, un samedi matin ! »

— Sara, je ne tenais plus en place. Tout d'abord, je voulais te féliciter.

— Je te remercie.

— Deuxièmement, il fallait que je t'annonce une autre bonne nouvelle : monsieur Généreux est décédé !

Ça commence bien ! Quelqu'un meurt, et cela rend mon amie folle de joie.

— Greta, fais-toi soigner, ça urge !

— Nounoune ! Tu ne comprends rien ! s'exclame-t-elle.

De mieux en mieux !

— Des chaussettes avec ça ? lui dis-je.

— Madame Généreux, femme de feu monsieur Généreux et locataire de mes parents, ira vivre dans un foyer pour personnes âgées.

À présent, j'allume : l'appartement de la rue Viger, à cinq minutes à pied de l'Université et du Conservatoire, sera libre à la mi-juin.

— Il est à nous, tu te rends compte? me dit Greta.

J'émets un faible «oui, oui» entre deux bâillements coriaces.

— Il n'y a pas à dire, Sara Lemieux, par moments, tu es la fille la plus rabat-joie que je connaisse! ajoute ma future colocataire.

Je m'efforce de la convaincre du contraire :

— Greta, je manque de sommeil, pas d'enthousiasme. Avec un peu de perspicacité, une bonne psychologue l'aurait saisi.

Je regrette aussitôt cette remarque désobligeante.

— Rabat-joie et baveuse de surcroît! Va donc te recoucher, réplique-t-elle, offusquée.

— Excuse-moi, Greta. Je ne suis pas parlable tant que je n'ai pas pris...

— ... douche et café, oui, je sais. Mais l'exception confirme la règle. Ça aurait pu être le cas ce matin! me lance-t-elle sèchement.

— Greta, je t'ai fait mes excuses.

— Ça va, ça va, maugrée-t-elle.

Tout à coup, me voilà presque fraîche et dispose.

Sur un ton volontairement mystérieux, je déclame :

— Celui ou celle qui a dit «Jamais deux sans trois» ne mentait pas.

— Accouche, s'il te plaît! m'ordonne-t-elle.

— Greta, tant qu'à être dans les bonnes nouvelles, restons-y! J'en ai une autre à t'annoncer.

Il n'en faut pas plus à mon amie pour devenir très insistante.

Inutile d'envisager une quatrième petite tranche de repos tant que je ne lui aurai pas révélé que Mandoline Tétrault m'a écrit.

Tu parles d'une sacrée nuit! Ma chère marraine qualifierait ce concours de circonstances exceptionnel de complot des anges.

CHAPITRE 66

Toronto, 24 mai

Chère Mandoline,

Te dire à quel point ta lettre me fait plaisir? Impossible, les mots me manquent. Je la lis, la relis, j'en pleure, je souris et je la lis encore.

Je ne t'ai pas rayée de ma mémoire! Je ne peux pas t'en vouloir encore puisque je ne t'en ai jamais voulu. C'est à moi de m'excuser de n'avoir pas su respecter tes limites, il y a quatre ans.

Chère, chère, chère Mandoline, je te remercie de m'ouvrir ton cœur à nouveau. C'est drôle, en t'écrivant j'ai l'impression de t'avoir parlé hier! Merci pour tes condoléances. Je ne te cacherai pas que cette double épreuve, la mort de maman et l'exil à Toronto, n'a pas été facile à traverser. Je ne sais combien de fois j'ai dû me répéter pour ne pas craquer : « Si je survis à cela, plus rien ne m'abattra. »

J'ai accompagné maman jusqu'à la toute fin. Ce que j'ai vécu avec elle m'a donné, je crois, la force d'accepter son départ même si le vide qu'elle a laissé reste très grand. Quand mon ennui d'elle me fait trop mal, je repense à l'intimité que nous avons connue dans sa chambre d'hôpital, et mon cœur se remplit d'une joie très douce qui l'emporte sur la tristesse. Mando, c'est cette joie que je te souhaite de découvrir en acceptant de laisser mourir Lilas. Peu importe la couleur des lumières, pourvu que nous les voyions lorsqu'elles s'allument!

Ai-je réussi à m'adapter à Toronto? Oui! Comme un arbuste lorsqu'il sent ses racines transplantées dans un pot; il a beau continuer de pousser, il rêve du jardin auquel on l'a arraché. Débarquer chez mon père et Rosamund n'a pas été de tout repos. J'y ai été bien accueillie, mais il demeure que mon arrivée dans la nouvelle vie de papa n'était pas prévue (donc pas forcément désirée). Quant à Rosamund, qui rêvait d'avoir un enfant (papa est vasectomisé et ne veut pas entendre parler de défaire le nœud), il n'est pas du tout certain qu'elle ait vu en moi une réponse à ses prières!

Heureusement, Willie était à mes côtés; c'est fou tout ce que j'ai pu lui raconter à ce chat! Eh oui, il est toujours vivant! Et notre exil achève. Willie et moi retournerons vivre à Montréal l'automne prochain! Non seulement je n'ai pas abandonné mon rêve de devenir comédienne, mais c'est en grande partie grâce à lui (et à un professeur extraordinaire) si j'ai pu tenir le coup à Toronto. J'ai travaillé dur. Aujourd'hui, j'ai ma récompense: je suis acceptée au Conservatoire d'art dramatique! J'ai encore un peu de mal à y croire, mais il paraît que ça va venir!

J'ai complètement perdu de vue Emmanuel Ledoux, mais tu ne devineras jamais avec qui je partagerai un appartement? Greta Labelle. Qui aurait dit qu'un jour je serais autant emballée à l'idée de vivre avec la fille qui me tapait le plus sur les nerfs quand nous étions au secondaire? La vie a parfois un sacré sens de l'humour!

Comme j'ai hâte de te revoir, Mandoline! Tellement hâte! Vivement l'automne!

Je t'embrasse très fort,
Sara

P.-S.: J'ai souri en lisant SYNTAXE! Cela m'a fait me rendre compte que je ne le disais plus. En vivant à Toronto, je me suis mise à jurer... en anglais! Eh oui! Le mot de Cambronne, dans la langue de Shakespeare.

CHAPITRE 67

L'heure du départ approche à pas de géant. J'achève mes préparatifs.

Après l'opération Grande Épuration, ma chambre ne ressemble plus à un champ de bataille. La corbeille et les sacs à ordures débordent. La literie et les vêtements sont rangés dans les valises, les livres dans des cartons, mes notes de cours et paperasses diverses dans des chemises.

Il ne me reste plus qu'à m'attaquer aux deux boîtes à souvenirs : *Montréal*, l'immense, qui dormait au fond de ma penderie et que je n'ai jamais ouverte depuis l'exil, et *Toronto*, sur mon classeur, plus petite et au couvercle usé.

Mes mains effleurent *Montréal*, se ravisent et plongent dans *Toronto*.

Cette boîte contient les lettres et cartes postales de Marie-Loup et de Greta, deux albums de photos, les carnets numérotés de mon journal, le *Journal* d'Anne Frank et la cassette enregistrée par ma mère : *À Sara*. Et au fond, tout au fond, une photo du bal de fin d'études d'Emmanuel Ledoux.

Je ne lui ai jamais donné de nouvelles. Pourquoi? Je l'ignore. Je chasse tout embryon d'explication en glissant la photo dans l'un des albums. Je place la lettre du Conservatoire sur le dessus, après l'avoir relue pour la millième fois, et je referme *Toronto*.

Je pose *Montréal* sur mon lit, retire le couvercle. La vue de ce grenier miniature, sens dessus dessous, me fout un cafard aigu.

Le coffret à bijoux de maman regorge de trésors que je n'ai jamais pu me décider à porter : ni son collier de perles, ni son épinglette en nacre que j'aimais tant, ni ses boucles d'oreilles aux triangles de diamants qu'elle n'avait jamais voulu me prêter.

Ce petit coffre chevauche la cassette vidéo de *Roméo et Juliette à Colette*, une carte postale du Colorado de papa, et les photos prises dans le métro de Mandoline et moi nous disputant un concours de grimaces.

Une cassette audio au ruban brisé à force d'avoir roulé ; un air de Pat Metheny : *Are You Going With Me ?*

Les Petites Filles modèles de la Comtesse de Ségur. Elles avaient captivé ma mère lorsqu'elle était enfant, je les ai toujours boudées. Une enveloppe froissée à l'écriture encore enfantine glisse des pages jaunies : ma dernière lettre à Stéphanie, ma meilleure amie d'enfance, jamais envoyée.

Une petite boîte turquoise. À l'intérieur, entre deux carrés d'ouate, le jonc que Serge m'avait offert. Je ne l'ai pas fait réparer. Sous l'ouate, une chaîne très fine et la petite croix en or de ma première communion.

Ma mère, jeune mariée superbe dans sa robe de dentelle blanche, le regard amoureux. Sous l'album de mariage de mes parents, *Les Songes en équilibre*. Un livre d'Anne Hébert qui a longtemps traîné sur une table en verre, dans le salon de cette jolie maison que mon père avait choisi de quitter. Un album intitulé *Bébé Sara*: Sara fait ses premiers pas, Sara prononce ses premiers mots. Une enveloppe de photos : Sara boude en compagnie de la famille Viens, sur une plage de Wells. Une publicité découpée dans une revue : *La Lumière blanche*, l'aquarelle de Serge Viens qui avait fait vendre du lait. Un dessin au crayon à mine : Sara sourit, sur cette plage de Wells, en regardant la main de Serge dessiner son portrait.

À l'approche des pas dans le corridor, je m'empresse de ranger mon portrait, comme si j'étais prise en faute.

— Tu viens manger ?

Assise au milieu du lit, parmi les souvenirs en vrac, je lève les yeux sur mon père et lui fais signe de s'approcher :

— Tiens, c'est à toi, lui dis-je avec une boule dans la gorge.

Je lui tends le livre d'Anne Hébert.

— Mais non, garde-le, me répond-il.

— Après ton départ, maman avait toujours pris soin de ne pas le ranger.

Se rappelle-t-il que c'est le dernier livre qu'il ait lu chez nous ? Il l'accepte, ému :

— Merci, Minou chéri.

Minou chéri, mon surnom de petite fille. Ça me fait tout drôle de l'entendre m'appeler ainsi.

— Sara, je voulais que tu saches... j'espère que tu le sais : c'était bon que tu vives ici, dit-il, la voix chevrotante, le ton convaincant.

Je suis touchée, contente, gênée aussi.

Je prends sa main, la presse doucement. Nous rejoignons Rosamund en silence.

CHAPITRE 68

— Cesse de t'inquiéter! Marie-Loup m'a confirmé encore hier soir qu'elle viendra me chercher à Dorval, dis-je à mon père en abandonnant le chariot à bagages.

Il est visiblement et terriblement nerveux à l'idée de voir sa grande fille de dix-huit ans et trois quarts s'en aller faire sa vie à Montréal.

«Les passagers du vol 134 d'Air Canada en partance pour Montréal sont priés de se présenter à la porte 61 pour embarquement immédiat.»

— Coucou, trésor!

Je me retourne, ravie de la surprise.

Il reprend son souffle et salue mon père, qui se retire pour nous laisser en tête-à-tête.

— Sylvain, je suis tellement contente de te voir!

Il a fait l'exploit suprême de venir à l'aéroport, malgré sa sacro-sainte horreur des départs.

Il aurait voulu arriver plus tôt. Un contrat de doublage au pied levé l'en a empêché!

— Quand je pense que j'ai encore prêté ma belle voix à un États-Unien qui a tout dans les biceps et rien entre les deux oreilles! Que veux-tu, il faut payer son loyer!

Le temps nous presse. Les mots me manquent.

— Tiens, un petit cadeau d'adieu, dit-il en me donnant un paquet.

Je le remercie et retire le papier d'emballage : *La Double Inconstance* de Marivaux.

— Un chassé-croisé amoureux palpitant. Je t'imagine tout à fait dans le rôle de Silvia.

On répète aux passagers en partance pour Montréal de se présenter pour l'embarquement.

Je range la pièce de théâtre dans mon sac à dos. Sylvain fait la moue.

— Bon. Quand il faut y aller, il faut y aller ! dit-il en me faisant la bise.

Mon beau professeur file en douce.

La main de papa presse mon épaule. L'avion ne m'attendra pas si je n'embarque pas maintenant.

— Sara, n'oublie pas de m'appeler, une fois arrivée à Montréal ! Écris-moi, aussi ! Et sois prudente ! répète-t-il pour la je-ne-sais-plus-combien-de-fois.

— Promis ! lui dis-je en l'embrassant.

J'ai tout à coup le cœur gros en lui envoyant la main. Je franchis les portes sans me retourner. J'aurais voulu arracher les pointes d'inquiétude de son esprit comme les mauvaises herbes d'un potager. Lui dire aussi que je l'aime.

*

Le DC-9 ronronne enfin comme un gros matou heureux. Je pense soudain à Willie. J'espère qu'il ne panique pas trop dans sa cage de transport, parmi les bagages.

Je fouille dans mon sac à dos à la recherche de *La Double Inconstance*. Je tombe sur le joli cahier que Rosamund m'a offert juste avant mon départ de l'appartement. *Le Baiser*, la célèbre toile de Gustave Klimt, illustre la page couverture. Un homme et une femme, enlacés, comme deux arbres au milieu d'un champ de fleurs.

Finalement, je ne me décide ni à lire ni à écrire.

Je me pince. Eh non! je ne rêve pas : moi, Sara Lemieux, je m'envole pour le Québec, le pays le plus merveilleux du monde!

CHAPITRE 69

Je décolle mon nez du hublot et appuie confortablement ma tête sur le dossier. Le passager à ma gauche feuillette le *Time*.

Je cogne des clous. J'entends de très loin le froissement des pages du magazine. Mes paupières tombent.

Je me retrouve dans cet espace paisible et verdoyant où j'ai l'habitude de rencontrer maman. Je l'appelle. Elle ne répond pas. Je la cherche aux alentours mais ne la vois pas. Elle m'avait prévenue qu'elle ne reviendrait plus.

Le cœur serré, je décide d'explorer les lieux.

Au milieu de cette verdure luxuriante, j'aperçois une porte entrouverte. Je m'en approche. Le chiffre sept est sculpté au centre. Je pousse la porte. Elle donne sur une chambre blanche.

Je sens aussitôt une boule dans ma gorge. Elle grossit. J'ai peur de mourir étouffée. Je panique quand soudain je pense à la retirer de ma bouche. C'est une pierre, très lourde. Je la tiens serrée au creux de ma main en me dirigeant vers une fenêtre ouverte, au fond de la chambre.

Comme c'est curieux ! À présent, la roche ne pèse plus rien. Je la lance au loin, dans le soleil plombant. Très vite, un arbre pousse.

Je sens la présence de quelqu'un derrière moi. Je me retourne.

— Mademoiselle, rattachez votre ceinture, nous amorçons l'atterrissage, me dit l'agent de bord en touchant mon épaule.

Shit!

Qui était-ce ?

CHAPITRE 70

Cette nuit, Willie et moi dormirons chez Marie-Loup. Nous rejoindrons Greta à notre appartement demain matin.

Du feu dans les yeux, ma tante affirme être retombée en adolescence depuis qu'elle a rencontré Octave : un homme absolument merveilleux, fantastique, extraordinaire, charmant, doux, tendre, attentif, attentionné, aimable et trrrès gentil.

— Oh ! C'est sûrement lui ! me dit-elle en s'élançant vers le téléphone.

Tout excité, Monsieur Cher, le fidèle labrador de Marie-Loup, renifle la cage ouverte de Willie. Discourtois, mon chat rugit comme un tigre et crache sur son vieil ami.

— Laisse-lui le temps de se rafraîchir la mémoire, dis-je à Monsieur Cher en lui frottant les oreilles.

J'ajoute à l'intention de mon félin féroce :

— Franchement, Willie ! Arrête de jouer les tigres ! Il n'y a personne ici qui te prend au sérieux !

Marie-Loup revient dans la verrière en frétillant de joie :

— Je le vois demain.

Puis elle repart aussitôt en éloges et compliments de toutes sortes à propos du nouvel homme de sa vie.

— Tu sais, Sara, ça valait le coup d'attendre ! ajoute-t-elle.

Marie-Loup se lève, se penche sur une plante, arrache les feuilles jaunies, les froisse puis les dépose sur la table en rotin. Son silence subit et persistant m'intrigue.

— Ma chère nièce, il y a une chose que je ne t'ai pas encore avouée, me dit-elle, l'air malicieux. Je ne voulais pas le faire au téléphone.

Elle rougit comme une gamine avant de poursuivre :

— Octave m'a demandé de l'épouser.

— Qu'est-ce que tu en penses? lui dis-je, captivée.

— Le plus grand bien, ma chère! répond-elle avec conviction.

Je tombe des nues. Jamais je n'aurais pu imaginer que cette fervente apôtre du célibat en viendrait un jour à me vanter les bienfaits du mariage.

— Tu feras une bien jolie dame d'honneur! ajoute-t-elle, coquine.

Willie a quitté sa cage et accepte enfin de se laisser sentir par le gros labrador.

— Tu vois, Monsieur Cher, ça valait le coup d'attendre! Marie-Loup, ton bonheur est contagieux!

Ma tante éclate de rire. À quarante-huit ans, elle n'a jamais été aussi radieuse. Je suis ravie de ce qui lui arrive.

— Tu débarques à peine de l'avion, et je n'arrête pas de te bombarder de mon égoïste joie! Si on s'occupait de compléter ton trousseau, à présent? s'exclame-t-elle en saisissant mon bras.

Je ne repartirai pas d'ici les mains vides!

Marie-Loup m'entraîne dans la chambre d'amis. Au fond de la pièce, trois boîtes énormes regorgent de trésors essentiels auxquels je n'avais pas du tout pensé : mélangeur, napperons, vaisselle, extincteur, tournevis, pot à jus, lampe de poche, tasse à mesurer, marteau, contenants à épices, trousse de premiers soins, savonnette...

À la vue de tous ces objets, je prends soudain conscience que je suis de retour à Montréal pour y rester. Je ne vivais plus chez ma mère. Je n'habiterai plus chez mon père. Ça me fait tout drôle.

— Depuis que j'ai vendu mon chalet, j'avais tout en double.

La voix de ma tante, qui m'arrache à mes pensées, m'agace tout à coup.

Willie nous a rejointes. Il monte sur l'une des boîtes ouvertes et renifle son contenu avec beaucoup de curiosité.

Greta se sent-elle nerveuse, elle aussi, à l'idée de quitter le nid douillet de ses parents?

CHAPITRE 71

Greta et moi collaborons pour aménager les pièces communes, mais chacune s'occupe de sa chambre.

Depuis hier, sans relâche, j'ai bouché des trous avec du plâtre, sablé et peint les murs, le plafond et la garde-robe. Au moins, je n'ai pas eu à me battre, comme ma coloc a dû le faire, contre du vieux papier peint ultra-laid et archi-résistant.

Je suis crevée mais fière. À présent, je n'ai qu'une idée en tête : étrenner ma chambre blanche. Demain, je la décorerai.

Mon vieux chat est tellement désorienté par tous ces chambardements qu'il ne quitte sa cage de transport que pour aller dans sa litière. Tout de suite après, il retourne s'enfermer dans son petit cocon.

Cela fait deux jours que je pense à Liette Viens.

CHAPITRE 72

Le petit garçon s'entête à lancer le ballon dans le panier beaucoup trop haut pour lui. Immobile sur le trottoir, je le regarde jouer. Ma présence le gêne. Il se tourne vers moi et me jette un regard inquisiteur.

— Salut, lui dis-je.

Il ne répond pas, mais il continue à m'observer en dribblant à deux mains avant d'effectuer un nouveau lancer. Raté.

Son ballon roule dans ma direction, jusqu'au trottoir. Je le prends.

— J'habitais dans la maison d'à côté il y a quelques années. J'étais très amie avec les gens qui vivaient ici. On jouait au basket, nous aussi. Dans ce temps-là, il n'y avait pas de pins ni de haie de cèdres chez nous.

L'enfant me dévisage, l'air de se demander pourquoi je lui raconte tout cela. J'ajoute en lui tendant son ballon :

— Un jour, tu seras assez grand pour atteindre le panier.

— J'ai pas besoin d'attendre d'être grand, répond-il, sûr de lui, avant de retourner vers le panier.

Je fais quelques pas. Mon regard erre autour de la maison d'à côté, s'arrête sur la fenêtre de ma chambre. De mon ancienne chambre ! Le store est fermé.

— Xavier ! Xavier !

— Oui, papa ! crie le petit garçon à l'homme qui vient de sortir sur le palier.

Après une dernière tentative pour marquer un point, l'enfant récupère son ballon et rejoint son père. Je n'entends pas ce qu'ils se disent. L'homme lève les yeux sur moi. Nos regards se croisent. Je me fais aussitôt cette remarque : « Tant d'histoires défilent dans les regards sans jamais être racontées. Je ne suis pour cet homme qu'une passante parmi d'autres. »

Un gars et une fille s'aimaient. Oui, monsieur, ici même, dans votre entrée de garage. Un ballon a roulé jusqu'à cette rue. Un ballon identique à celui que votre petit garçon a sous le bras. La grande faucheuse guettait dans l'ombre. Les jeunes amoureux ne s'en doutaient pas. Une auto a surgi. La grande faucheuse est repartie, l'âme du joueur de basket sous le bras. Puis elle est revenue. Juste à côté. Une mère aimait sa fille. Un caillot a surgi dans son cerveau. Le cerveau de ma mère.

L'homme et l'enfant rentrent chez eux, dans la maison de mon premier amour.

La dernière fois que je me suis trouvée à cet endroit, c'était il y a quatre ans. La porte de cette maison s'était rouverte. Liette, notre voisine, la mère de Serge, l'amie de ma mère, était accourue. Nous venions pourtant de nous faire nos adieux. Les déménageurs avaient fini de vider notre maison. Une nouvelle vie m'attendait à Toronto. Maman restait à Montréal, couchée sous la terre.

— Mon Dieu, quand je pense que j'ai failli oublier ! Tiens, Sara, c'est pour toi, m'avait-elle dit, essoufflée, en me remettant le grand paquet.

Le Renard et l'Amante II, le deuxième et dernier portrait de moi que Serge, son fils aîné et mon amour, avait dessiné avant de s'en aller, comme ma mère, pour toujours.

Liette l'avait fait encadrer. Je ne l'ai jamais exposé, là-bas, à Toronto.

Je jette un dernier coup d'œil au panier et je poursuis ma route jusqu'à l'île de la Visitation.

*

27 juillet

L'idée de faire ce pèlerinage me trottait dans la tête depuis plusieurs semaines, mais je n'arrivais pas à me décider. Je craignais la tristesse que contiennent mes souvenirs.

Je suis repassée devant ces deux maisons chargées de passé. Me voici assise face à la rivière, sur cette grosse pierre qui a été témoin de l'ultime baiser entre Serge et moi. Tout près d'ici, à deux reprises, la terre a bu mes pleurs. S'en souvient-elle? Deux fois je me suis couchée à plat ventre contre elle pour y déverser mon trop-plein de peine : des vagues si puissantes que je croyais qu'elles m'emporteraient.

— Serge, maman, vous êtes sans doute devenus de grands amis, là-bas, de l'autre côté de la lumière blanche. Des anges bienveillants qui me protègent, peut-être. Avions-nous rendez-vous aujourd'hui, dans l'île, pour nous dire bonjour? Après avoir autant pleuré à cet endroit, si vous saviez comme ça me fait du bien de me retrouver ici et de sentir autant de douceur! Qui sait, peut-être que l'un de ces arbustes a poussé grâce à toutes ces larmes! Je vous aime très fort, tous les deux.

Je ne suis plus la gamine rebelle qui joue au basket dans l'entrée du garage des voisins. Je ne suis plus l'adolescente éperdument amoureuse du garçon d'à côté. Je ne suis plus cette fille taciturne qui nourrit des idées suicidaires pour se rapprocher de celui qu'elle a perdu.

Perdre sa mère, ça oblige à grandir, vite, très vite. La vieille maison de Montréal complètement rajeunie, dans un secteur magnifique et paisible, a été vendue. Les nouveaux propriétaires ont planté des arbres sur le terrain. La maison d'à côté aussi a été vendue. Un petit garçon joue au basket. Pendant ce temps, dans un parc au bord de l'eau, une fille de presque dix-neuf ans écrit dans son journal qu'il lui reste tant à faire encore.

Et elle sourit.

*

J'ai déposé un bouquet de lys blancs sur la tombe de Serge. J'apporte des roses jaunes à ma mère.

CHAPITRE 73

—Sara, le souper est prêt, me dit Greta en passant la tête dans l'embrasure.

Le crochet bien centré au-dessus de mon lit, j'installe le cadre.

— Que c'est beau! ajoute mon amie en s'approchant pour admirer l'œuvre de près.

Elle se cogne un orteil sur le marteau traînant par terre, à côté de ma table de chevet.

— Mautadit, Sara! Tu ne pourrais pas faire un petit effort pour te ramasser! s'écrie-t-elle en s'assoyant sur mon lit.

Elle frotte son pied en maugréant.

— Et toi, tu ne pourrais pas t'empêcher de jouer à la mère fatigante avec moi, surtout quand je suis tranquille dans ma chambre et que je ne t'y ai pas invitée!

Nous nous dévisageons quelques secondes, surprises toutes les deux, je crois, par la moutarde qui nous est montée si vite au nez.

— Excuse-moi, Sara.

— Je m'excuse aussi, dis-je en me penchant pour prendre le chamois qui se trouve entre le marteau et le niveau, sous le paquet de crochets et la boîte de clous.

La présence de ma coloc m'agace, mais je n'ose pas la chasser, même gentiment.

J'époussette doucement le cadre de bois puis la vitre.

— *Le Renard et l'Amante II.* Très ressemblant, dit Greta, les yeux fixés sur le portrait.

Mon amie me regarde, intriguée. Sa question la démange.

— C'est Serge qui l'a fait, lui dis-je.

Elle reste là. J'hésite mais je le dis :

— Greta, j'ai envie d'être seule un moment, d'accord ?

— Oh ! excuse-moi. Parfois, je suis carrément bouchée ! réplique-t-elle en quittant la pièce.

Puis elle ajoute :

— Tu mangeras quand ça te tentera !

Agenouillée devant la penderie, je soulève d'une main robes et manteaux, puis prends de l'autre le porte-documents appuyé contre le mur du fond. Je le dépose sur mon lit et l'ouvre. Je retire le premier portrait que Serge avait fait de moi, au crayon à mine, à Wells.

Je l'inspirais. Il n'avait qu'à tenir le crayon, sa main dessinait toute seule, disait-il.

Je suis frappée par le sourire du modèle de ces deux portraits. Je vais devant le miroir de ma commode. Je me regarde.

Ai-je vraiment ce beau sourire dans la réalité ou n'était-ce que dans l'œil du peintre ?

Je range le dessin. Demain, j'irai le porter chez un encadreur.

CHAPITRE 74

22 août

Après trois refus, Sylvain a enfin obtenu une bourse pour terminer sa pièce de théâtre.

Laissant derrière lui doublages, messages publicitaires et cours privés, il s'en va l'écrire au Yukon, chez une copine, au bord d'un lac.

À l'approche de mon entrée au Conservatoire, j'ai de plus en plus la trouille. Je ne suis pas une fonceuse-née, une super héroïne confiante et pleine de cran. Mon plus grand mérite, c'est de dépasser la peur. Après, je suis la première surprise d'y être arrivée et j'en suis très contente.

Dans quelques jours, je franchirai la porte de cette école en tant qu'étudiante. Je ne l'ai dit à personne, pas même à Marie-Loup, mais hier soir, après le souper, je suis allée pratiquer : j'ai monté, descendu puis remonté les marches extérieures du Conservatoire.

Ces propos mettent fin au quatrième cahier de mon journal.

CHAPITRE 75

25 août

*O*uf*! Ma première matinée d'étudiante au Conservatoire d'art dramatique de Montréal se trouve derrière moi. C'est avec empressement que je suis venue au café d'à côté pour étrenner le carnet que Rosamund m'a offert avant mon départ.*

Franchir la porte de cette nouvelle école, même si elle fait miroiter mon plus cher désir d'avenir, m'a terrifiée.

L'expérience de cet avant-midi a réveillé le bon vieux malaise que j'avais connu en arrivant à Toronto : cette sensation pénible d'être une étrangère.

Je me suis répété au moins cent fois, depuis ce matin : « Ne t'inquiète pas. C'est normal. Cela va passer. Donne-toi une chance ! Tu n'es sûrement pas la seule à te sentir dépaysée. »

Le beau gars que j'ai remarqué, ce matin, à mon cours de Mouvement I cherche des yeux un endroit où s'asseoir.

Nos regards se croisent. Il se dirige vers...

— François-Martin Paradis ! FM, pour les intimes. Fraîchement débarqué de mon Abitibi natale, dit-il en me tendant la main.

— Sara Lemieux. De retour à Montréal, après quatre ans d'exil à Toronto.

— Je me sens un peu dépaysé, ajoute-t-il.

Je réponds :

— Alors nous sommes deux !

Il suffit de connaître un allié pour voir l'étendue du champ de bataille se réduire à vue d'œil !

— Je peux partager ta table ? À moins que tu ne préfères continuer d'écrire en paix.

Sans attendre ma réponse, FM Paradis s'installe avec sa bouteille d'eau, sa tasse de café au lait et son sandwich au pain pita. Je referme mon cahier.

— Qu'est-ce que tu écris ? me demande-t-il.

— Mon journal.

— J'espère qu'il y sera question d'un bel Abitibien sympathique, charmant et tout et tout.

Je ne suis tout de même pas pour lui avouer que c'est déjà fait !

Il lève sa bouteille d'eau en affirmant :

— À notre rencontre !

Je trinque avec du chocolat chaud devenu froid.

FM m'interroge sur les raisons de mon exil. Je résume en une phrase dépourvue de verbe : maladie et mort de ma mère.

Ma réponse l'embarrasse. FM ne soutient plus mon regard.

Il se concentre sur sa bouteille vide qu'il essaie d'écraser d'une main mais il n'y arrive pas.

Un ange passe. Peut-être deux.

Sur un ton solennel, il m'annonce qu'il est malade à l'idée d'apprendre à danser la claquette.

Je souris.

— Je trouve cette activité tout à fait débile, ajoute-t-il.

Je réplique :

— Je ne suis pas d'accord.

— Tu as une bien jolie voix, Sara Lemieux.

— Merci, lui dis-je.

Il reprend son air et son ton graves.

— La vérité, c'est que je suis gauche et empâté. Je n'ai aucun sens du rythme. En fait, je danse comme un pingouin.

J'éclate de rire puis lui demande :

— Comment dansent les pingouins ?

— Pourquoi penses-tu qu'ils se cachent pour le faire ?

Je ris de nouveau. Cette fois, sans pouvoir m'arrêter. J'en ai mal au ventre et les larmes aux yeux.

— Après la grande tension de la rentrée, phoque que ça fait du bien de lâcher son fou ! lui dis-je.

FM me dévisage. J'imite la voix de l'animal avant d'épeler mon juron :

— P-h-o-q-u-e.

Le fou rire nous reprend de plus belle.

Je jette un coup d'œil à ma montre. Nous avons tout juste le temps de nous rendre au cours de diction.

Au coin de la rue, FM me regarde droit dans les yeux en chantant : « *T'es tellement, tellement, tellement belle...* »

— Je suis un fan de Richard Desjardins, murmure-t-il avant de poursuivre : «*Je vas bénir la rue.* »

Je n'ai pas le temps de rougir : le feu devient vert, et nous traversons en courant.

CHAPITRE 76

Il y a plus de trois mois que je suis arrivée à Montréal. J'avais fait parvenir mes coordonnées à Mandoline. Je trouve très bizarre qu'elle ne m'ait donné aucun signe de vie.

Je demande à une téléphoniste de l'assistance-annuaire le numéro du centre Le Partage et me décide à appeler.

— Mandoline Tétrault? Elle nous a quittés il y a deux mois déjà, m'apprend la réceptionniste.

Je rappelle l'assistance-annuaire. Aucune abonnée ne figure sous le nom de Mandoline Tétrault. Au prénom de sa mère, il y a bel et bien un numéro, mais il est confidentiel.

L'inquiétude s'immisce en moi avec fulgurance : et si Mandoline était retombée entre les pattes d'un grand méchant loup?

CHAPITRE 77

Mon père et Rosamund sont allés à la messe de minuit. Willie est resté à Montréal. Je viens d'écrire dans mon journal : *Toronto, veille de Noël. J'ai dix-neuf ans. Inscrite depuis peu au* Big Club *des adultes. Dans une main, ce qu'il me reste d'illusions et, dans l'autre, la très nécessaire lucidité. Entre ces deux pôles, une pile de rêves en attente de classement.*

Lorsqu'une chose tant désirée se réalise enfin, pourquoi ne nous apporte-t-elle pas le bonheur escompté ? J'ai souhaité si ardemment retourner vivre à Montréal et devenir actrice. Étudiante au Conservatoire d'art dramatique, je suis de nouveau Montréalaise. Et je cherche. Je cherche encore ce petit quelque chose qui n'a pas de nom et qui me manque tant.

Est-ce que c'est «ça», devenir adulte ? Je trouve «ça» difficile.

Je ne sais pas pourquoi je repense, tout à coup, aux petites flammes que m'offrait ma mère dans le dernier rêve que j'ai fait d'elle.

Maman, si tu étais là, est-ce que je te dirais tout cela ? Est-ce que tu pourrais faire quelque chose ? Tu m'avais parlé de sept flammes. Tu ne m'en as offert que six.

— La septième, tu la verras en temps et lieu, m'as-tu dit.

Je ne la vois pas, maman.

CHAPITRE 78

17 janvier

*C*ertaines coïncidences sont vraiment étranges. Je jouerai Lucile dans La Répétition ou L'Amour puni *de Jean Anouilh. Lucile doit jouer Silvia dans* La Double Inconstance *de Marivaux. Comme par hasard, Sylvain m'avait offert cette pièce lors de mon départ de Toronto.*

Mon ami était-il au courant que nous travaillerions ce texte d'Anouilh dans lequel les personnages montent la pièce de Marivaux ?

Un étudiant de ma classe me plaît de plus en plus, et cela semble réciproque.

CHAPITRE 79

—Sara!

La main sur la porte, je me retourne.

— J'avais peur que tu ne sois déjà partie, me dit FM.

Je réponds :

— Deux secondes plus tard, et c'était le cas.

— Qu'est-ce que tu fais en fin de semaine ?

— Je travaille *La Répétition ou l'Amour puni*, pas toi ?

— Mais encore ? demande-t-il.

— Je n'ai encore rien coulé dans le béton. Pourquoi ?

— Que dirais-tu d'une soirée intitulée « Après la répétition ou le travail récompensé » ?

Je souris.

— Tu permets ? ajoute-t-il en replaçant derrière mon oreille la mèche rebelle qui vient de tomber devant mon œil.

François-Martin Paradis a des mains superbes.

— Peut-être, lui dis-je.

— Je t'appelle demain.

— D'accord.

— D'ici là, travaille bien, me dit-il.

Je lui réponds :

— Toi aussi.

— Eh, Sara! «Mon cœur était libre comme un poisson dans l'eau. Il a suivi le courant qui l'a mené vers toi. Depuis nous sommes heureux, mon cœur et moi.» Cette pensée m'est venue, ce matin, en te voyant, et elle ne m'a pas lâché de la journée, ajoute-t-il avant de me tourner le dos.

Je quitte le Conservatoire. Mon cœur à moi hennit comme un cheval fou.

Je me sens très en forme, tout à coup, pour aller faire connaissance avec Lucile, cette jeune femme qui suscite l'amour d'un homme ayant déjà épouse et maîtresse.

CHAPITRE 80

27 janvier

Monsieur Paradis ne m'a pas appelée. Je suis furieuse contre lui. Je m'en veux, surtout, d'avoir erré comme une âme en peine en attendant cet appel qui ne venait pas. Je ne sais combien de fois je me suis surprise en train de fixer le téléphone, comme si mon regard avait eu le pouvoir de le faire sonner.

Cet après-midi, je n'ai même pas été capable de lire intelligemment le texte que je dois mémoriser.

Maudits gars !

CHAPITRE 81

—Je vais voir l'amant, tu m'accompagnes? me demande Greta.

Après une relecture de *La Double Inconstance*, je viens à peine de me plonger dans *La Répétition ou l'Amour puni.*

— Quel amant?

— Tu es drôle, toi! Le film *L'Amant,* d'après le roman de Marguerite Duras.

J'avais prévu lire la pièce et me coucher tôt, mais l'idée de tromper le théâtre avec le cinéma me sourit. L'idée de chasser FM de mes pensées aussi.

J'hésite. Greta insiste :

— Tu pourrais prendre deux heures pour t'aérer un peu l'esprit; ce ne serait pas du vol! À te regarder aller, on croirait que le Conservatoire et le cloître, c'est du pareil au même!

M'aérer l'esprit? Pourquoi pas. Entre l'aménagement de l'appartement, les cours et l'étude, je me suis accordé bien peu de répit depuis l'été.

— J'ai envie de dire oui.

— Allez! Grouille-toi, la séance commence dans vingt minutes! fait Greta en enfilant son gros poncho de laine mexicain.

Je n'ai pas lu le roman de Marguerite Duras. Greta, oui, et elle l'a beaucoup aimé.

— C'est quoi l'histoire ?

— Habille-toi et viens-t'en ! Je te raconterai en route ! répond-elle en me lançant mon manteau et mon foulard.

Je suis déjà dans le portique. Greta crie qu'elle ne trouve plus ses clefs et me demande si je les ai vues.

Ma colocataire, qui jamais ne lambine, perd toujours un temps fou à chercher ses clefs.

— Ça va, j'ai les miennes ! lui dis-je.

Elle réplique :

— Oui, mais...

Je l'entends fouiller en marmonnant.

J'ajoute, sur un ton amicalement baveux :

— On va être en retard si tu ne te dépêches pas !

Elle ferme la porte, vérifie qu'elle est bien verrouillée, passe devant moi et dévale l'escalier à toute vitesse. Son culot la pousse à me lancer :

— Mais tu viens ou pas ?

Je rejoins cette chère Greta sans risquer ma vie dans la descente et lui suggère gentiment :

— Tu n'as jamais pensé à faire de ton trousseau un pendentif géant ?

Après sa grimace, j'ai enfin droit au résumé du film que nous verrons :

— Une adolescente devient la maîtresse d'un homme qu'elle n'aime pas. Enfin, elle dit ne pas l'aimer. Sara, tu peux accélérer le pas ? On va manquer le début ! En tout cas, si elle l'aime, elle ne s'en rend pas compte. Et quand elle s'en aperçoit, il est trop tard. Le sujet convient à madame ? ajoute-t-elle en prenant ses grands airs.

*

Il y a foule ce soir à La Rétrospective.

Essoufflée, je dis à Greta :

— Choisis les places, je te retrouve dans la salle.

La patience est un art. J'exerce la mienne en me joignant à la file qui attend aux toilettes des dames.

Une fille arrive en même temps que moi. Nous nous heurtons.

— Excuse-moi, disons-nous simultanément.

Nos regards se croisent. Je la laisse passer devant. Elle me remercie.

*

Elle sort au même moment que moi. Elle le rejoint. Il l'attendait près du téléphone. Elle le prend par la main. J'ai un pincement au cœur.

En se retournant, il m'aperçoit. La surprise assombrit son visage pendant quelques secondes seulement.

— Sara Lemieux!

Il a prononcé mon nom en venant vers moi. Elle lui emboîte le pas.

— Salut, FM pour les intimes!

Si François-Martin patine intérieurement, il le fait avec beaucoup d'aisance extérieure.

— Véronique, je te présente Sara. Sara, Véronique, mon amie.

Sa Belle d'Abitibi, qui lui a fait la «grande» surprise de débarquer à Montréal.

C'est tellement, tellement touchant!

Je dis bonjour à la blonde de FM en pensant : «Moi aussi, je ferais des milliers de kilomètres pour un chevalier bienveillant, mais pas un coin de rue pour un don Juan!»

Véronique me salue d'un léger mouvement de tête. Je ne sais pas ce qui me retient de lui apprendre que son Roméo me faisait la cour pendant qu'elle s'ennuyait de lui, à Val-d'Or.

FM se tourne vers elle :

— Sara étudie avec moi.

Un silence bref mais lourd s'installe. Véronique regarde sa montre.

Je suis mal à l'aise. Et très fâchée.

— Bon. Je vais y aller si je ne veux pas manquer le début du film, dis-je.

— On y va ? dit Véronique.

— À bientôt, Sara ! ajoute-t-il.

J'ai le goût de le mordre.

Je regarde le couple s'éloigner. FM enfouit les mains dans ses poches. Véronique s'accroche à son bras.

J'entre dans la salle bondée. Il fait noir. Je vois rouge.

On peut lire à l'écran : *VOICI MAINTENANT VOTRE PRO-GRAMME PRINCIPAL.*

Je cherche Greta.

*

— Tu en as mis du temps ! me chuchote-t-elle.

Je m'assois à côté d'elle après avoir dérangé au moins dix personnes.

J'ai envie de crier, mais je murmure sèchement :

— François-Martin Paradis est un don Juan de pacotille !

— Chut ! fait un cinéphile dans la rangée derrière nous.

Enragée, je me retourne :

— Les nerfs ! Le film n'est même pas commencé !

CHAPITRE 82

L'héroïne du film a vieilli et se remémore ce départ qui avait eu lieu lorsqu'elle était encore adolescente.

Sur le bateau qui l'éloignait de son amant, on entendait un air de Chopin.

... elle avait pleuré parce qu'elle avait pensé à cet homme... et elle n'avait pas été sûre tout à coup de ne pas l'avoir aimé d'un amour qu'elle n'avait pas vu parce qu'il s'était perdu dans l'histoire comme l'eau dans le sable et qu'elle le retrouvait seulement maintenant à cet instant de la musique...

— Mais qu'est-ce que tu as, Sara ? me demande Greta.

Pourquoi cette réplique me chavire-t-elle à ce point ? *... elle n'avait pas été sûre tout à coup de ne pas l'avoir aimé d'un amour qu'elle n'avait pas vu parce qu'il s'était perdu dans l'histoire...*

— Je ne sais pas.

Je pleure à bouillantes larmes. Impossible de les refréner. La plupart des spectateurs ont déjà quitté la salle.

Je renifle.

— Tiens, me dit Greta en me donnant un mouchoir.

... elle n'avait pas été sûre tout à coup de ne pas l'avoir aimé...

CHAPITRE 83

Greta a éteint la lumière de sa chambre. Je n'ose pas frapper.
— Entre, je ne dors pas, me dit-elle.

Elle allume sa lampe de chevet et s'adosse à son oreiller. Je vais m'asseoir sur son lit.

— Qu'est-ce qu'il y a ? me demande-t-elle avec beaucoup de douceur dans la voix.

Je n'ai pas envie de parler. En réalité, je n'ai rien à dire. Je suis juste un peu dépassée par les émotions.

— Greta, est-ce que je peux dormir avec toi ?

— Bien sûr, répond-elle en me faisant une place.

Je la rejoins, appuie ma tête contre son épaule. Greta ne me talonne pas de questions. Je l'apprécie.

Elle éteint.

— Bonne nuit, Sara.

— Greta ?

— Oui ?

— Je t'aime beaucoup.

Mon amie me prend la main :

— Bis, me dit-elle.

Je ferme les yeux.

Ma colère se réveille alors et s'étire de tout son long. Plus vive que tout à l'heure, elle s'empare de mon esprit, avec beaucoup, beaucoup d'intensité.

Le salaud ! Pendant que sa blonde allait aux toilettes, il m'a laissé un message sur le répondeur pour s'excuser de n'avoir pu me prévenir plus tôt. «Un empêchement de dernière minute, mais ce n'est que partie remise, ma belle !»

Va donc scier du bois, François Paradis ! Moi, je ne m'appelle pas Maria Chapdelaine !

*

Je marche dans un corridor de métro. J'aperçois Emmanuel Ledoux. Il me voit et me sourit. Je suis très contente. En me dirigeant vers lui, je manque de mettre le pied sur un gros cocon gris. Véronique, la blonde de FM Paradis, arrive. Emmanuel feint soudain de ne pas me connaître. Je suis enragée. J'ai envie de l'insulter. Je quitte la station de métro en courant. À l'instant où j'atteins le trottoir, un papillon noir et blanc se pose sur mon épaule puis s'envole aussitôt. Ce n'est plus un papillon mais un faucon ou un aigle.

— Sara ! je veux bien partager mon lit, mais arrête de me donner des coups, me dit Greta.

Je m'arrache au rêve, comme un fruit secoué par l'ouragan tombe de l'arbre.

CHAPITRE 84

À peine entrée, je hurle :
— François-Martin Paradis est un bel écœurant !
— Commence par arriver, respire par le nez et viens t'asseoir !
me dit Marie-Loup.

Ma tante déteste recevoir des confidences à la hâte, debout dans un portique. *Du fast-food* mental : difficile à digérer et mauvais pour l'esprit.

Marie-Loup et moi avons pris l'habitude de nous rencontrer une fois par semaine. La plupart du temps, chez elle. Elle me cuisine des plats végétariens succulents, encore meilleurs qu'au Commensal, où il nous arrive d'aller de temps en temps.

Ce soir encore, nous mettrons nos vies à jour en mangeant sur la musique de Hildegarde Von Bingen. Ma tante est une fan de cette compositrice du douzième siècle.

— Tu sais ce qu'il m'a fait ? lui dis-je en buvant une gorgée de jus de légumes maison.

Je lui déballe mon sac, comme je l'ai fait avec Greta, sans lui épargner aucun détail. Mais contrairement à ma coloc, Marie-Loup ne s'offusque pas au fur et à mesure qu'évolue mon récit.

Elle m'écoute avec attention. Son grand calme m'achale, mais je sais qu'il m'est bénéfique.

— Quand je pense qu'il m'a laissé entendre qu'il était libre ! Le salaud !

Marie-Loup sourit. J'attends qu'elle me rappelle, preuve à l'appui, que malgré les apparences (non pas trompeuses mais subtiles), l'univers complote pour mon bien !

— La vie te protège, Sara ! prononce-t-elle, convaincue.

Je regarde ma tante, impatiente de savoir de quelle manière ce cher univers s'y prend, cette fois.

— Tu as failli t'amouracher d'un gars qui ne te mérite pas. C'est fantastique d'avoir eu l'information aussi rapidement, ajoute-t-elle.

Je réplique :

— Fantastique, fantastique, n'exagérons rien ! À t'entendre, je devrais sauter de joie !

— Un ballon crevé aussitôt gonflé fait moins de ravages qu'un mur écroulé. Surtout quand on a mis tout son cœur à l'ériger.

Je lui demande :

— À qui doit-on ce dicton ?

— À Marie-Loup Lavigueur ! répond-elle en se levant.

Elle jette un coup d'œil à sa ratatouille.

Encore égratigné par la trahison de François-Martin, mon cœur continue de se démener ; mais l'idée que ce gars ne me mérite pas me sourit de plus en plus. Sous cet angle, c'est moi qui gagne au change.

Marie-Loup revient, les bras chargés de sa cocotte fumante.

Je me surprends à lui dire :

— J'aime bien quand la malédiction se change en bénédiction.

Ma tante me fait un clin d'œil.

CHAPITRE 85

Le Conservatoire accapare même mon sommeil. Dans la nuit de jeudi à vendredi, dans un rêve interminable, j'ai dansé la claquette jusqu'à ce que mon réveil sonne. Bien entendu, ce dernier me rappelait d'aller danser pour vrai. La journée n'était pas commencée, et j'étais déjà crevée.

Aujourd'hui, samedi, je ne veux rien savoir. Il est onze heures. J'ai toute la misère du monde à sortir du lit, mais je fais un effort suprême. J'ai rêvé que je mangeais des œufs, du bacon, des saucisses et des patates rôties. Mon estomac me crie que mon désir est un ordre.

Je me traîne jusqu'à la cuisine. Déjà habillée, Greta lit *Le Devoir* en sirotant un café fumant.

Elle lève les yeux sur moi en feignant d'être effrayée.

— Je fais si peur à voir? dis-je en bâillant.

— Tu remporterais n'importe quel concours d'épouvantails, je t'assure.

— Rassurant, en effet.

— C'est une blague! me lance ma sympathique coloc.

— Mais je ris, Greta! Au ralenti, mais je ris!

J'ouvre la porte du frigo, m'empare de la boîte d'œufs, soulève le couvercle. Elle est vide. Ma mauvaise humeur, latente depuis mon réveil, émerge subitement.

— Qu'est-ce qu'elle faisait sur la tablette, aussi? dis-je en flanquant la boîte dans le contenant à récupération.

— Je ne sais pas, mon coco! Il n'y a que toi, ici, qui manges des œufs! réplique Greta.

Le pire, c'est qu'elle a raison!

Je me verse un café. Je n'ai pas le courage d'aller au dépanneur chercher l'objet de mon désir et me contente de rôties et de confiture.

— Génial! s'exclame Greta.

Ma curiosité est piquée. Avec deux points d'interrogation en guise de pupilles, je regarde ma coloc.

— Lis toi-même, dit Greta en me tendant le journal.

Lena Cordeau, notre Lena, celle qui nous a dirigées dans *Roméo et Juliette*, à la polyvalente Colette, affirme aujourd'hui, dans le cahier Les Arts : «FAITES L'AMOUR ET NON LA GUERRE!»

«*Un message déjà à l'ordre du jour en l'an 411 avant Jésus-Christ*», *ajoute la jeune comédienne, à la veille de créer le rôle de Lysistrata dans la pièce d'Aristophane, au théâtre de Demain. «Lysistrata signifie "Celle qui dissout les armées", et ce n'est pas en vain puisqu'elle réussit à convaincre ses consœurs de ne plus avoir de rapports sexuels, tant et aussi longtemps que les hommes s'adonneront à la guerre! Ces derniers, n'en pouvant plus d'être privés d'amour, choisissent de déposer les armes.*»

En posant la section du journal sur la table, je me fais cette réflexion : qu'arriverait-il si, dès maintenant, toutes les femmes des pays en guerre prenaient exemple sur cette héroïne antique?

— Il faut absolument aller la voir, dis-je à Greta.

— Tu me voles les mots de la bouche, me répond-elle.

Nous portons un toast au succès de Lena-Lysistrata.

CHAPITRE 86

— *Aucun jeu, je vous l'assure. Quand j'aimerai un homme, à la minute où je le saurai, je ferai tout pour lui faire plaisir, comme vous dites...*

— Sara, excuse-moi de bousiller ton inspiration, mais tu es demandée au téléphone, me dit Greta.

Absorbée par mon texte, je réponds distraitement :

— Je ne suis pas là... *et je serai tout de suite à lui...*

— C'est Sylvain Labrise, ajoute-t-elle.

Je réponds illico en déposant mon texte :

— Je le prends.

Il m'appelle de Toronto. Je suis contente qu'il soit revenu du Yukon.

— J'ai une grande nouvelle à t'annoncer, me dit-il.

Il venait de mettre le point final à sa pièce, à Marsh Lake, chez Sylvie, l'amie qui l'hébergeait. Le théâtre Ensemble de Whitehorse lui a offert le poste de directeur artistique. Un contrat inespéré et inattendu.

— Tu imagines, j'ai bondi sur l'occasion comme un fauve !

De passage à Toronto, il s'occupe de sous-louer son appartement et de régler certaines affaires. De cœur et d'argent. Il repartira le plus tôt possible.

— Je m'installe à Whitehorse. Mon logement est déjà trouvé. Et, comble de bonheur, je monterai ma pièce l'été prochain. Et toi, trésor?

L'annonce de son départ définitif pour le Yukon m'abasourdit. Je suis sans voix.

— Sara?

Je me ressaisis :

— As-tu complètement perdu le nord, Sylvain Labrise?

— Au contraire, je l'ai trouvé!

Son jeu de mots mal à propos ne me fait pas du tout rigoler. J'ajoute :

— Mais le Yukon, c'est le bout du monde!

— Trésor, on ne peut pas impunément passer à côté de son destin, déclame-t-il.

Conviction irrémédiable.

Même si nous ne nous voyons presque plus, je supporte difficilement l'idée qu'il s'en aille vivre aussi loin.

— Tu viendras me voir, me lance-t-il.

C'est ce que m'avait dit mon père en partant pour Toronto.

— Le Yukon, c'est la porte d'à côté, après tout! dis-je, cinglante.

— Et toi, tu ne m'as toujours pas dit comment tu vas? demande-t-il.

— Je jouerai Lucile dans *La Répétition ou l'Amour puni.*

— Lucile qui jouera Silvia dans *La Double Inconstance!* ajoute-t-il.

— Au fait, m'avais-tu offert la pièce de Marivaux par hasard?

— Appelons ça une coïncidence heureuse. Je te l'ai dit : on ne peut pas impunément passer à côté de son destin!

Il s'entendrait bien avec Marie-Loup, celui-là!

CHAPITRE 87

La figure blanche comme celle d'une geisha, Lena nous invite à entrer dans sa loge. Assise devant le grand miroir, elle se démaquille.

Pâmées par sa performance, Greta et moi la traitons de majestueuse, de sublime, de gigantesque Lysistrata, de bête sacrée, de monstre de scène...

Lena nous avoue se méfier des éloges et nous demande gentiment de bien vouloir modérer nos transports.

— D'accord, Lena ! Tu étais franchement pourrie ! lui dis-je, sérieuse comme une papesse.

— Sara a raison ! renchérit Greta.

Lena, cependant, ne ménage pas sa salive pour nous faire savoir qu'elle est vraiment très touchée que nous soyons venues la voir jouer et, qui plus est, lui rendre visite. Comme si c'était une faveur que nous lui accordions.

Moi qui ai connu Lena Cordeau metteure en scène exigeante et très sûre d'elle, je suis stupéfaite de découvrir une comédienne aussi humble et modeste.

Lena se réjouit que j'étudie au Conservatoire. C'est vraiment ma place, m'assure-t-elle.

Elle doit savoir de quoi elle parle, puisqu'elle est passée par là.

— Emmanuel aussi avait un vrai talent d'acteur. J'espère qu'il sera aussi bon médecin que comédien.

Greta et moi la regardons, étonnées.

— Il est en troisième année de médecine. Et il est devenu un bien beau jeune homme. De quoi avoir envie de tomber malade, ajoute-t-elle en refermant le pot de *cold cream*.

Avant-hier soir, à la même heure, on frappait à sa loge. Qui a-t-elle vu dans l'embrasure de la porte? Emmanuel Ledoux.

— Et si on allait boire un pot pour célébrer ces retrouvailles? ajoute Lena en ébouriffant ses cheveux courts et noirs.

— À propos de retrouvailles, je viens d'être frappée par un éclair de génie! s'exclame Greta en me tapant un clin d'œil complice.

Je ne vois absolument pas où ma chère coloc veut en venir.

CHAPITRE 88

7 mars

Quel était cet éclair de génie de ma très chère coloc? Plusieurs membres de la troupe de théâtre, du temps où nous étions étudiants à la polyvalente Colette, débarqueront chez nous samedi prochain.

Ces retrouvailles, quelle merveilleuse idée pour pendre la crémaillère... un peu tard mais qu'importe! Sacrée Greta! Elle a tout organisé.

Nénette Dumouchel (que nous avons failli ne jamais retrouver), Maxence Lemoine-Dumoulin, Lison Leclerc, Xavier Labelle, Marie-Soleil Roy, Dominique Marny, Monica Martinez, Bruno Lefrançois et Emmanuel Ledoux ont déjà confirmé leur présence. Jasmine Viliapando tentera l'impossible pour sortir de sa Haute-Mauricie d'adoption. Lena Cordeau viendra faire un saut après la représentation de Lysistrata.

Nous avons, hélas! complètement perdu dans la brume les autres membres de la troupe.

CHAPITRE 89

Greta sort les quiches du four, ajoute le citron au taboulé, brasse la trempette et s'apprête à agencer les crudités sur le plateau ; tout ça, presque en même temps !

Un vrai cordon-bleu, ma coloc. Efficace comme quatre dans une cuisine mais contrôlante comme dix, pour ne pas dire fatigante.

Il m'est absolument impossible de me rendre utile. Si Greta veut se démener pour deux, tant pis pour elle ! Pendant ce temps, j'apprends sans m'éreinter, en l'observant.

— Greta, je t'assure que je saurais placer des légumes dans une assiette si tu me l'expliquais !

— Non, non ! Ça va ! Je te remercie.

— Continue d'étudier en psychologie ! C'est vraiment ta voie ! lui dis-je.

La pointe d'ironie lui passe par-dessus la tête.

— Qu'est-ce que tu racontes ? me demande-t-elle distraitement.

J'abandonne l'idée de lui tirer des flèches.

— Rien, rien !

Greta a aussi concocté son fameux gâteau-mousse au chocolat, celui qui avait été le présage de notre amitié à naître. Je le lui rappelle.

Cela avait eu lieu sur la scène de l'auditorium de la polyvalente. Je célébrais mes quatorze ans. Je haïssais de tout mon cœur la fille qui jouait le rôle de ma mère dans la pièce. Elle s'appelait Greta Labelle. C'est elle qui avait cuisiné mon gâteau d'anniversaire. J'en avais été estomaquée.

Ma coloc interrompt ses grandes manœuvres pendant quelques secondes et pose sur moi un regard attendrissant.

— Avoir su! Je t'aurais acheté un muffin pas frais au dépanneur du coin! Bourré de ces raisins secs que tu détestes tant! Bon, tout y est! Non! J'ai oublié de mettre la bière au frigo. Tu t'en occupes, Sara? me dit-elle avant de disparaître sous la douche.

Je lui crie :

— Greta, tu crois vraiment que j'y arriverai?

— Tu ne peux pas me voir, Sara, mais je te fais tout de même la grimace! réplique-t-elle de la salle de bains.

J'ai tellement hâte de retrouver la *gang* de Colette. Mais... je suis énervée à l'idée de revoir Emmanuel Ledoux. Mon meilleur copain, au temps de *Roméo et Juliette*.

C'est si loin tout ça.

CHAPITRE 90

Chacun y va de son histoire de bout de chemin parcouru depuis la polyvalente.

Nénette, qui jouait si bien les nourrices dans *Roméo et Juliette*, s'apprête à devenir diététiste et attend un vrai bébé.

Maxence, toujours aussi baveux, en fera baver à ceux qui mettront des bâtons dans les roues à ses futurs clients de l'Aide juridique.

Marie-Soleil continue de mettre à profit ses talents de publicitaire dans une compagnie qui en arrache et rêve de retourner étudier en graphisme.

Dominique succédera à son père, qui avait succédé au sien, dans l'entreprise fondée par son grand-père; s'il ne se fait pas trop suer d'ici là, à cause du mauvais caractère de son patron intransigeant qu'il appelle papa.

Monica étudie l'anthropologie dans le but d'analyser les affres du manque de son pays, le Chili.

Entre deux services de hors-d'œuvre, Greta nous épate avec son vocabulaire de future psychologue en glissant, ici et là, les mots *behaviorisme* et *gestalt*.

On sonne à la porte. Incapable d'être partout à la fois, Greta a daigné me désigner à l'accueil. Je m'apprête à aller faire mon boulot quand Maxence me lance :

— Grouille-toi, Juliette! C'est peut-être Roméo.

J'ai soudain l'impression de me retrouver cinq ans en arrière : j'ai envie de mordre un jarret à Maxence.

Je suis donc bien nerveuse, tout à coup!

Des marguerites mauves. Comme celles qu'il m'avait offertes, le soir de son bal de graduation.

— Je peux entrer? demande Emmanuel en me tendant les fleurs et la bouteille de vin.

— Je vais tout de suite les mettre dans l'eau. Fais comme chez toi. Les autres sont au salon, au bout du couloir.

J'arrive dans la cuisine, devant l'évier. J'ouvre le robinet. En regardant le jet d'eau froide, je me rappelle que nous n'avons pas de vase. J'essaie de couper le ruban du paquet avec mes dents. Je n'y arrive pas. Je cherche les ciseaux. Où est-ce que Greta a pu les planquer? Dans quoi vais-je mettre ces fleurs? Le bouquet est trop gros, il n'entrera pas dans le goulot d'une bouteille de Perrier. Je prends une grosse tasse dans l'armoire.

— Ça va? me demande Emmanuel.

— Oui, oui.

— Tu savais qu'on annonçait un risque d'inondation pour ce soir? me dit-il en passant devant moi.

— Je n'en ai pas entendu parler. Mais où sont passés ces fichus ciseaux?

— Finalement ça n'aura pas lieu, me répond-il en fermant le robinet.

Emmanuel me signale du regard le dégât évité de justesse : l'évier sur le point de déborder.

Phoque!

— Tiens, c'est ce que tu cherchais?

Il me tend la paire de ciseaux qui aurait pu me sauter en pleine face. Évidemment, ça ne saute jamais.

— Merci! Tu veux une bière? Il y en a au frigo.

— Je préfère du vin. Il y a un tire-bouchon? me demande-t-il.

— Deuxième tiroir, à gauche.

J'ai l'air bête, je le sais. Je me sens gourde. Toute pognée par en dedans.

Les tiges sont trop longues pour tenir dans une tasse. C'est dommage de les couper.

— Tu es très jolie, Sara. Encore plus belle qu'au temps de Juliette, me dit-il en se rapprochant de moi.

J'évite son regard. Qu'est-ce que je peux faire? C'est plus fort que moi, même si je n'approuve pas mon attitude.

— Et vous, docteur, vous allez bien?

— Assez bien. Ça me fait particulièrement plaisir de te revoir, tu sais.

On sonne.

— Excuse-moi, Emmanuel, je suis responsable de l'accueil, lui dis-je avant d'aller ouvrir.

Je fuis mon ancien copain.

CHAPITRE 91

—Votre appartement est vraiment super, les filles! s'exclame Lena, qui vient d'arriver.

À la grande surprise d'Emmanuel, Willie saute sur le divan et s'installe confortablement sur ses cuisses.

—Il aurait intérêt à maigrir, le gros Willie! Notre future diététicienne pourrait peut-être lui préparer un régime spécial, hein Nénette? lance Maxence.

Mon chat se laisse flatter la bedaine et ronronne en étirant ses pattes de devant.

Je vais m'asseoir entre Greta et Monica. Emmanuel parle de son désir de parcourir l'Europe, l'été prochain. Il cherche mon regard mais ne le trouve pas. Nénette trace le portrait du père de son enfant. J'ai du mal à me concentrer sur ce qu'elle dit. En fait, j'ai de la difficulté à participer à notre pendaison de crémaillère. Ma mémoire déborde. Je ne réussis pas à enrayer le flot d'images et d'émotions qui déferlent dans mon esprit. Souvenirs d'il y a cinq ans.

Un bal de fin d'études. J'accompagne Emmanuel.

Notre entrée dans la salle Emma Albani de l'hôtel Enchanté fait sensation. Depuis notre triomphe dans la pièce de Shakespeare à l'école, on l'appelle Roméo, et moi, Juliette.

Nous sommes, il est vrai, d'une grande élégance, et si bien assortis. Aussi crédibles que nous l'avons été sur scène dans la peau de nos personnages.

Emmanuel laisse voir, à qui se donne la peine de croiser son regard, sa joie fulgurante de m'avoir comme cavalière.

Les regards, ce soir-là, nous les attirons comme des aimants.

L'énergie délicieuse qui se déverse à grands flots sur notre couple me captive. Après l'étonnement, je me sens gagnée par l'ivresse.

Je suis la reine de la soirée. Cela me plaît. Pour quelques heures, j'oublie que je viens d'enterrer ma mère.

— Veux-tu danser ? me demande Emmanuel en me tendant la main.

J'adore cette chanson : *Stairway to Heaven* de Led Zeppelin.

Il m'entraîne sur la piste de danse.

— Tu te rappelles, Sara ?

— Oui.

Cela s'était passé au *party* de Mandoline. J'avais trop bu, ce soir-là. J'avais trouvé Emmanuel tellement collant que je l'avais baptisé La Mouche. Moi, Sara Maringouin, j'avais dansé avec La Mouche sur cette chanson.

La Mouche est devenu mon meilleur copain.

— Je suis le gars le plus chanceux de cette salle, murmure-t-il en entourant mes épaules de ses bras.

Stairway to Heaven. Nous dansons sur cette chanson pour la deuxième fois.

Ma tête se pose entre son épaule et son cou.

Emmanuel me serre fort. J'entends battre son cœur. Je sais qu'il m'aime. Il me l'a dit, il y a quelques jours, à l'Association étudiante.

Je lui ai répondu : « Et moi, je t'aime beaucoup. »

Notre maison a été vendue. Je dois tout quitter : Montréal, Marie-Loup, la polyvalente Colette, Greta, ma nouvelle copine, Emmanuel, mon meilleur ami.

— Roméo et Juliette sont encore plus touchants vivants sur une piste de danse que morts dans leur tombeau ! lance Maxence Lemoine-Dumoulin en passant derrière nous.

Emmanuel me glisse à l'oreille :

— Tu es vraiment très belle, Sara.

Son souffle me traverse de la tête aux pieds. Le courant a surgi. Comme un éclair déchire le ciel en pleine nuit noire.

Emmanuel commence à caresser ma nuque délicatement. Le tonnerre gronde en moi. Le vent du désir se lève sur ce désert qu'est ma vie en dehors de nous, Roméo et Juliette. La bourrasque m'emporte vers les dunes aux allures de châteaux.

Le goût du plaisir, si vif, si fort, si interpellant.

Emmanuel me devine. Sans que rien paraisse, il me répond.

Maxence, alias Frère Laurent, accompagné par Greta, alias Lady Capulet, nous ont invités à terminer la soirée au bord de la rivière, chez sa mère, à Saint-François.

Nous troquons nos vêtements de bal pour des jeans ou des *leggings*.

Un feu de joie, au bord de la rivière. Les étoiles et la lune aux trois quarts pleine nous offrent un éclairage délicat et délicieux. La douzaine d'adolescents s'éparpille à proximité des flammes, par petits groupes ou par couples. Nous grillons des saucisses et des guimauves. Maxence gratte sa guitare en imitant le chanteur du groupe Harmonium :

— *Où es-tu, j'en peux plus, je ne t'entends plus...*

Il fait frais. Je grelotte. Greta distribue des couvertures.

Emmanuel va s'asseoir de l'autre côté des chanteurs. Puis il me tend une main que je prends en le rejoignant. Je m'installe entre ses jambes. Emmanuel croise ses bras sur mon ventre.

Mon front posé sur mes genoux repliés, je lui offre ma nuque. J'ai envie, j'ai hâte qu'il la touche encore.

Il nous couvre avec l'édredon.

Il respire dans mon cou, c'est chaud et doux.

Il soulève mes cheveux, y dépose un tout petit baiser.

Il serre un peu mes genoux encerclés par ses bras.

Ses mains frôlent les miennes mais ne cherchent pas à les prendre. Attendent-elles un signe ?

Je m'affole, tout à coup, à l'idée que nous en restions là ; à observer ce feu danser à l'extérieur de nous. Affolée, oui.

J'effleure sa main. Je la caresse du bout des doigts entre les jointures. La respiration d'Emmanuel se bloque pendant quelques secondes. Puis il expire par petites saccades. Il embrasse ma nuque, cette fois en entrouvrant les lèvres.

Fournaise sur le point d'exploser, je me presse alors contre lui, en tournant un peu la tête.

Ses yeux, comme les lucioles que nous venons d'apercevoir, scintillent dans la noirceur.

Je chuchote :

— Embrasse-moi.

Il soulève mon menton en penchant son visage sur le mien.

Quelqu'un siffle. L'imbécile de Maxence, sans doute.

Le baiser avale l'espace et le temps.

L'aube approche. Plusieurs de nos copains sont rentrés chez eux. Les autres dorment dans la maison.

À côté des cendres froides, je pleure ma mère morte, mon amie Mandoline introuvable, Montréal qu'il me faut quitter pour Toronto.

— Je t'aime, Sara, tu le sais, me dit Emmanuel, si gentil et si tendre, en me berçant.

— Oui.

Les mots se noient dans la rosée naissante et les larmes.

— Emmanuel, embrasse-moi encore.

Une dernière fois dans le soleil levant.

— Au revoir, Sara. C'était chouette de te revoir.

La réplique m'arrache à mes souvenirs de bal. J'ouvre les yeux. Emmanuel est sur son départ. Il raccompagne Lena, qui est exténuée. La représentation de *Lysistrata* a été particulièrement ardue ce soir.

Il me fait un baise-main chevaleresque. Lena vient m'embrasser.

— Merci d'avoir organisé cette petite fête, nous dit-elle.

— Une grande part du plaisir était pour nous, s'exclame Greta.

— Je te promets d'aller te voir jouer au théâtre, Sara, me dit Marie-Soleil.

Maxence lui lance :

— Et tu pourras toujours aller en thérapie avec Greta si ça ne tourne plus rond dans ton ciboulot.

— La bouffe était exquise, et tout à fait équilibrée. À l'exception du gâteau-mousse, dit Nénette.

Quelques rires et bises. L'appartement se vide peu à peu.

Maxence, qui avait apporté sa guitare, n'en a pas joué.

— Tout le monde est parti. Et toi, tu étais ailleurs, me dit Greta.

Je l'embrasse sur la joue :

— Je vais me coucher. Bonne nuit, Greta.

L'appartement est sens dessus dessous. Moi itou. Je ne me comprends pas.

CHAPITRE 92

Dans la boîte aux lettres, parmi les circulaires, le journal du quartier et le compte d'électricité, une enveloppe non timbrée m'est adressée.

Intriguée, je la décachette.

Sur une feuille non datée ni signée, des pattes de mouche nerveuses, difficiles à déchiffrer :

Je suis revenu de la soirée des retrouvailles un peu amer. Au milieu de tout ce beau monde rassemblé, il y avait une fille en particulier que j'avais vraiment envie de revoir. Tu la connais : elle s'appelle Sara Lemieux. Elle était présente à cette soirée. Elle était à tout le monde. Mais impossible pour moi de l'approcher. Un bloc de glace? Non. Au moins la glace, ça fond. Un mur insonorisé ou du béton armé, va donc savoir! Je n'y comprends rien (mais ce n'est pas la première fois à propos d'elle). À l'époque de Roméo et Juliette, *elle disait que j'étais son meilleur copain. Moi, je l'aimais comme un fou, cette fille-là. Je lui aurais donné la lune, mais elle n'en voulait pas. (C'est vrai qu'une lune, c'est pesant dans un sac à dos!) Elle m'avait accompagné à mon bal de fin d'études. Quelle soirée et quelle aube exquises! Peu de temps après, elle était déménagée à Toronto. Je lui avais envoyé une photo (qu'elle s'est probablement empressée d'égarer), avec un petit mot au verso. J'espérais recevoir de ses nouvelles. Elle n'en a jamais donné.*

C'était une drôle de fille. En tout cas, si tu la vois, dis-lui qu'Emmanuel... et puis non, laisse tomber! Je ne voudrais surtout pas l'achaler.

L'esprit tout à l'envers, je relis la lettre d'Emmanuel.

Moi non plus, je ne comprends pas mes réactions. Je dois avoir des atomes tordus dans la région du cœur.

J'avais hâte de revoir Emmanuel. Quand je l'ai vu, sur le seuil de la porte, avec sa bouteille de vin dans une main et ses fleurs mauves dans l'autre, j'avais envie de lui sauter au cou tellement j'étais contente.

J'ai réprimé ma joie. Comme on tire sur la laisse d'un chien énervé en lui criant sévèrement : «Au pied!»

Nous ne nous sommes même pas embrassés sur les joues.

Ça fait mal de refréner un élan. Ça fait durcir le corps. Je suis devenue raide comme une barre de fer. Un barreau de prison.

Cette soirée de retrouvailles, je l'ai passée dans un cachot. Et les souvenirs, comme des rats grouillants et affamés, me dévoraient.

Je m'en veux!

Un autre petit rongeur aux dents jaunes se faufile en frétillant dans ma mémoire.

Avant ce fameux bal, j'avais fait une folle de moi devant toute la troupe.

Un baiser. Très bon. Très long. Très mouillé.

Juliette avait embrassé Roméo, sur la scène de l'auditorium de la polyvalente Colette. J'avais vibré pour vrai.

Qui s'était abandonnée en pleine répétition? Juliette ou moi?

J'avais encore vibré, le soir de la représentation.

Je range la lettre dans son enveloppe.

— Oh! toi, Willie, regarde-moi pas comme ça!

CHAPITRE 93

27 mars

Salut, trésor,

Je voulais partager avec toi un peu de mon grand amour du Nord. Je n'ai pas choisi pour rien cette photo : le soleil de minuit. C'est ainsi que je me sens depuis que j'habite ici : éclairé, là où, avant, tout n'était que noirceur intérieure.

Je te rappelle, miss *Volcan, que j'espère avoir le bonheur de te faire découvrir mon nouveau port d'attache. Non, mieux que ça, ma terre promise.*

Et le Conservatoire, ça va ?

Je t'aime,

Sylvain

Ça me fait du bien de constater que mon grand ami ne m'oublie pas, malgré son amour pour son nouveau pays d'adoption.

Je colle la carte postale sur la porte du réfrigérateur. J'ai bien besoin, moi aussi, d'être éclairée, là où tout n'est encore que noirceur intérieure !

CHAPITRE 94

—Sara! Téléphone! me crie Greta sur un ton exaspéré. Je n'avais même pas entendu sonner.

Il y a des jours où ma coloc est à prendre avec des pincettes. Elle se dit sans doute la même chose à propos de moi.

—Je ne suis pas ta secrétaire! Tu n'es pas la seule, ici, qui étudie! ajoute-t-elle, comme je m'empare du combiné.

Je hoche la tête affirmativement. Je n'ai pas le temps ni l'envie de me chicaner.

Greta claque les talons et retourne dans sa chambre.

—Allô... Sara?

Je m'écrie :

—Enfin!

Au bout du fil, une voix fragile. Je ferme les yeux. J'essaie d'imaginer son visage après toutes ces années.

Je lui dis que j'ai tenté de la retrouver mais en vain.

—Notre numéro de téléphone est confidentiel, me dit-elle sur un ton neutre.

Elle me donne rendez-vous. Je note l'adresse. Ça me démange de lui demander pourquoi elle n'a pas répondu à ma deuxième lettre, et pourquoi elle a mis autant de temps avant de m'appeler.

— C'est important que tu viennes. Pour l'instant, je ne t'en dis pas plus, ajoute-t-elle.

— Tu peux être sûre que j'y serai, lui dis-je, enthousiaste à l'idée de la revoir.

Elle met fin aussitôt à notre entretien. Mes questions restent en suspens.

Je raccroche, curieuse et perplexe.

Chère Mandoline! En cinq ans, elle n'a pas perdu son goût pour le mystère.

CHAPITRE 95

Je mets les pieds dans un sous-sol d'église pour la première fois de ma vie. Mandoline doit être sérieusement en danger pour m'avoir donné rendez-vous dans un endroit pareil. Elle tente peut-être désespérément d'échapper à ses agresseurs encore une fois.

Un grand frisson traverse ma colonne vertébrale.

Une flèche dessinée sur un carton indique qu'une réunion des Alcooliques Anonymes a lieu en bas.

Je descends l'escalier, pas du tout rassurée, et longe le corridor en regardant derrière moi à tout bout de champ. Nulle trace de Mandoline.

Et si elle n'avait pas pu se rendre? Elle a peut-être été suivie. Ces crapules de la brume l'ont peut-être embarquée de force pour l'obliger à retourner travailler pour eux.

Quelqu'un me suit. Je n'ose pas me retourner. Il passe devant moi, fait quelques pas puis s'arrête.

Et si c'était l'un des types...

— Tu cherches la salle de réunion? me demande-t-il en souriant.

Soulagée, je réponds :

— Non, non, j'attends quelqu'un.

— Si jamais tu changes d'idée, c'est la première porte à gauche, ajoute-t-il avant de poursuivre son chemin.

Cul-de-sac. Je me retrouve devant cette porte ouverte.

— Bonsoir, je m'appelle Michel. Je te souhaite une bonne soirée, me dit un homme d'une trentaine d'années.

Il me serre chaleureusement la main alors que je n'ai pas du tout l'intention de pénétrer dans cette salle.

— Moi, c'est Madeleine, bienvenue.

— Salut. Moi, c'est Pierre.

Ils me donnent tous une poignée de main très énergique. Quel accueil!

Ils sont très gentils, mais je ne me sens pas du tout à ma place. En réalité, j'ai peur qu'ils ne pensent que je suis une alcoolique venue chercher de l'aide.

— Ah, Sara! Tu es venue! Merci! me dit Mandoline, qui a surgi au milieu du comité d'accueil.

Ouf! Je décompresse. Quand je pense au scénario que j'avais imaginé, je me trouve tellement nounoune!

Elle m'embrasse sur les joues. Nous sommes intimidées. En plus, nous bloquons l'accès aux nouveaux arrivants. Mandoline me prend par la main et m'invite à la suivre.

— Veux-tu un café? des biscuits? me demande-t-elle comme nous passons devant une table garnie d'une cafetière, d'une bouilloire, de verres de plastique, de boîtes de tisane et de serviettes en papier.

Je fais signe que non. Je suis encore sous le choc. Si ce n'était sa voix, je ne reconnaîtrais pas mon ancienne amie du secondaire. Cette fille aux cheveux très courts et sans maquillage porte un jeans pas du tout ajusté, une chemise blanche et des chaussures de sport. Elle est à des années-lumière de l'imitation de Marilyn Monroe que je côtoyais les derniers temps, à la polyvalente Colette.

Elle me sourit. Je la trouve belle et élégante.

— J'aime ton nouveau *look*, lui dis-je.

Elle éclate de rire. Elle se rappelle sans doute, elle aussi, le temps où elle s'habillait de la façon la plus excentrique et la plus colorée possible.

— Viens que je te présente, ajoute-t-elle en m'entraînant par la main.

Je suis frappée par les différences qui caractérisent le public de cette salle : hommes, femmes, jeunes, moins jeunes, vieux, élégants, mal accoutrés, costauds, *sexy*, efféminés, bronzés, blêmes...

Nous allons nous asseoir du côté des non-fumeurs, dans la première rangée.

Face à nous, une jeune femme très belle et un homme aux cheveux grisonnants sont assis à une table. La jeune femme annonce le début de la réunion à l'aide d'une petite cloche :

— Bonsoir, je m'appelle Claire et je suis une alcoolique, dit-elle avant de lire le préambule de bienvenue.

Mandoline presse ma main et me dit à l'oreille :

— Je suis si contente que tu sois venue ! Tu ne peux pas savoir.

Puis elle ajoute, après quelques secondes :

— Ça me fait tellement bizarre de te voir.

Les membres récitent en chœur une prière : «Mon Dieu, donne-moi la sérénité d'accepter les choses que je ne puis changer, le courage de changer les choses que je peux et la sagesse d'en connaître la différence.»

En entendant parler du bon Dieu, j'éprouve de nouveau un malaise. Je me demande si je n'ai pas affaire à des fanatiques. Mandoline est peut-être tombée dans le piège d'une secte.

Je me dis de respirer par le nez et d'arrêter d'imaginer la vie comme un scénario de thriller. Oui, mais pourquoi Mandoline n'a-t-elle rien voulu me dire au téléphone ?

Claire passe la parole au secrétaire puis au trésorier. Ce dernier fait circuler deux pochettes en tissu. Les membres y déposent discrètement leurs contributions pour subvenir aux besoins du groupe.

Je m'apprête à ouvrir mon porte-monnaie. Mandoline me dit de laisser faire :

— Tu es une invitée.

— Cinq minutes de pause-café, dit la présidente.

Pourquoi Mandoline m'a-t-elle donné rendez-vous ici? Je me sens vraiment dépaysée, mais je me rappelle que je suis venue parce qu'elle m'a dit que c'était très important pour elle.

— Sara, je te présente Claire, ma marraine AA. C'est elle qui me ramasse à la petite cuillère quand mon moral se liquéfie!

La présidente de l'assemblée me sourit et m'embrasse :

— Ça me fait très plaisir de te rencontrer, Sara! dit-elle en gardant mes mains dans les siennes.

Claire doit avoir environ vingt-cinq ans. Son regard est clair comme son prénom, son grain de peau, lumineux, et sa voix très douce. J'ai beaucoup de mal à croire que cette jeune femme ait trempé dans les bas-fonds de l'alcool.

— Je dois retourner à mon poste. À plus tard! nous dit-elle.

Elle embrasse Mandoline avant de retourner s'asseoir en avant.

Mandoline se mordille les lèvres. Visiblement, la nervosité la démange. L'homme assis à sa droite lui frotte le dos en lui répétant :

— Lâche prise et aie confiance! Tu n'es pas ici pour performer!

Mandoline appuie sa tête sur son épaule. Il lui flatte les cheveux.

— Le moment est venu de vous présenter la conférencière invitée, dit la présidente. C'est une fille que j'aime énormément. Elle est courageuse, sensible. Je sais qu'elle est très nerveuse en ce moment, puisqu'elle partagera son expérience pour la première fois, ce soir. Moi, je ressens une grande joie à l'idée de l'entendre et je m'empresse de lui laisser la parole. Voici Mandoline.

Je comprends à présent pourquoi Mando était si énervée.

Elle va s'asseoir en avant. Seule. Elle prend une grande respiration en se tordant les mains. Moi aussi, tout à coup, je suis nerveuse.

CHAPITRE 96

« *B*onjour, je m'appelle Mandoline T., et je suis une alcoolique. J'ai vingt ans.

Je suis l'aînée d'une famille monoparentale de deux enfants. Mon père a pris la clef des champs quand ma sœur Aude est née. Nous n'avons pas eu de ses nouvelles depuis. Ma mère a fait une grosse dépression et n'a pas cessé de se gaver de pilules, même après avoir été soi-disant guérie.

À sept ans, j'apprends à écrire en lettres attachées, je change les couches de ma sœur et je lui donne son biberon. Je me suis fait une promesse : je ne serai pas comme ma mère. Papa l'a sûrement plaquée parce qu'elle n'était jamais contente de lui. Moi, je serai terriblement gentille !

Je suis certaine que mon père reviendra. Un jour ou l'autre, il va bien s'apercevoir que je lui manque et qu'il ne peut pas vivre sans moi.

Mais il ne revient pas. Et je me demande : « Qu'est-ce que j'ai fait de PAS CORRECT pour qu'il m'abandonne ? »

Je commence à me déguiser. Je prends un plaisir fou à emprunter les souliers, les robes et le maquillage de ma mère. Je joue à la patiente et au docteur avec Olivier, le fils de Marcel, le nouveau chum de maman. Mais Marcel disparaît, lui aussi. Avec Olivier, bien sûr. Quand je comprends que je ne les reverrai plus, je me réfugie dans ma chambre et je pleure, en frappant mon front sur le mur, de plus en plus fort. Comme d'habitude, ma mère est complètement engourdie par ses pilules et ses téléromans. Ou bien elle fait semblant de ne pas m'entendre. Aude, qui a trois ans, arrive à côté de mon lit et me dit :

— Poûquoi, Mandoline, tu te fais un gros bobo?

Je crie à ma sœur de s'en aller. J'ajoute que je l'haïs.

Puis je vois cette petite fille, à deux pas de moi, terrorisée. Elle reste là et elle pleure. Mon front me fait mal. Je prends Aude par la main et je la reconduis dans sa chambre.

Pour me faire pardonner d'avoir été aussi méchante avec elle, je lui dis :

— OK, je vais te raconter une belle histoire?

Elle réclame Cendrillon, et s'endort, la main agrippée à mon bras.

J'ai quatorze ans la première fois que je pique du Valium à ma mère. Je suis au secondaire et je retrouve beaucoup de plaisir à jouer au docteur et à la patiente avec les gars de la polyvalente. Je n'ai pas oublié la promesse que je m'étais faite quand j'avais sept ans : moi, je ne serai pas celle qu'on jette comme une paire de vieilles pantoufles pour aller se chausser ailleurs! Si je couche avec des apprentis princes, je ne m'en amourache pas! Avec des Valium, du hasch et un peu de bière, c'est plus facile.

Puis, comme dans tout conte de fées, un prince, un vrai, celui qui fait tout basculer, finit par se pointer. Il a de l'expérience, les tempes grises et beaucoup d'argent. C'est LUI! Je le reconnais. Il a simplement troqué son cheval blanc pour une Porsche rouge.

Il m'offre de la lingerie fine, des bas de soie et des jupes en cuir. Il m'emmène dans les grands restaurants. Nous buvons les meilleurs vins, rien de moins!

Un prince m'aime; je peux enfin oublier que je suis la fille abandonnée d'une Cendrillon abandonnée. Pour tirer un trait sur mon enfance malade, mon prince m'offre ma première ligne de coke. À l'école, mes notes baissent, mais je m'en fous. Un prince m'aime.

La féerie dure quelques mois. Le temps qu'il faut au prince pour bercer d'illusions la princesse que je crois être.

Un beau soir, mon prince me dit qu'il m'a beaucoup gâtée, mais qu'à partir de maintenant ça ne sera plus possible.

Je dois tirer un trait sur mon enfance malade! À tout prix! Mais la neige dont j'ai besoin ne tombe pas du ciel. Et j'aime tellement mon prince. À présent, ne serait-ce pas à mon tour de faire ma part? J'ai un corps de petite déesse et le regard de Marilyn Monroe. Je coupe mes cheveux bruns et les teins platine. Mandoline devient Lilas. Et elle se déshabille devant les clients d'un bar. Je ne suis évidemment pas l'unique princesse à danser dans le harem du prince Gerry.

J'abandonne l'école. Je disparais de la circulation. J'ai quinze ans. Au début, l'enfer ressemble à un château.

Malgré la coke, j'ai de plus en plus soif. Et je bois. Du whisky. Beaucoup de whisky. La descente est rapide.

J'aurai bientôt dix-huit ans. Encore gelée de la veille, j'entre dans un grand magasin. Je sais que je dois m'acheter des bas de nylon. Je demande à une fille derrière le comptoir de cosmétiques: «Où est le rayon des jouets?»

Après, c'est un peu flou. Je m'apprête à sortir du magasin. On me prend par l'épaule et on me demande d'ouvrir mon manteau. Je dis à l'assistant-gérant: «Tu crois vraiment que je vais me déshabiller pour tes beaux yeux? Eh non! Il faut payer!»

Une femme à côté de lui me jette un regard méprisant. Le petit ours en peluche que j'avais planqué dans mon manteau tombe par terre. Je me penche pour le ramasser, mais la femme me devance: «Espèce de voleuse! Tu ne croyais tout de même pas qu'on allait t'offrir un toutou pour tes beaux yeux?»

Ils m'emmènent dans un bureau. La police arrive. Je ne suis pas encore majeure. On démantèle le réseau de prostitution auquel j'appartiens. On arrête le prince Gerry. On m'expédie illico dans un centre de désintoxication. J'envoie promener le psychologue. J'ai besoin de tirer un trait sur mon enfance malade. Besoin de coke et de whisky. On m'impose le sevrage. J'en rage. J'en bave. Je veux mourir. Un souvenir que je croyais à jamais enfoui refait surface. Je ne veux pas. Je lutte contre lui, mais rien n'y fait. Il me poursuit, la nuit, dans mes rêves : le gentil monsieur très élégant et bien élevé, follement amoureux de maman.

Il n'a fait que passer dans notre vie, le temps d'un été. Le temps de nous emmener en croisière dans les Antilles : ma mère, ma sœur et moi.

Un soir, sur le bateau, alors que maman était assommée par les cocktails exotiques et les tranquillisants, et que ma petite sœur dormait comme un ange, le monsieur si généreux est venu me rejoindre dans la cabine, sur la pointe des pieds en faisant « Chut! ».

Tout s'est passé très vite. Tellement vite que ce serait facile à oublier. Et j'oublie.

Puis un après-midi de pluie, dans le bureau du psy, je craque. Je pleure et je crie : « Maman! Je veux ma maman! »

Peu après, je me retrouve parmi une gang d'illuminés qu'on appelle les AA. Je lève le nez sur ces imbéciles qui affirment s'en remettre à une Puissance supérieure. Plusieurs l'appellent Dieu, mais ce n'est pas essentiel, me dit-on. Ils me font suer avec leurs DOUZE ÉTAPES qui leur assurent un bonheur désalcoolisé au-delà de toute espérance! Après tout, ces éclopés affectifs ne font que déplacer le problème : échanger leur béquille spiritueuse pour une spirituelle! Mais ces rescapés du fond de l'abîme, que je juge en silence, m'ouvrent leurs bras et leur cœur, sans jamais rien me demander en retour.

Ils me disent : « Reviens! »

Ils m'énervent, mais je reviens. À reculons, mais je reviens; parce que je n'ai rien à perdre. J'ai déjà tout perdu, à commencer par ma dignité.

Je reviens aussi pour une autre raison : je suis de plus en plus jalouse de la sérénité de certains membres!

Je suis de moins en moins obsédée par la bouteille et la neige.

Qui est cette Puissance supérieure? Peut-elle vraiment m'aider? On me suggère de lui confier ma volonté et ma vie. Je ne sais pas qui elle est ni même si elle existe, mais je décide d'essayer. Au cas où!

Je commence juste à croire que je mérite d'être heureuse. J'ai encore beaucoup de chemin à faire. Mais être heureux, il paraît que cela s'apprend!

Un soir, une membre qui me tombe royalement sur les nerfs me dit : «Mandoline, rappelle-toi comme tu te détruisais avec acharnement. Tu te rends compte de tout ce que tu pourras accomplir quand tu utiliseras cette énergie pour te faire du bien?»

Je lui réponds :« Va donc jouer à la mère avec quelqu'un d'autre, connasse! Je t'ai rien demandé!»

Rien n'empêche que, dernièrement, je me suis inscrite à l'Éducation des adultes pour terminer mon secondaire... un jour à la fois. Et, à ma grande surprise, ce n'est pas aussi difficile que je l'avais imaginé.

Quelques mois plus tard, cette même membre AA, que j'avais traitée de conne, est devenue ma marraine. Je l'aime vraiment beaucoup maintenant.

Quand elle m'a demandé de témoigner, j'ai beaucoup hésité. J'ai fini par accepter parce qu'elle m'a juré que mon témoignage pourrait en aider d'autres, à commencer par moi-même.

S'il y a des nouveaux, ce soir, dans la salle, qui se demandent ce qu'ils sont venus chercher ici, je vais vous dire, au risque de vous faire suer : « Revenez!» Une chose est sûre, vous trouverez de l'amour, de l'accueil et de la compréhension. Sans avoir à faire d'acrobatie!

J'ai souvent montré mon corps à des inconnus, mais je n'avais jamais mis mon cœur à nu devant une assemblée d'amis; ça me fait vraiment tout drôle!

Je pense que je vais terminer là-dessus. Je vous remercie de m'avoir écoutée. »

Les membres applaudissent. L'air gêné, Mandoline se lève et vient se rasseoir à côté de moi. Son récit m'a bouleversée. Je ne sais pas quoi lui dire. Simplement que je l'aime encore plus qu'avant.

Ma main prend la sienne.

— Tu es toujours aussi braillarde, me dit-elle en embrassant ma joue mouillée.

CHAPITRE 97

Je suis la proie d'un trac fou. L'heure d'entrer en scène va sonner. J'aurais voulu que Sylvain soit là. C'est lui qui m'avait donné la réplique lors de mon audition. C'est avec lui que je l'avais préparée. Sa confiance en moi, inébranlable, avait réussi à faire taire ma grande terreur intérieure.

Ce soir, je jouerai pour la première fois en public, sur la scène du Conservatoire. Mon prof et mon ami me manquent.

*

— Tu étais merveilleuse, me dit François-Martin en effleurant mon épaule du bout de son doigt.

C'était pas mal, mais loin d'être parfait. J'ai manqué une réplique. Je m'en voulais. J'ai failli bafouiller et me suis reprise de justesse. Ensuite, j'ai réussi à m'éclipser derrière Lucile. Il était temps !

FM cherche mon regard pour y déverser son charme grandiloquent.

Il m'exaspère. J'ai envie de lui balancer : « Si tu es bien avec Véronique, reste avec elle et laisse-moi tranquille ! »

Je ne dépense pas une once de salive pour ce coureur de jupons.

Main dans la main, Marie-Loup et son cher Octave entrent dans la loge, suivis de Greta. Je me lève et vais à leur rencontre.

Ils me félicitent. J'accepte leurs compliments, même si je pense qu'ils sont exagérés.

Je propose qu'on aille prendre un pot. Ma tante et son amoureux me remercient mais déclinent aussitôt l'invitation. Greta dit qu'elle réfléchit à la question.

— Moi, je ne demande pas mieux que de t'accompagner.

L'apparition soudaine d'Emmanuel dans la loge me stupéfie.

— Tu étais dans la salle?

— Pour rien au monde je n'aurais manqué ta première prestation au Conservatoire, s'exclame-t-il en me tendant un petit bouquet de marguerites mauves.

Comme celles qu'il m'avait offertes à son bal et à notre pendaison de crémaillère.

— Décidément, tu as de la suite dans les idées, lui dis-je en regardant les fleurs.

— Peut-être encore plus que tu ne penses, répond-il, le regard grave.

Finalement, Greta préfère retourner à son dernier travail de fin de session, qui l'empêche de dormir depuis des lunes.

— Mais tu l'as terminé la nuit dernière! lui dis-je.

— Je veux le réviser une ultime fois avant de le remettre, précise-t-elle.

— J'adore les *partys* de famille. Je peux me joindre à vous? demande FM en me regardant.

— Désolé, mon chou, tu n'y es pas du tout; c'est à un tête-à-tête que je suis conviée, lui dis-je en prenant le bras d'Emmanuel.

Eh! que ça m'a fait plaisir de lui balancer cette réplique!

CHAPITRE 98

Emmanuel dépose son verre de bière en jetant un regard vers la piste de danse. Une fille très jolie, *sexy* surtout, le remarque. Elle se déhanche, se penche légèrement en avant, laissant entrevoir sa camisole de dentelle noire sous sa blouse déboutonnée. Emmanuel n'y est pas insensible. Mon pouls s'accélère. Je vois rouge. Non, orange flamme ! Et ça me brûle les tempes. J'ai envie de sacrer mon camp.

Je me lève.

— Où vas-tu ? me demande Emmanuel.

— Me défouler.

Je me noie dans la foule grouillante, la fumée et la musique. Je dois jouer du coude pour trouver un espace sur la piste bondée.

Je ferme les yeux. La musique m'emporte. Je crie en gestes mon malaise bouillonnant que je ne m'explique même pas. Je me déchaîne. Tassez-vous, je danse !

Quelqu'un écrase malencontreusement mon pied droit. J'ouvre les yeux, prête à lui mordre un jarret.

— Excuse-moi, fait Emmanuel en posant sa main sur ma taille.

Je suis déstabilisée pendant quelques secondes puis je me ressaisis.

— J'ai soif, dis-je en quittant la piste.

Je retourne m'asseoir. Emmanuel me rejoint. Je cale mon eau Perrier puis prends un glaçon au fond du verre. Je le fais glisser lentement sur mon front, mes tempes, mon cou. Emmanuel m'observe en souriant.

— Ça fait du bien. Tu en veux un? dis-je en lui tendant mon verre.

Il me fait signe que non. J'ai le bout des doigts gelés. Je dépose la pépite de glace dans le cendrier.

— Sara?

— Quoi?

Nous devons hausser la voix pour réussir à nous comprendre.

— L'endroit n'est pas très approprié pour parler. On va au café d'à côté? demande-t-il en s'approchant.

— D'accord.

*

Pourquoi ne lui ai-je jamais donné de mes nouvelles lorsque j'étais à Toronto? Il a tenté de décortiquer mon silence obstiné mais en vain. Il m'en a voulu longtemps. Il a même essayé de me détester.

— De toutes mes forces, je t'assure. Mais ça n'a pas marché, me dit-il.

Il n'a pas davantage compris ma froideur lors des retrouvailles de la troupe.

Les aveux d'Emmanuel me soulagent.

— Je ne me comprends pas moi-même. Du moins, pas complètement. Je crois que j'ai eu honte de mon comportement, et le malaise a pris le dessus. Et puis, j'étais complètement dépassée par les événements.

Il me rappelle qu'à l'époque il était mon meilleur copain.

— Je sais, lui dis-je.

Je lui rappelle qu'à l'époque je perdais ma mère.

— Je sais, me dit-il.

Nous nous sourions.

— Je suis content que nous ayons eu cette discussion, Sara.

— Moi aussi.

Il regarde sa montre.

— Il va falloir que j'y aille. Je dissèque un cadavre très tôt demain matin.

J'ai la chair de poule.

— Tu veux que je te dépose ? me demande-t-il.

— Ce n'est pas nécessaire, j'habite à deux pas, lui dis-je.

— Bon, fait-il en se levant.

Je lui emboîte le pas.

Nous quittons le café en silence.

— Merci d'être venu me voir jouer, lui dis-je en l'embrassant sur la joue.

— L'autre est toujours aussi jalouse, ajoute-t-il en souriant.

Je suis gênée tout à coup.

Il attend.

J'embrasse son autre joue. La peau est douce et sent bon.

— Bonne nuit, Sara.

Il s'en va.

Je suis perplexe en marchant jusque chez moi.

Sur le point d'ouvrir la porte de l'immeuble, je me rends compte que j'ai oublié le bouquet de marguerites mauves. Est-ce au café, au bar ou dans la loge ?

Je retourne sur mes pas. Je ne trouve pas mes fleurs, ni au café ni au bar. Et je ne me rappelle pas leur avoir donné à boire dans la loge.

CHAPITRE 99

7 juin

Déprime after sprint.

*D*epuis *l'exercice public de* La Répétition ou l'Amour puni, *mon moral bat de l'aile. Moi qui ne manque jamais les soupers hebdomadaires avec Marie-Loup (c'est sacré), j'ai annulé celui d'hier. Inquiète, ma bonne marraine a aussitôt accouru à l'appartement, malgré sa sacro-sainte horreur du trafic à l'heure de pointe. Elle m'a apporté sa fameuse végé-tourtière du lac Saint-Jean que j'aime tant. Impossible d'en avaler la moindre bouchée. En voyant ma mine défaite, ma chère tante a fortement insisté pour que je me repose.*

Ma première année de Conservatoire accomplie, mes idées vont dans toutes les directions. C'est l'anarchie totale dans ma tête. Mon père s'attend à ce que j'aille passer l'été à Toronto. Je m'ennuie de lui et de Rosamund, mais je ne me vois pas retourner vivre là-bas pendant trois mois. Qu'est-ce que je ferai de mon été? Ai-je envie de rester à Montréal? Pour y faire quoi? Travailler? Quel genre d'emploi? Grâce à l'héritage que m'a légué ma mère, je suis financièrement à l'abri. Oui, mais ce n'est pas une raison pour le dilapider. Oui, mais j'ai besoin de refaire mes forces avant d'entreprendre la deuxième année au Conservatoire. Oui, mais...

Ça suffit !

Je me cloue le bec.

Je range mon journal.

Comme un automate, je me dirige vers le réfrigérateur, ouvre la porte puis la referme aussitôt. Je n'ai même pas faim.

La carte postale que Sylvain m'a envoyée tombe sur le plancher. Je la ramasse, la remets en place, puis marche jusqu'à la porte arrière. Je l'entrouvre. Dehors, le soleil a déployé tous ses rayons.

Prendre l'air. Me changer les idées. Tenter de les éclaircir, plutôt. Bonne idée.

*

Je me promène dans le Vieux-Montréal, sans autre but que d'essayer de me détendre.

J'ai fait si souvent le trajet à pied entre l'appartement et le Conservatoire, sans remarquer ce qui se trouve entre les deux points. Tellement habituée à gérer (planifier, organiser, occuper) mon temps en fonction d'un objectif à atteindre. Et je ne suis pas la seule. Autour de moi, tout le monde court après le temps, comme des chats après leur queue. Quand Willie court après la sienne, il s'amuse comme un petit fou, lui ! Moi, je cours, et une fois bien essoufflée, je chiale un bon coup, et je me remets au pas.

— Salut, belle mademoiselle ! me crie un travailleur qui n'a pas mieux à faire que d'achaler les passantes solitaires.

Je prends soin d'éviter son regard.

Ma mère courait tout le temps. Même en vacances.

En congé, moi, qu'est-ce que je fais ? Je m'empresse de m'énerver à propos de ce que je devrai faire.

— Mais pourquoi tu dis pas bonjour ?

Je ralentis le pas, m'arrête et tourne la tête en direction des voix qui m'interpellent. Près du panneau-réclame qu'ils viennent d'installer, quatre hommes ramassent leur matériel et le rangent dans un camion.

Je traverse la rue. De l'autre côté, la gigantesque annonce de chaussures italiennes que ces hommes ont installée me saute aux yeux :

MÊME LE PLUS LONG DES VOYAGES
COMMENCE PAR UN PREMIER PAS

Je poursuis ma route en répétant ce slogan comme un mantra : «Même le plus long des voyages commence par un premier pas.»

Et la lumière jaillit !

Je sais, à présent, ce que je ferai de mon été. Oh oui ! Je le sais !

CHAPITRE 100

—Le Yukon ? s'exclame mon père.

Mon projet le surprend.

— Subit comme décision, non ? me dit-il.

Je réplique :

— Ça arrive à point.

Silence au bout du fil.

— Tu tiens peut-être de Fifine dite La Douce. Après tout, son sang coule dans tes veines, ajoute-t-il.

Fifine dite La Douce ? Mais de quoi parle-t-il ?

— Il y a une cent-vingtaine d'années, au bout d'un rang, à L'Épiphanie, Zifirine Ladouceur voyait le jour. Dernière-née d'une famille nombreuse, elle n'était pas du tout pressée, contrairement à ses sœurs, de prendre mari.

— Papa, où veux-tu en venir ?

— Quand tu étais petite, Sara, tu adorais que je te raconte des histoires, répond-il.

Je m'adoucis :

— Excuse-moi, continue, lui dis-je.

— Après avoir refusé quelques demandes en mariage tout à fait respectables, Zifirine la rebelle partit à l'aventure. Elle croyait mordicus à sa bonne étoile et s'empressa de la suivre. Malgré l'interdiction de ses parents.

— Je ne te suis toujours pas, mon cher père.

Et je pense que cet interurbain me coûtera les yeux de la tête.

— C'était l'époque de la ruée vers l'or, ajoute-t-il.

Je commence à allumer.

— La jeune Québécoise, qualifiée par sa famille de folle à lier, devint danseuse de french-cancan dans un saloon de Dawson City, au Yukon.

Je suis soudain très intéressée par cette histoire.

— Ensuite ?

— Pendant ce temps, un jeune Montréalais, écœuré des piètres conditions de vie que lui offrait sa ville natale, choisit de se faire chercheur d'or. Il s'appelait Orgile Lemieux.

— Ton arrière-grand-père ?

— Tu as tout compris.

Un soir de désespérance, Orgile franchit la porte du Crazy Whitehorse pour se distraire un brin. Après sa longue quête éperdue, toujours sans résultat, il avait bien mérité de se désaltérer le gosier et de se rincer l'œil au moins un peu. Il avait ouï dire que de ben belles filles agrémentaient l'endroit.

Il assistait au spectacle quand il la vit apparaître, elle, Fifine dite La Douce, gracieuse comme une gazelle sur la scène du saloon. À cette minute précise, il se jura de l'épouser.

Puis, comme par magie, il lui sembla que la jeune femme ne dansait que pour lui. Ce qui était vrai.

Orgile et Zifirine s'épousèrent presque aussitôt.

Une ombre au tableau : Fifine se mit à dépérir. Elle souffrait de la fièvre des cabanes : déprime engendrée par les trop longs hivers yukonnais.

Le jeune couple revint donc au pays, sans la moindre pépite d'or en poche, mais avec un polichinelle dans le tiroir.

Fifine avait coutume de dire : «Quand Orgile a rencontré sa perle rare, il a cessé de chercher de l'or !»

Orgile et Zifirine donnèrent le jour à Gatien, grand-père de mon père, qui raconta cette page d'histoire et d'amour à Marc, son petit-fils, qui vient de me la raconter à son tour.

Et moi, Sara Lemieux, arrière-arrière-petite-fille de Zifirine, je m'apprête à marcher sur ses traces! J'en ai des frissons.

Captivée, je veux tout savoir de cette ancêtre.

— Je sais peu de choses à propos d'elle, sinon qu'elle est morte en mettant au monde son septième enfant, me dit mon père.

Il ne reste de la belle Fifine aucun souvenir. Tout a brûlé dans l'incendie qui a détruit la maison qu'avait construite Orgile.

— Et qu'est-il advenu d'Orgile?

Après avoir perdu sa perle rare, il s'est tourné vers la bouteille. Pour oublier. Mais il n'a jamais oublié.

— Je suis tout de même déçu, Sara, que tu t'éloignes encore davantage cet été, ajoute mon père.

Ne tenais-je pas le même discours à Sylvain il y a quelque temps?

Touchée, je promets à mon père d'aller l'embrasser avant de poursuivre ma bonne étoile jusqu'au Yukon, chez mon ami Sylvain.

CHAPITRE 101

— Es-tu bien certaine de n'avoir rien oublié ? me demande Greta, toujours aussi maternelle avec moi.

Après avoir vérifié mes bagages pour la troisième fois, je réponds, absolument sûre et certaine :

— J'ai tout ce qu'il me faut.

À côté de la porte d'entrée, Willie me regarde avec ses grands yeux tristes.

— J'aimerais bien t'emmener, mon gros minou, mais c'est impossible, lui dis-je en le prenant dans mes bras.

— Ne t'inquiète pas, nous nous débrouillerons très bien, tous les deux, m'assure Greta.

On frappe à la porte. Greta ouvre.

— La chauffeuse de madame est arrivée, lance Marie-Loup en entrant.

Ma tante m'embrasse et s'empare de mon bagage à main. Le cœur gros, je dépose Willie sur le plancher. Je fais la bise à Greta. Elle me souhaite le plus beau des voyages tout en m'aidant à mettre mon sac à dos en place.

— Willie, s'il te plaît, arrête de me regarder comme ça.

Susceptible, mon chat me tourne le dos et s'en va, la tête basse, dans ma chambre probablement.

Ça me fend le cœur de l'abandonner.

— Il faut y aller, ma belle, me rappelle Marie-Loup.

Une fois dans l'escalier, je m'écrie :

— Greta, me prêtes-tu *L'Amant* de Marguerite Duras ?

— Je le savais que tu avais oublié quelque chose, réplique ma chère coloc avant de disparaître dans l'appartement.

En moins de trente secondes, elle est de retour sur le palier. Elle me tend le livre en me faisant promettre de ne pas plier les pages.

— Oui, maman Greta !

Mon amie me montre son poing, embrasse ses doigts, ouvre la main et souffle sur le baiser dans ma direction.

Assis dans l'embrasure de la porte, Willie semble me sourire.

CHAPITRE 102

27 juin, aéroport de Dorval

J'attends l'annonce de l'embarquement pour le vol de Vancouver via Toronto. Avant de venir m'installer au café, j'ai téléphoné chez Emmanuel. J'ai essayé plusieurs fois de le joindre depuis une semaine, mais je suis toujours tombée sur son répondeur. Je n'ai pas laissé de message. Je lui enverrai une carte postale du Yukon. Peut-être est-il en train de parcourir l'Europe.

Je suis très excitée d'entreprendre ce voyage. J'ai très hâte aussi de faire la bise à mon père. Nous aurons peu de temps pour nous voir, mais c'est mieux que rien.

Ça y est. Je dois y aller !

CHAPITRE 103

Après avoir fait escale à Toronto, traversé les plaines, savouré les pics des Rocheuses et changé de vol à Vancouver, je débarque enfin au Yukon.

Fatiguée par ce long trajet, excitée d'être arrivée, impatiente de revoir Sylvain, je cherche ce dernier parmi les gens venus accueillir les passagers.

Le petit aéroport de Whitehorse se vide. Je commence à m'énerver.

— Sara ?

Je fais signe que oui à la fille qui vient de m'aborder, en me demandant pourquoi mon ami ne s'est pas empressé de venir à ma rencontre.

— Je suis Sylvie, une amie de Sylvain.

Accaparé par les répétitions, ce dernier a demandé à une copine de s'occuper de moi. Ça commence bien !

— La première de sa pièce aura lieu dans une semaine. Tu sais ce que c'est...

— Oui, oui.

— On y va ? me dit la copine en déposant mon sac à dos qui pèse une tonne sur le chariot à bagages.

Un peu-beaucoup-énormément déçue par l'attitude de mon vieil ami, je fais mes premiers pas en territoire yukonnais aux côtés d'une inconnue aux yeux immenses, au regard et au sourire très doux.

Sylvie a beau porter un jeans et un coton ouaté, et parler français avec le plus pur accent de chez nous, j'ai la curieuse impression d'avoir affaire à une gitane d'une autre époque.

En démarrant son camion, cette gitane du Nord m'annonce qu'elle se fait un plaisir de m'héberger à Marsh Lake.

Ah bon! Je ne logerai même pas à Whitehorse, chez Sylvain? De mieux en mieux!

CHAPITRE 104

La gitane du Nord m'offre du thé. Moi qui n'en bois jamais, j'accepte la tasse qu'elle me tend.

Elle m'invite ensuite à la suivre sur le balcon avec vue sur le lac. Nous nous assoyons dans les marches de l'escalier.

Il est tard, il fait clair, le ciel est rose et le silence, total.

Tout bonnement, je demande à mon hôtesse :

— Pourquoi vient-on vivre au Yukon, au fin fond des bois et sans aucun voisin à l'horizon ?

Sylvie me regarde droit dans les yeux. Elle prend une gorgée de thé. S'accorde-t-elle un moment de réflexion afin de décider si elle va me répondre ou non ? Je me sens un peu mal à l'aise, à présent, de lui avoir posé cette question.

Elle me sourit en déposant sa tasse à côté d'elle.

— Après une fausse couche et la rupture avec le père de l'enfant qui n'a jamais vu le jour, je suis partie pour l'Inde et le Népal.

Dans un ashram, accompagnée par un gourou et entourée de pèlerins comme elle, ou seule en montagne à contempler les neiges éternelles de l'Himalaya, elle cherchait La Clef, pour en finir une fois pour toutes avec le grand malaise existentiel !

— J'ai trouvé un cadenas fermé et une combinaison. C'était toujours ça de pris ! lance-t-elle en riant.

De retour dans ses Laurentides natales, malgré l'amour des siens, elle étouffait. Elle a entendu une petite voix et elle l'a écoutée : c'était l'appel du Nord.

Pour la deuxième fois, elle a tout laissé derrière elle : un «chum pas pire», un emploi stable et bien rémunéré, un appartement douillet, coquet, spacieux. Vite, très vite, elle s'est envolée pour les Rocheuses, où elle a pleinement profité de son statut de touriste, avant de choisir son pays d'adoption, le Yukon; parce qu'ici, ça respire bien.

— Puis j'ai rencontré Sabrina Rasa, ajoute-t-elle.

Rasa, l'anagramme de mon prénom. Je n'ai pas le temps d'en faire la remarque à Sylvie qu'elle mentionne :

— En sanskrit, *Rasa* signifie «sève, essence, plaisir, saveur».

Intriguée, je demande :

— Qui est Sabrina?

Cette fois, Sylvie me sourit sans répondre. Je ne cherche pas à percer le mystère Sabrina, même si j'en meurs d'envie.

— Et toi? me dit-elle.

Moi? Je prendrais bien une gorgée de thé s'il en restait dans ma tasse.

Je n'évoque pas le Conservatoire, ni mes années passées à Toronto, ni la mort de ma mère, ni mon amour platonique pour Sylvain, ni mon amitié avec Greta, ni mes retrouvailles avec Emmanuel.

Pourquoi est-ce que je parle autant de mon premier amour? Ma rencontre avec Serge. Mon amour pour Serge. La mort de Serge. Mon désir de le rejoindre. Ma rencontre avec lui au bord de la lumière blanche. Ma présumée mort. Mon retour ici-bas.

Serge-Serge-Serge.

À force de paroles, ma bouche devient pâteuse.

— Qu'est-ce que tu cherches, Sara? me demande Sylvie.

Sa question me laisse bouche bée. Je passe ma langue entre mes lèvres avant de répondre machinalement :

— Je ne sais pas.

Réponse insatisfaisante. Le regard de Sylvie me piège. Je l'esquive.

Qu'est-ce que je cherche? Je ferme les yeux. Il est vrai qu'ici ça respire bien.

— Ce petit quelque chose qui n'a pas de nom et qui me manque tant.

Cette réplique a glissé de mes lèvres. Dérangeante.

Une boule bien ronde et d'une infinie tristesse roule dans ma poitrine, monte jusqu'à ma gorge et se coince. Dans ce pur et vaste silence, il me semble qu'on peut l'entendre contre mon gosier.

— Demain, je suis en congé; si tu veux, je te ferai visiter les environs. À présent, il est l'heure que je dorme, me dit Sylvie en se levant.

— Je verrai Sylvain?

— On passera au théâtre lui dire bonjour, me répond-elle en bâillant.

Sylvie ramasse sa tasse et la théière. Je me sens comme un escargot sans coque. Je voudrais que la gitane du Nord reste encore un peu.

— N'attends pas que le soleil se couche, Sara! Il n'en fera rien, ajoute-t-elle en me quittant.

CHAPITRE 105

— Salut, trésor ! Je suis content de te voir ! s'exclame Sylvain entre deux bisous furtifs.

— Ça me fait plaisir aussi de te revoir. C'est surtout très gentil à toi de m'avoir invitée à Whitehorse, mon chou ! dis-je, légèrement ironique.

Sylvain daigne enfin décrocher son regard de la scène pour m'accorder quelques secondes d'attention.

— Désolé d'être si peu disponible, Sara. Après la première, ce sera différent. Nous irons à Skagway, en Alaska, marcher sur les traces des chercheurs d'or ! *No, Terry ! Excuse me*, Sara, ajoute-t-il après avoir crié à la tête de la décoratrice.

Deux points d'interrogation clairement estampillés dans les yeux, Terry s'empare d'un pan de mur illustrant un morceau de ciel.

Je réplique :

— *Sorry*, très cher ! Nous y allons maintenant, Sylvie et moi !

— Où ça ? demande le metteur en scène affairé, sans détourner son regard du bout de ciel que Terry, exaspérée, déplace à nouveau.

— Skagway, Alaska !

— Chouette ! lance-t-il sur un ton plat comme une plaine.

— Tu l'as dit, mon kiki !

De toute façon, Sylvain ne s'inquiète pas pour moi : je suis entre bonnes mains, pas vrai ?

— Toi, Sylvie, ça va ? ajoute-t-il en faisant signe à Terry de placer le panneau un peu plus à droite.

— Très bien, répond Sylvie.

Bien entendu, la gitane du Nord et moi aurons droit aux meilleurs sièges pour assister à cette fameuse pièce : *Together and Without Us.*

— En passant, Sylvain, ça te va bien, le vert olive !

Tout de marron vêtu, mon ami ne comprend pas mon compliment.

J'ajoute :

— Je parle de ton teint, mon coco !

— *Ciao*, Sara ! *Ciao*, Sylvie ! Et merci d'être venues.

C'est ça, nous repasserons ! À bientôt ! Merde pour ton *show* ! Et *thank you* pour les bises, *dear Sir Labrise* !

— Tu viens, Sara ? Le désert nous attend, me dit Sylvie.

Certaine que la gitane du Nord se fiche de moi, je réplique :

— Un chameau avec ça ?

Je me suis complètement gourée. Sylvie ne blaguait pas. En direction de l'Alaska, nous nous arrêtons à Carcross et faisons le tour du plus petit désert du monde.

CHAPITRE 106

— Si tu continues, Sara, nous n'arriverons jamais à destination, s'exclame Sylvie.

À tout bout de champ, je demande à ma guide et chauffeuse d'immobiliser son camion.

Les mots me manquent pour dépeindre la beauté sans fin qui s'offre à mon regard proportionnellement avide. Je veux tout capter sur pellicule : les montagnes gigantesques, les arbres centenaires hauts comme trois pommes, les lacs, les oiseaux, la végétation, la lumière, l'immensité.

— On peut y aller, dis-je en redéposant mon appareil photo sur mes genoux.

Grandioses, les paysages défilent en laissant en moi des traces de pur enchantement.

Littéralement pâmée, je dis à Sylvie :

— Cela s'appelle la paix !

Maman aurait dit : la Sacro-Sainte-Paix !

La gitane du Nord tourne la tête dans ma direction. J'ai droit à son sourire.

En quelques heures, nous franchissons la White Pass, à près de neuf cents mètres d'altitude. Puis nous descendons au niveau de la mer où nous dégustons, à Skagway, de succulents poissons bien mérités.

Après le repas, nous marchons sur ces trottoirs de bois de l'Alaska qui me racontent la ruée vers l'or.

La machine à voyager à pied dans le temps me conduit à la fin du dix-neuvième siècle, en plein Far West. Fifine dite La Douce, mon audacieuse ancêtre, pourrait se trouver ici, devant le *Red Onion Saloon*. Frondeuse, le regard malicieux, belle à faire pâmer les chercheurs d'or. Sans se douter, bien sûr, que l'homme de sa vie l'attend à Dawson City.

— Notre expédition n'est pas terminée, me glisse à l'oreille ma gitane du Nord préférée.

Je reviens à la fin du vingtième siècle.

— Où allons-nous, à présent ?

— Pour l'instant, prendre une bonne nuit de sommeil. Demain, c'est une autre histoire, me répond-elle, l'air et le ton très mystérieux.

Piquée à vif, ma curiosité quémande au moins un indice.

— Il n'en est pas question ! tranche la gitane, avec toute la détermination du monde dans sa voix.

CHAPITRE 107

Je ne sais toujours pas où nous allons. Tout au long du trajet, Sylvie refuse de me vendre la mèche. Dès que je tente de lui tirer les vers du nez, elle répète :

— Inutile d'insister.

Après de longues heures parcourues presque en silence, la gitane du Nord s'arrête enfin.

Sur un panneau de bois, j'aperçois les mots : *Little Eden River*.

— Attends-moi, je reviens, dit-elle en me jetant un regard taquin.

Elle ouvre sa portière, descend du camion, se dirige vers une cabine près de la rivière, puis disparaît à l'intérieur.

Elle ressort aussitôt accompagnée d'un homme des Premières Nations. Ici, nous ne prononçons jamais le mot « autochtone ».

Ils échangent quelques paroles qui, bien sûr, échappent à mon ouïe. À présent, ils rigolent en jetant un coup d'œil dans ma direction. Sylvie me fait signe de venir.

Je la rejoins, et nous nous rendons en silence au bord de l'eau. L'homme pointe le doigt vers une chaloupe. Sylvie le remercie. L'homme s'en retourne après nous avoir saluées discrètement.

— Tu viens? demande la gitane en prenant place dans l'embarcation.

Je la rejoins.

Elle commence à ramer.

Nous entamons notre périple sur la Petite rivière Éden, le motif de l'expédition toujours aussi farouchement gardé secret.

*

L'ombre d'une cabane se dessine au loin.

CHAPITRE 108

— Sara, je te présente Sabrina Rasa.

Toute de blanc vêtue, cette femme porte de longs cheveux de la même teinte relevés en queue de cheval. Le regard gris de Sabrina Rasa me pénètre de la tête aux pieds. J'en frissonne.

— Je t'attendais, me dit-elle.

Sa réplique m'intrigue. Je lance un regard interrogateur à Sylvie, qui ne répond pas.

Sabrina s'approche de moi, souriante, me prend dans ses bras, me serre.

La boule, la fichue boule remonte jusqu'à ma gorge puis l'égratigne. Je me dégage de l'étreinte de cette femme.

Au sommet d'un arbre très grand, derrière la cabane, j'aperçois un nid gigantesque. Je suis très impressionnée.

— C'est un couple de pygargues à tête blanche qui l'a construit il y a une quinzaine d'années. Avec le temps, ils l'ont rénové et agrandi, me dit Sabrina.

Sylvie m'apprend que cet aigle monogame est l'emblème des États-Unis.

— Bon, je vous laisse, ajoute Sylvie en s'avançant vers Sabrina.

Elle lui fait une accolade, revient vers moi et me glisse à l'oreille :

— C'est mon cadeau.

Je ne comprends rien à ce qui se passe. La gitane du Nord me fait la bise et retourne vers la chaloupe.

Bouche bée, je la regarde s'installer dans l'embarcation. Je me mets à courir en direction de la rivière en criant :

— Eh! Attends-moi!

J'arrive nez à nez avec quatre énormes chiens aux yeux bleus. J'espère de tout mon cœur que ce sont des chiens! Peu importe, ils m'effraient.

Je recule sur la pointe des pieds pour ne pas déranger les monstres. Je bute sur... un traîneau.

Je reprends mon souffle. Je reprends ma course.

Sylvie m'envoie la main puis commence à ramer. Je suis sûre qu'elle blague. Cela n'empêche pas la peur de s'insinuer dans mon esprit ni les battements de mon cœur de s'accélérer.

La gitane du Nord ne blague pas. Sans la moindre explication, elle m'abandonne ici, en compagnie d'une étrangère, parmi des loups ou des chiens, et des aigles.

Sabrina me rejoint au bord de la rivière. Elle pose une main sur mon épaule.

Son regard gris et profond ne m'apaise pas.

Je m'empresse de me parler intérieurement : « Sara Lemieux, reste calme. Jusqu'ici, tout est normal. Tu es au Yukon. Le bon ami que tu étais venue rejoindre te refile à sa copine que tu connais à peine. Celle-ci t'entraîne puis t'abandonne au fond des bois chez une vieille femme que tu ne connais pas du tout. D'accord, l'enchaînement des événements te paraît louche et tu trouves cette Sabrina Rasa bizarre. Ce n'est pas une raison pour s'énerver! »

Comme je tourne la tête, les ossements suspendus aux branches d'un arbre me sautent aux yeux. J'en ai la chair de poule.

— Des offrandes à la grande maîtresse, me dit Sabrina posément.

Très rassurant!

CHAPITRE 109

Sabrina Rasa m'invite à prendre place à la petite table près de la fenêtre. Elle allume une bougie, la dépose au centre, puis s'assoit. Elle contemple la flamme. Son visage rayonne.

J'ai hâte en bibite de savoir où elle veut en venir.

Sabrina lève enfin les yeux vers moi.

— Je dis les choses une fois. Après, tu en fais ce que tu veux. Je peux t'indiquer comment te rendre. Toi, tu fais le chemin ou non.

Elle a parlé lentement et tout bas. J'attends la suite avec impatience.

Le regard brillant de Sabrina se pose sur mes mains qui se tortillent, puis replonge dans le mien.

— Descends à ta source. Tout est là. Le chemin pour s'y rendre est simple. Ce qui est difficile, c'est de continuer, ajoute-t-elle.

J'attends encore, des précisions, des explications.

Sabrina souffle sur la bougie, se lève, me montre le lit de bois où je dormirai, au fond de la pièce, près du poêle éteint et de la fenêtre nue.

Le malaise qui m'accompagne depuis mon arrivée ici ne se dissipe pas.

— Bonne nuit, Sara, me dit-elle.

Sabrina esquisse un sourire. Je ne réussis pas à le lui rendre.

L'étrange dame disparaît derrière la peau de daim usée qui délimite l'espace de sa chambre.

Qu'est-ce que je fais ici ? Je n'ai rien compris à son charabia d'ermite à tête blanche.

CHAPITRE 110

Little Eden River, Yukon

Cette femme sans âge au visage lisse me rend folle ! Si elle prononce trois mots dans une journée, c'est un record ! Et c'est bien parce que je lui ai posé une question ! Inutile d'avoir un doctorat en psychologie pour diagnostiquer que Sabrina Rasa, ermite de son métier, souffre de misanthropie aiguë.

Tout de même, cet après-midi, elle a daigné me placoter un peu de sa religion : Dame Nature, sa grande maîtresse, qui lui enseigne tout. J'ai failli tomber en bas de la grosse roche sur laquelle j'étais assise lorsque Dame Sabrina a prononcé deux phrases d'affilée.

En ce qui me concerne, je commence à en avoir ras le pompon des petits oiseaux qui nous donnent des concerts gratuits, alors qu'on ne leur a rien demandé, des petits fruits et des herbes qui poussent si généreusement sur le toit de la cabane (ce n'est pas une blague), des petites bêtes qui se retrouvent rôties dans les grands bols de métal, après s'être prises dans les pièges posés à leur intention. Évidemment, une fois les petites bêtes décapitées, éventrées et vidées de leurs tripes et de leur sang, Dame Recluse-Aux-Cheveux-Blancs-Jusqu'aux-Fesses expose leurs peaux en guise d'offrandes à sa dévouée Déesse Mère.

Aujourd'hui, la belle rivière Éden a refusé de partager avec nous ses protégés marins. Malgré notre patience d'ange, elle est restée complètement insensible à l'appel de nos estomacs. Ce soir, j'ai levé le nez sur le repas : de l'écureuil grillé. Je me suis contentée d'infusion aux herbes, de petits fruits bizarres dont j'ignore le nom et c'est tant mieux!

Je ne sais pas ce que la gitane du Nord avait en tête en m'abandonnant ici. Attends qu'elle se montre le bout du nez! Elle aura de mes nouvelles! Et je ne mettrai pas de gants blancs pour les lui donner! Je n'ai pas fait tous ces kilomètres pour venir bouffer de l'écureuil ou du spermophile en compagnie d'une vieille asociale, aux us et coutumes moyenâgeux, coupée de toute civilisation!

Quand je pense que je n'ai même pas un livre avec moi! N'en cherchez pas ici, vous n'en trouverez point. C'est comme les miroirs.

Pour l'instant, le mieux que je puisse faire, c'est de tenter de dormir un peu... ou de continuer à me lamenter auprès de toi, cher bon vieux journal. Pendant ce temps, Sabrina Gaga hurle avec ses louves.

N.B. 1 : Non, les gros pitous que j'ai croisés à mon arrivée n'étaient pas des chiens.

N.B. 2 : Sylvain est-il au courant de ma séquestration?

CHAPITRE 111

Assise sur mon rocher préféré (on dirait vraiment un fauteuil avec des accoudoirs de pierre), j'observe la Petite rivière Éden. Au bord, l'eau reste calme comme dans un lac : sans vague ni remous. Au loin, le courant la pousse violemment vers une chute que l'on n'aperçoit pas d'ici.

Deux forces, l'une fougueuse, l'autre paisible, cohabitent naturellement dans un même espace. Ce processus, que j'ai souvent perçu comme un dilemme, n'a-t-il pas lieu aussi en moi ? Je veux fuir et rester. J'ai envie d'agir, la peur m'en empêche. J'ai confiance et je fonce. Je recule un peu, regrette, reviens, me reprends, fais un pas alors que je voulais en faire trois. Je suis fière et déçue. Je veux laisser tomber et je continue. Je laisse tomber : la peur, pas le but.

Ces mouvements opposés et harmonieux que la nature orchestre sous mes yeux me rassurent.

CHAPITRE 112

Sans horloge ni calendrier ni radio, je ne sais pas quel jour on est. Est-ce le matin ? l'après-midi ? le soir ? la nuit ? Comment savoir avec ce soleil qui ne se couche pas ? Mon seul point de repère temporel, c'est Sabrina lorsqu'elle dort.

Cette clarté nocturne commence à m'exaspérer. En moi, tout est si sombre : boueux, brumeux, venteux, pluvieux. Nommez-les, tout y est !

Mes beaux grands rêves nourrissants pendant si longtemps ressemblent maintenant à des fruits secs : rabougris et difformes. Je n'ai plus de nom, ni d'histoire, ni de pays. Mon passé est devenu flou, comme s'il appartenait à une autre.

Je cherche un sens à ce qui m'arrive. Le trouverai-je au Yukon ?

Les longs silences de Sabrina Rasa me pèsent, comme si on avait attaché des blocs de béton à mes pieds, et qu'on m'avait jetée dans la rivière pour que je m'y enfonce à jamais. J'aurais envie de secouer cette femme en lui criant : « Dis-moi quelque chose avant que je te morde ! » Mais je me tais. Ces petits jeux-là se jouent à deux !

Sabrina m'intimide, me déroute, m'effraie, m'intrigue. Qui est-elle ? D'où vient-elle ? Comment fait-elle pour resplendir autant au cœur de son immense solitude ? Qu'a-t-elle trouvé dans ce recoin de l'univers que mes yeux ne voient pas, que mes oreilles n'entendent pas, que mes doigts ne touchent pas, que ma langue ne goûte pas, que mon nez ne sent pas? Elle se contente de si peu : une cabane au bord de la rivière, la compagnie de ses louves, et cette famille d'aigles à tête blanche. Ne s'ennuie-t-elle jamais? Elle qui ne se regarde jamais dans un miroir, sait-elle même à quoi elle ressemble? Que dois-je apprendre d'elle?

Je commence à être essoufflée de ces longs monologues intérieurs qui talonnent mon esprit. Ils me tiennent compagnie mais ne m'apportent aucune réponse, aucun réconfort.

Je ne sais plus qui parle en moi, et qui a raison de croire ou de douter. Peut-on s'enchevêtrer encore davantage en soi-même?

*

Morphée ne voulait pas de moi. Je suis revenue sur mon rocher, harcelée par les paroles de Sabrina Rasa :

— Descends à ta source. Tout est là. Le chemin pour s'y rendre est simple. Ce qui est difficile, c'est de continuer.

Je ne sais pas où est cette source! Je ne vois pas le chemin pour m'y rendre.

Ma mère m'a dit que je verrais la septième flamme en temps et lieu.

Je ne la vois toujours pas, maman!

En colère et à bout de forces, je me lève, décidée à défier cette nuit claire et entêtée.

Le visage de Mandoline s'installe dans mon esprit.

Au cœur de sa nuit noire, mon amie a demandé : « Qui est cette Puissance supérieure? Peut-elle vraiment m'aider? »

Sabrina l'appelle sa grande Maîtresse.

Je hurle :

— Je ne sais pas qui tu es! Je ne sais pas comment te nommer! Je ne sais même pas si tu existes! Mais si tu existes, peux-tu m'aider, moi aussi?

Mes larmes, pesantes comme les silences de Sabrina Rasa, tombent sur le rocher.

CHAPITRE 113

Quelque part en juillet.

S ylvie n'a toujours pas donné signe de vie, et le seul ami que j'ai dans ce pays continue à se soucier de moi comme de sa dernière chemise. J'aurais dû tourner mon idée sept fois dans ma tête avant de m'envoler pour le Yukon ! Je pourrais crever au fond des bois ; qui s'en préoccuperait ?

Je n'ai rien mangé depuis deux jours. La nuit dernière, j'ai à peine dormi et j'ai fait trois fois le même rêve. Perdue dans une chambre blanche, je cherchais désespérément la porte, mais je ne la trouvais pas. Ou bien la poignée me restait dans la main comme j'étais sur le point de la tourner. Puis j'ai fait un horrible cauchemar. J'ai des frissons rien qu'à y repenser.

Je comptais les petites flammes que j'avais reçues de ma mère. Il y en avait six. Je m'apprêtais à recevoir la septième. Confiante, je tendais les mains vers la lumière, paumes ouvertes. Soudain, une hache à la lame argentée s'est abattue brutalement et a tranché mes poignets.

Mes mains sont tombées sur le sol. Je les regardais, paniquée, incapable de les ramasser avec mes moignons saignants. Puis mes mains se sont levées et se sont secouées en quittant la mare de sang.

Elles se sont mises à courir dans l'herbe, semblables à des lutins joyeux, puis elles ont disparu dans la lumière blanche qui m'aveuglait.

Je me suis réveillée terrifiée, en touchant mes doigts. Je les ai comptés trois fois pour être bien certaine qu'il ne m'en manquait aucun

— Sara !

La voix de Sabrina me fait tressaillir. J'échappe mon stylo, le ramasse et referme mon cahier.

La dame en blanc m'aperçoit, assise au bord de la rivière, et se dirige vers moi.

— Le moment est venu, prononce-t-elle.

Mes jours étaient-ils comptés sans que je m'en doute ? Sabrina cache-t-elle une hache dans la poche de son tablier et s'apprête-t-elle à s'en servir ? Cette femme est peut-être cannibale ! Et la gitane du Nord, sa complice !

J'espère de tout mon cœur que je suis juste en train de « paranoïer ».

Sabrina me prend la main. Je détourne la tête pour échapper à ce regard cendré trop clair.

« Le moment est venu », m'a-t-elle dit.

Je vais mourir ! Je sais que je vais mourir ! Je n'ai pas fait ce cauchemar par hasard !

Ce chemin de lumière, je le connais, pourtant. Il m'avait été très difficile d'en revenir, la première fois. J'aurais pu traverser cette bordure pour rester avec Serge. J'y suis même retournée, par la suite, pour y conduire ma mère.

Pourquoi suis-je si effrayée, à présent ?

— Retournes-y.

Stupéfiée par la réplique de Sabrina, je retire violemment ma main de la sienne.

— Tu n'as rien à craindre, je suis avec toi, ajoute-t-elle, la main toujours tendue, mais sans insister.

Je voudrais partir en courant. Pourtant je reste là, prisonnière d'une tristesse sans fond qui me cloue sur place.

Je lève les yeux sur Sabrina.

— Il y a un nœud à défaire ; un nœud resté là-bas, la première fois. Tu dois y retourner.

Sabrina a fermé les yeux.

— À toi de décider, Sara.

Je ne sais plus quoi penser.

— Ferme les yeux, ajoute-t-elle en appuyant sa main sur mon dos.

Elle respire fort. J'hésite à l'écouter. Et si je nageais en plein délire ? Le délire d'une vieille folle recluse au fond des bois ?

— Ta résistance est légitime, dit-elle encore.

Je ne peux rien formuler en pensée sans qu'elle le capte.

— Je suis désolée, Sabrina. Ce n'est pas ce que je voulais dire.

— Oui, c'est ce que tu pensais. Tu n'as pas à t'en justifier.

Cette femme lit en moi comme dans un livre ouvert. C'est terrifiant !

— Une fois ce nœud défait, tu sauras où aller et comment t'y rendre.

Mon souffle devient saccadé. Cette maudite boule remonte dans ma gorge. J'ai du mal à avaler ma salive.

— Je t'accompagne, ajoute Sabrina.

La pression de sa main sur mon dos m'exaspère. Je me raidis comme une barre de fer.

Sabrina cesse le mouvement circulaire de sa main, sans la retirer. J'ai soudain très peur de casser en deux.

— Je suis là, Sara. Tu n'es pas seule.

Le barrage saute. J'éclate en sanglots. Je me mets à haleter, au point d'en avoir des vertiges. Je vais me briser, Sabrina. Je te jure que je vais me briser !

— Je t'assure que non, Sara. Tu n'as qu'à suivre mon souffle, doucement, tout doucement.

Je m'accroche à ses mots, à son rythme respiratoire. Je... je capitule... malgré moi... je n'ai plus la force de lutter.

Qu'est-ce que j'ai à perdre, après tout ?

— Cette boule dans ta gorge, c'est l'obstacle qui t'empêche d'avancer, me dit Sabrina.

En es-tu sûre ?

— Je te le promets, Sara, ajoute-t-elle.

CHAPITRE 114

—Respire, Sara, me dit Sabrina. La respiration est la clef du passage, je sais.

Je respire.

— À présent, concentre-toi sur la lumière, ajoute-t-elle.

Je n'y arrive pas. Un essaim de pensées parasites bourdonnent dans ma tête et brouillent mon champ de vision.

— Ne lutte pas. Elles vont passer, comme des nuages.

Je me détends peu à peu.

Je me sens plus légère. De plus en plus.

Si légère, tout à coup.

La lumière ne m'aveugle pas. Elle est blanche, blanche et délicieusement attirante.

Je connais le chemin du retour. Rassurée, maman s'apprête à traverser. C'est ici que nos routes se séparent. Je lui dis adieu. Son regard me pénètre avec une intensité infinie. Je suis l'amour que je reçois d'elle. Elle marche dans la lumière. Je refais le trajet en sens inverse.

— Mais encore? fait Sabrina.

Sur le lit d'hôpital, j'aperçois mon corps, inerte comme un cadavre. Je le regarde et cela ne m'effraie pas.

— Ensuite?

Un pas. Un tout petit pas, et je n'aurais plus à traîner le poids de la vie, là-bas, dans ma carcasse étroite.

Ma mère pousse un grand cri de désespoir en m'appelant : «Sara! Sara! Sara!»

Serge a traversé de l'autre côté.

Sabrina m'incite à repartir :

— Là-bas, dans quelques minutes, il sera trop tard.

Le temps n'existe pas ici. Une seconde ou l'éternité, c'est du pareil au même.

Dans un couloir de l'hôpital, on a transporté le corps de Sara Lemieux jusqu'à la salle d'opération.

Un pas. Un tout petit pas, et je rejoindrai Serge.

Sur la table d'opération, le chirurgien s'apprête à ouvrir le corps de Sara Lemieux.

Je suis libre de franchir ou non cette limite.

Un pas. Un tout petit pas.

Retourner là-bas? Pourquoi?

Un pas. Un tout petit pas. Et j'oublierai qu'une enveloppe charnelle m'attend là-bas.

— SARA! SARA! SARA!

Pourquoi?

Pour faire quoi?

Un pas.

— Quel pas, Sara? me demande Sabrina.

— Je l'ignore.

— Tu le sais.

— Non, j'ai oublié.

— Rappelle-toi, Sara. Rappelle-toi, insiste-t-elle.

Je ne vois rien.

— Concentre-toi, me dit-elle.

— J'entends... une voix... très douce... Non, je ne l'entends plus...

— Fais un effort, Sara!

— ... comme une étincelle pour éclairer ma route...

— Que dit cette voix?

—... raconte cette histoire !

Je ne suis pas Shakespeare ni Juliette. Je suis Sara Lemieux.

— Que se passe-t-il, Sara ?

Si je ne rentre pas dans ce joli petit corps sur le point d'être charcuté, qui pourra évoquer l'histoire de SERGE ET SARA ?

— Qu'attends-tu pour la raconter ? me demande Sabrina.

Je m'écrie :

— Je ne peux pas !

— Oui, tu le peux. Tu es la seule à pouvoir défaire ce nœud. À présent, reviens.

CHAPITRE 115

J'ouvre les yeux.

Agenouillée à côté de moi, Sabrina retire sa main de la mienne en me souriant. Elle m'embrasse sur le front puis se lève. J'ai le réflexe de vouloir la retenir, mais je n'en fais rien.

La vieille dame aux cheveux blancs marche vers sa cabane en rondins. En passant sous les arbres aux branches chargées d'offrandes, elle croise dame pygargue. Sabrina tend son bras à l'oiselle qui s'empresse de s'y poser.

Elles poursuivent leur route ensemble.

Je me tourne en direction de la rivière. Pour la première fois depuis mon arrivée ici, je porte attention aux collines qui surplombent la rive d'en face. On dirait qu'elles sont sous la protection des montagnes au loin. L'une d'elles est encore coiffée de son bonnet de neige.

Deux grosses larmes perlent en bordure de mes paupières. Je me sens devenir toute petite : un point infime projeté sur un écran géant.

Les deux larmes, douces et chaudes, glissent à l'aise sur mes joues, comme des enfants en toboggan s'abandonnent au plaisir de la descente, confiants et joyeux.

Ces deux petites gouttes d'eau qui coulent sur ma peau portent en elles tous les océans du monde.

Omega : le commencement et la fin.

Je sens des picotements dans les doigts de ma main droite. La septième flamme dont m'avait parlé maman.

Je m'entends me dire tout bas :

— Raconte cette histoire.

Je prends mon stylo. J'ouvre mon cahier. J'écris sur la première ligne : *La Lumière blanche*

On se croirait en plein roman fantastique. Ma mère est au bord de la crise de nerfs. L'ambulance vient d'arriver.

Deux types, l'un gros, l'autre pas, s'amènent dans ma chambre avec une civière. Ils ont bel et bien l'intention de me clouer dessus...

CHAPITRE 116

Sabrina s'apprête à faire la salutation au soleil. Ai-je donc écrit toute la nuit?

Je peux bien avoir une crampe dans la main droite.

Je dépose mon cahier sur la pierre où j'étais assise et je me lève. Je suis dans un état second, comme si j'avais bu trop d'alcool. Je rejoins tout de même Sabrina.

Elle me sourit.

Je la prends par la main. Elle presse la mienne.

— Ça y est, Sabrina! J'ai commencé!

Sabrina me dit «je sais» avec ses yeux.

J'ai envie de hurler, de pleurer et de rire à la fois, de sauter, de dormir, de trouver les mots pour la remercier, et pour m'excuser de l'avoir jugée comme je l'ai fait. J'ai envie de lui dire qu'elle est la grand-mère que j'aurais voulu avoir.

Je me jette à son cou et la serre très fort contre moi. Elle flatte mes cheveux.

— Sabrina, apprends-moi à le saluer, ton soleil qui ne se couche pas.

Dans le nid gigantesque, la famille pygargue dort encore.

CHAPITRE 117

Je me trouve à l'entrée d'une église et me demande ce que je suis venue y faire. J'entreprends tout de même de longer l'allée centrale.

Je suis seule. Le silence me dérange.

En levant la tête, j'aperçois, au centre des vitraux rouges et bleus, deux lettres dorées, en relief : SL. Quelle coïncidence! ce sont mes initiales.

À présent, mon regard est attiré à ma droite. Je m'y dirige aussitôt.

Parmi des centaines de lampions, une seule flamme brûle.

— Brise le verre, me dit une voix que je ne connais pas.

Je me retourne vers la voix. Personne. Tout ce que j'entends, c'est ma respiration, et cela me gêne.

— Brise le verre, répète la voix.

On me demande de casser le seul lampion allumé. Je suis sur le point de répliquer qu'il fera très noir si je le fais. En plus, je risque de me blesser les mains avec le verre et le feu. La voix ajoute :

— Rappelle-toi, Sara, la septième flamme.

Je suis saisie par ces paroles, et cette fois je n'hésite pas à m'emparer du lampion.

Une fois entre mes mains, le récipient se liquéfie. Sa substance se mêle à la flamme qui danse dans ma paume sans me brûler. Le feu pénètre ma peau. Je ne sens qu'un léger picotement, et cela me rend très joyeuse.

Les vitraux soudainement arrachés aux fenêtres tombent sur le sol et se fracassent sans faire le moindre bruit. Mes initiales, elles, ne sont pas abîmées.

La voix éclate à présent en un grand rire qui résonne.

Il me semble connaître cette voix, mais je n'en suis pas sûre. Si, ça y est ! Mais... cette voix est la mienne.

Quelqu'un vient à ma rencontre. Qui est-ce ? Je ne peux le distinguer. Les rayons du soleil qui entrent par les ouvertures des fenêtres m'éblouissent complètement.

J'ouvre les yeux, vraiment éblouie par les rayons qui envahissent la cabane aux fenêtres nues.

Quel rêve curieux et beau ai-je fait !

Une faim de loup du nord me tenaille, et je m'en lèche d'avance les babines.

Je sors du lit en sifflant.

Tiens, Sabrina a retiré la cloison de peau qui délimitait l'espace de sa chambre. Curieuse, je m'avance pour jeter un coup d'œil. Son lit de bois rond est identique au mien. Un seul autre meuble orne les lieux : une table de chevet taillée dans un tronc d'arbre.

Je ne m'aventure pas plus près.

Sur la table de cuisine, appuyés contre le petit chandelier, je trouve un mot et un dessin de Sabrina. Elle me demande d'aller cueillir les petits fruits rouges à l'endroit indiqué sur le plan qu'elle a tracé. Elle insiste pour que j'enfile d'abord la tunique qu'elle a déposée pour moi sur le dossier de la chaise.

Sabrina me demande de porter ce qui d'habitude lui sert de rideau ! Quelle femme étrange ! Décidément, je ne réussirai jamais à en déchiffrer toute l'énigme !

J'acquiesce tout de même à cette requête aussi farfelue que mystérieuse.

CHAPITRE 118

Depuis tout à l'heure, j'avance sur le sentier que Sabrina m'a indiqué, mais je n'y vois aucun petit fruit rouge.

Oh non ! Ce n'est pas vrai !

Immobile comme une statue, son regard se fixe sur moi.

Me voici nez à nez avec la plus grosse des louves. Elle a beau être l'amie de Sabrina, moi, elle ne me connaît ni d'Ève ni d'Adam.

J'envisage de repartir discrètement par où je suis venue. En me retournant, je me trouve face à ses trois copines au regard tout aussi vif.

Je suis cernée. Que dois-je faire ? Je ne parle pas leur langue comme Sabrina !

La plus corpulente des quatre semble avoir flairé une proie. S'apprête-t-elle à m'attaquer ? Me prend-elle pour une biche ? Mais pourquoi Sabrina a-t-elle insisté pour que je porte cette tunique de peau ? De tout mon cœur, je souhaite que mon odeur de femme arrive jusqu'à elle. Les loups ne mangent pas les humains, il me semble, à moins d'être enragés ou affamés.

La louve me dévisage. Je ne bouge plus.

Devrais-je lui parler ? Tenter de l'amadouer ? Ma voix risque-t-elle de l'agresser ? Comment Sabrina s'y est-elle prise pour apprivoiser ces bêtes sans les domestiquer pour autant ?

J'ignore vraiment quelle attitude adopter. La louve continue de m'observer. Je ne bouge toujours pas.

— Je ne te veux aucun mal. Je cherche les petits fruits rouges pour Sabrina, lui dis-je de ma voix la plus douce.

La louve ne bronche pas. Moi non plus. J'amorce discrètement un pas à reculons. Elle en fait un vers l'avant.

La frousse me prend. Une idée folle traverse mon esprit. Je m'accroche à elle puisque je n'en ai pas d'autre.

Je plonge mon regard au plus profond de celui de la louve et je commence à hurler.

Je hurle. De plus en plus fort. Un hurlement avec un pleur dedans.

Surprise, mon observatrice détache son regard de moi et tourne la tête en direction des siennes.

On dirait que la bande se concerte à mon sujet. Que se disent-elles?

La peur persiste à m'ouvrir grand ses bras. Je ne peux pas me permettre d'y succomber.

La louve se tourne de nouveau vers moi. Je soutiens son regard de toutes mes forces, en interdisant à mes jambes de trembler.

Elle fait un pas en avant. Je ne bouge pas, mais j'inspire très profondément.

Les trois louves restées un peu en retrait vont se coucher dans les broussailles, près d'un arbre, à une dizaine de mètres. La quatrième vient à ma rencontre. J'envisage de m'étendre, moi aussi, en espérant que cette position de soumission la rassurera.

Je n'en ai pas le temps. Le museau de l'animal renifle mon mollet droit, puis mon genou.

Doux-doux, me dis-je sans émettre le moindre son.

Du bout de son museau, la louve pousse sur ma cuisse. Je ne saisis pas sa demande. Je n'ose toujours pas broncher. Elle insiste en poussant plus fort.

— Mais qu'est-ce que tu veux? m'entends-je lui demander doucement mais avec un soupçon d'exaspération dans la voix.

Puis ma main droite, indépendante de ma volonté, s'approche du museau qui cesse aussitôt de pousser contre ma cuisse.

Cette main qui n'a pas peur se laisse humer, paume tendue à présent. Puis elle se pose sur la tête poilue qui se penche et commence à la flatter. Je caresse la louve, comme si c'était ce qu'il y avait de plus naturel au monde; émerveillée par ce qui se passe entre cette bête et moi.

— Tu es belle, tu sais, lui dis-je, apaisée par cette confiance mutuelle fraîchement installée.

Son beau regard cendré ne me lâche pas.

De légers picotements démangent le bout de mes doigts.

La femelle pygargue vient se poser sur ma main. C'est hallucinant !

— Aime. Aime d'abord la peur qui te tenaille. Elle te rappelle que tu es plus forte qu'elle. Aime ensuite le pas que tu fais lorsque tu la dépasses. Aime chaque caillou trouvé sur ta route, que tu trébuches dessus ou non. Ils sont en toi. Regarde droit devant et marche jusqu'à la rivière. Elle est en toi, elle aussi. Va jusqu'à elle autant de fois que tu auras besoin de te ressourcer. La cabane aussi est en toi. Va t'y reposer et t'y réchauffer. Et tu sais que dans le bois, juste à côté de ta cabane, une louve te donne rendez-vous. Tu sais qu'elle ne te veut aucun mal. Tu es louve, cabane, rivière, pygargue aussi, perchée dans l'arbre qui croît au cœur de ton cœur. Tu es colline au bord de la rivière et montagne au loin. Va, à présent. Et aime.

L'aigle à tête blanche s'envole. La louve retire doucement sa tête de sous ma main. Je sens une grande chaleur au creux de ma paume.

La septième flamme, je la verrais en temps et lieu, disait maman dans le rêve.

Les trois autres louves nous observent avec grand intérêt. Puis, parmi elles, Sabrina apparaît. Depuis combien de temps était-elle cachée derrière cet arbre ?

Cette oiselle m'a parlé. À l'intérieur de moi elle parlait.

Ma louve, qui a rejoint les autres, se couche aux pieds de Sabrina.

Dame Sabrina, elle, se penche pour prendre un panier rempli de petits fruits rouges. Dame pygargue atterrit sur son épaule.

Le sourire de Sabrina en dit long mais n'expliquera rien.

CHAPITRE 119

*B*onjour, Sara,

Tu dormais comme un gros bébé roulé en boule. Je n'ai pas osé te réveiller. Fais comme chez toi; il y a tout ce qu'il faut dans le frigo et sous le balcon : canot, kayak, jumelles. Au besoin, tu peux me rejoindre à l'A.F.Y. (l'Association franco-yukonnaise).

À plus tard,

La gitane du Nord

P.-S. : J'adore le surnom que tu m'as donné. Je vais le garder.

Avant de déjeuner dans cette grande pièce baignée de soleil, je décide d'aller saluer le bel astre, à la manière de Sabrina. Puis je marche un peu le long du lac et tourne la tête vers la maison de Sylvie. De l'extérieur, elle a l'air minuscule. On dirait une maison de poupée.

J'aurais pu habiter chez Sylvain, en ville. J'ai choisi de revenir chez la gitane du Nord pour écrire tranquille, au bord de l'eau.

— J'ai trouvé là-bas une inspiration au-delà de mes espérances pour achever ma pièce. Je suis mal placé pour ne pas comprendre ta préférence, m'a dit mon bon ami.

Moi, cependant, je n'ai pratiquement rien compris à sa pièce. Il faudrait que je la revoie.

La vraie vérité, c'est que j'avais très hâte de me retrouver en tête-à-tête avec Sylvie pour parler de ce qui s'était passé chez Sabrina.

La vie a de drôles de tours dans son sac. J'étais venue au Yukon pour voir Sylvain, et je l'aurai à peine croisé. À mon arrivée, l'indisponibilité de mon ami m'avait fait rager. Quel beau cadeau, pourtant, ce « rendez-vous manqué » m'a offert en plaçant la gitane du Nord sur mon chemin !

Bon, assez jonglé. Comme je l'ai promis à Sabrina, je vais de ce pas poursuivre ma *Lumière blanche.*

CHAPITRE 120

— Cette fois, tu ne peux pas me refuser!
Qui a dit ça? Oh, mais c'est Gabriel La Mouche!
— *Enchantée, moi c'est Kina Maringouin!*
— *Qu'est-ce que tu dis?*
— Excuse-moi de te déranger en pleine inspiration.
— Tu m'as fait peur, dis-je à Sylvie, qui rentre de Whitehorse.
J'ai beaucoup de mal à quitter le *party* d'insectes où mon héroïne s'apprêtait à danser un *slow*.
— Sara, j'ai vu Sylvain, cet après-midi. Je sais que tu n'es pas venue au Yukon dans cette intention, mais que dirais-tu de travailler dans la région?
La voix de ma gitane du Nord me ramène au bord du lac Marsh.
— Non merci.
L'écriture, ce n'est pas qu'une partie de plaisir! Je travaille!
— Tu ne veux même pas savoir de quel emploi il s'agit? ajoute-t-elle.
Puisqu'elle insiste, je l'interroge du regard.
— Dawson City, danseuse de french-cancan! s'exclame-t-elle.
J'éclate de rire, absolument incrédule.

— Je ne te niaise pas, m'assure Sylvie, toujours aussi sérieuse qu'une papesse. Nadine, une de nos copines qui fait partie de la troupe du Crazy Whitehorse, s'est blessée à la cheville, hier soir. Sylvain a tout de suite pensé à toi.

Sonnée, je m'écrie :

— Tu as dit au Crazy Whitehorse ?

La gitane du Nord acquiesce. Je n'en reviens tout simplement pas.

— Mais je ne connais rien au french-cancan.

— Sylvain prétend que tu peux l'apprendre très rapidement.

— Ah ! Lui ! On sait bien !

Tout est absolument possible avec un peu de bonne volonté et beaucoup, beaucoup, beaucoup de sueurs ! Froides et chaudes !

— J'ai appris par notre bon ami que tu te débrouilles plutôt bien dans le charleston, la claquette et le baladi, ajoute Sylvie.

Je réfléchis un peu, et vite. Ce contrat inattendu m'offre la possibilité d'aller vivre au bord de la rivière Klondike, dans la ville qui a connu la plus spectaculaire ruée vers l'or au siècle dernier.

Un cabaret, une scène, un public. Crinoline, frous-frous. J'adore danser. Je fais le grand écart.

Moi, Sara Lemieux, danseuse de french-cancan à Dawson City ! Comme Fifine ! La réalité dépasse la fiction, c'est le cas de le dire !

Complot angélique, dirait Marie-Loup.

On ne peut pas passer impunément à côté de son destin, renchérirait Sylvain.

— Tiens : le numéro de téléphone du gérant. Il attend ton appel.

— Sacré Sylvain ! dis-je en prenant la carte professionnelle de monsieur Alexander Pearson.

En voyant mon cahier sur la table, je me ravise :

— Mon texte n'est pas terminé, et je dois absolument...

— L'écrivain Robert Lalonde empêche-t-il le comédien de jouer ? m'interrompt Sylvie, fidèle lectrice de ce grand amoureux de la nature qu'elle a eu le bonheur de rencontrer à l'A.F.Y.

La gitane du Nord m'a piquée juste où il le fallait.

Après s'être éclairci la gorge, elle ajoute, l'air coupable :

— Sylvain viendra te chercher à sept heures demain matin. Il a offert de te conduire à Dawson. Si ça te convient, bien entendu !

CHAPITRE 121

—Bienvenue parmi nous, Sara. Je suis certain que tout ira très bien, me dit Alexander avant de quitter la loge.

Je l'avais imaginé vieux, bedonnant, le dos rond, les tempes grises, le regard baladeur et le visage ravagé par l'alcool et les nuits blanches.

J'ai frappé mon nœud.

Franchement beau, le regard attentif et limpide comme un lac yukonnais, la voix douce et un peu jazzée, rieur, d'une délicatesse et d'une gentillesse déconcertantes; Alexander Pearson aurait pu être *life guard* sur une plage des États et faire damner les jouvencelles vacancières, il y a une quinzaine d'années. Une tête d'ancien jeune premier qui garde, malgré la quarantaine naissante, des allures d'éternel adolescent.

— Regarde, mais pas touche! me chuchote Amy-Lee, l'une des trois danseuses avec qui je partage une petite maison au bord de la rivière Klondike pour le reste de l'été.

J'ai sursauté comme une enfant prise en faute, la main sur le pot de confiture. Ma compagne a-t-elle télépathiquement capté la description que je me faisais du grand patron du Crazy Whitehorse? Je me sens rougir comme une fraise au soleil.

— Tout le monde tombe sous le charme d'Alexander : les femmes, les enfants, les animaux, même les hommes, ajoute Amy-Lee.

Marié à une femme des Premières Nations qui ne met jamais les pieds au cabaret, il est, paraît-il, d'une fidélité à toute épreuve.

— Tu te sens d'attaque, Sara ? me demande Amy-Lee.

— Mis à part les vertiges, la moiteur et la panique, ça va, lui dis-je en secouant ma robe à frous-frous.

— *Five minutes !* annonce Mark, notre chorégraphe et metteur en scène.

Il me tape un beau gros clin d'œil.

Avant d'entrer en scène, je me rappelle ce que la grande Sarah Bernhardt avait répliqué à une jeune comédienne qui se vantait de ne pas connaître le trac : « Ma chère, le jour où vous aurez du talent, vous aurez le trac. »

Je pense aussi à Fifine dite La Douce, et j'en ai des frissons.

CHAPITRE 122

14 juillet

*D*epuis que j'ai entrepris d'écrire mon récit La Lumière blanche, chez Sabrina, j'accorde bien peu de temps à mon journal.

Ma vie dans l'ancienne cité de l'or est pleine à craquer. Le jour, je remplis des pages et des pages. Cette activité littéraire, d'ailleurs, ne manque pas d'intriguer mes camarades de scène. Comme je l'ai affirmé à Amy, qui étudiera à l'Actors Studio de New York, l'automne prochain :

— Quand je joue, j'habite un personnage. Quand j'écris, ce sont les personnages qui m'habitent. C'est à la fois semblable et différent, mais tout aussi grisant.

Le soir, je danse, toute de frous-frous vêtue. Entre les steppettes et les mots, je passe beaucoup de temps au bord du Klondike, cette rivière que mon ancêtre Orgile a fouillée de ses mains en quête des fameuses pépites dorées qu'il n'a jamais trouvées.

Je ne sais pas comment mon père réagira lorsqu'il apprendra, par ma carte postale, que sa fille est danseuse de french-cancan au Crazy Whitehorse. Comme Fifine La Douce, il y a cent ans.

— Après tout, son sang coule dans tes veines, m'avait-il dit.

Mais qui aurait pu croire que je danserais à ce point sur ses traces ?

N.B. : Un peu plus et j'oubliais de noter la curieuse impression de déjà-vu qui m'a frappée deux fois depuis mon arrivée à Dawson. D'abord, lorsque je suis passée devant la boutique d'Émilie Tremblay, cette grande pionnière qui a donné son nom à l'école francophone de Whitehorse. Ensuite, quand j'ai mis les pieds au cabaret. Avant même qu'Alexander me l'indique, je savais où se trouvait la loge. Bizarre...

Parmi les vieilles photos exposées dans le hall, je suis certaine d'avoir reconnu Zifirine, même si les noms des danseuses ne sont pas mentionnés. Un air de famille...

CHAPITRE 123

16 juillet

Mon bon vieux journal,

*J*e *suis bien émue. J'ai terminé mon récit* La Lumière blanche. *FINI!
Je n'en reviens pas.*

Il s'est d'ailleurs passé un incident cocasse à ce sujet.

*Amy, qui m'entendait verser d'aussi grosses larmes, a poussé la
porte de ma chambre, qui était entrouverte.*

*Qu'a-t-elle vu? Une fille assise au milieu de son lit qui berçait un
cahier en murmurant: «C'est fini! C'est fini!»*

La pensée que je sois completely crazy *lui a vraiment traversé
l'esprit. Ensuite, elle a pensé que je venais d'apprendre une très mauvaise nouvelle.*

J'ai éclaté de rire lorsqu'elle m'a fait part de sa réaction.

Je me sens vidée et soulagée.

*En mettant le point final à cette histoire, j'ai senti que je disais
vraiment adieu à Serge, comme si enfin j'acceptais de le laisser
traverser la lumière blanche.*

*Puis j'ai pensé à Sabrina Rasa. Si elle avait eu le téléphone, je
l'aurais appelée pour lui annoncer: «Le nœud est défait.» J'aurais
tant aimé partager cette joie avec elle.*

À présent, c'est Emmanuel, alias Gabriel dans mon récit, qui occupe mon esprit. Je ressens une peine bizarre. J'écris « bizarre » parce que je ne réussis pas encore à me l'expliquer.

Une chance que tu es là, cher journal, toujours fidèle au rendez-vous. Je m'ennuie de mon gros chat, tout à coup. J'aurais envie de me coller contre lui et de lui chuchoter à l'oreille tout ce que je viens de t'écrire. Comme toi, Willie est un précieux confident.

Bon, pour me détendre, je crois que je m'accorderai un après-midi de lecture au bord de l'eau. Je l'ai bien mérité.

CHAPITRE 124

Dawson City, 17 juillet

Emmanuel,

L'an dernier, j'ai reçu une lettre de Mandoline. Cette amie, que je croyais avoir perdue à jamais, m'a fait signe lorsqu'elle en a été capable ; pas avant. J'ai pensé à elle, tout à l'heure, et à la joie que j'ai ressentie d'entendre à nouveau parler d'elle après toutes ces années. Je t'écris cela sans doute pour me rassurer moi-même.

Voilà : j'en ai mis du temps avant de te donner de mes nouvelles.

L'automne dernier, lorsque j'ai vu le film L'Amant, j'ai pleuré longtemps à cause d'une phrase de l'héroïne. Longtemps. La voici :

« ... elle n'avait pas été sûre tout à coup de ne pas l'avoir aimé d'un amour qu'elle n'avait pas vu parce qu'il s'était perdu dans l'histoire comme l'eau dans le sable et qu'elle retrouvait seulement maintenant à cet instant de la musique jetée à travers la mer. »

Assise au bord du Klondike, je viens de lire le roman de Marguerite Duras. J'ai encore pleuré en lisant cette phrase. Et j'ai pensé à toi.

Récemment, au bord d'une autre rivière yukonnaise, j'ai commencé à écrire une histoire. Je l'ai terminée hier. Elle s'intitule La

Lumière blanche. *Quand je serai de retour à Montréal, j'aimerais que tu la lises.*

D'ici là, crois-le ou non, je suis danseuse de french-cancan au Crazy Whitehorse, où mon arrière-arrière-grand-mère dansait il y a cent ans !

J'ai une vie curieuse. Je ne comprends pas tout d'elle. Pour l'instant, c'est ainsi.

Merci d'avoir été aussi présent, attentionné et patient avec moi. Je sais que je t'ai fait de la peine, et je m'en excuse.

Je t'embrasse,

Sara

CHAPITRE 125

22 juillet

*J*e pourrais intituler mes propos d'aujourd'hui : SABRINA NOS-
TALGIA.

On dit que l'être humain n'en est pas à une contradiction près. Les premiers temps, à Petite rivière Éden, les silences de Sabrina me rendaient folle. À présent, dans le brouhaha du cabaret, l'immense quiétude de cette femme me manque terriblement. Alors je vais me recueillir au bord du Klondike et je commence à m'apaiser. Je cherche en moi cette petite rivière, cette cabane, ces collines et ces montagnes. J'attends la louve. Si je patiente assez longtemps, elle arrive. Je la flatte. Elle appelle dame pygargue. Et l'aigle à tête blanche vient se poser sur ma main. Elle me répète d'aimer chaque caillou trouvé sur ma route, que je trébuche dessus ou non. Il est en moi.

Après, je me sens d'attaque pour danser.

N.B. : Depuis que j'ai achevé La Lumière blanche, *ce que je ressens ressemble beaucoup à une peine d'amour.*

★

Sur une carte postale du Crazy Whitehorse, je viens d'écrire à mon amie Mandoline :

Ai-je trouvé au Yukon ce que tes amis appellent «Puissance supérieure»? Je ne sais pas comment «la» nommer, mais c'est une petite flamme qui brille à l'intérieur de moi.
    À bientôt,

Sara

CHAPITRE 126

Le trac me tue.
Ce n'est pas vrai, on n'en meurt pas. Mais, parfois, il devient particulièrement féroce. C'est le cas ce soir.

Je ne tiens pas en place. Je ne suis pas parlable. Je m'enfarge dans mes frous-frous. Mes mains sont archi-moites, et des engourdissements s'élancent jusqu'au bout de mes doigts.

Un nouvel arrivage de touristes allemands nous attend bruyamment. Ils rivalisent d'impatience avec les Américains, oh, pardon! les États-Uniens, qui sont arrivés avant-hier.

— *Let's go, girls!*

Fifine dite La Douce était-elle aussi paquet de nerfs que moi avant d'entrer en scène?

Cinq, quatre, trois, deux, un, je fonce!

CHAPITRE 127

Je capote. Victime d'une illusion d'optique. Ou d'une halluci-nation. À moins qu'il ne lui ressemble comme une goutte d'eau à une autre.

Son regard me confirme que je n'hallucine pas. Ce spectateur assis au premier rang, les yeux rivés sur moi, ne lui ressemble pas : c'est lui !

Ça n'a aucune espèce de bon sens, mais c'est quand même lui !

Nos regards s'accrochent.

Danse, ma belle ! Danse !

Je transpire à grande eau.

Grand écart.

Que fait-il au Crazy Whitehorse ?

Salut.

Rideau.

CHAPITRE 128

— Je ne capotais pas pour rien ! dis-je à Amy comme nous arrivons dans la loge.

Je m'écroule sur la chaise, dos au miroir. J'essaie de reprendre mon souffle et mes esprits, de peine et de misère.

— Capotais ? Qu'est-ce que ça signifie ? me demande-t-elle en retirant sa coiffe de plumes.

— Être sens dessus dessous ! Virée sur le capot ! Le *top*, si tu aimes mieux ! Toute à l'envers, quoi ! *You understand?*

*

— Tu étais... renversante ! me dit-il en s'approchant à pas hésitants.

Complètement sidérée, la fille !

— Je n'ai pas trouvé tes fleurs préférées à Dawson, ajoute-t-il en me montrant ses mains vides.

Je réussis à articuler :

— Emmanuel. Excuse-moi, je suis sous le choc.

— Moi aussi, figure-toi donc !

Je me lève.

Chacun de nous fait un pas en direction de l'autre.

Emmanuel se penche et m'embrasse sur les joues.

Je lui demande, en secouant la tête :

— Mais qu'est-ce que tu fais à Dawson ?

Je n'en reviens tellement pas de le voir ici !

— Je ne suis pas venu au Yukon pour chercher de l'or, mais pour retrouver une perle rare !

Sa réplique me... me cloue le bec.

Petit silence chargé. De sens et de non-sens. Sabrina, au secours !

— Voyons, Sara, tu sais bien que je n'aurais manqué pour rien au monde ta performance de french-cancan ! Je m'intéresse beaucoup à ta carrière, tu sais ! Et puis, n'avais-tu pas un texte à me faire lire ? ajoute-t-il sur un ton plus léger.

— *Sara, you were wonderful tonight,* me dit notre chorégraphe en passant devant moi.

— *Thanks, Mark.*

Mon regard croise celui d'Emmanuel.

— Eh oui, j'ai traversé les Grands Lacs, les plaines et les montagnes pour toi. Après avoir lu *L'Amant* de Duras, ajoute-t-il, très doucement.

Je suis très gênée tout à coup. Très-très-très gênée.

Je lance :

— Bon, moi, je vais avoir grand besoin de me rafraîchir le gosier !

— Bonne idée ! me dit-il.

— Je me change et je te rejoins au bar !

— À tout à l'heure, fait-il avant de quitter la loge.

— *Very nice boy,* me dit Amy qui a fini de se démaquiller.

Clara et Gyna dite Carmencyta, les deux autres danseuses, ne manquent pas de renchérir en sifflant allègrement et en chœur les premières notes d'une marche nuptiale archi-connue.

Je leur tire la langue puis je m'assois face au miroir illuminé. En m'emparant du pot de démaquillant, je sens les picotements qui recommencent à s'agiter au bout de mes doigts.

Je fais bouger mes mains pour activer ma circulation sanguine.

La pensée qui me traverse l'esprit me secoue.
En me déshabillant, je me surprends à dire :
— Zifirine, tu y comprends quelque chose, toi ?

CHAPITRE 129

Il m'attend à une table, au fond de la salle.

En traversant la pièce, je sens la nervosité m'envahir.

Il me voit.

Je m'assois en face de lui.

Il me demande :

— Et le Yukon ?

Je lui parle de l'immensité, de la lumière rose, des nuits claires, de mon ami Sylvain, de sa pièce, de sa copine Sylvie.

Je ne dis rien à propos de ma rencontre avec Sabrina Rasa.

Je lui demande :

— Et toi ?

— J'ai travaillé très fort. J'étais mûr pour des vacances.

Il s'apprêtait à partir pour l'Europe. Ma lettre lui a fait changer sa destination. Avec plaisir.

— L'Europe, ce sera pour une autre fois, ajoute-t-il.

Il n'en dit pas davantage.

Un ange passe.

Puis un deuxième.

Une armée angélique envahit l'espace. Je ne peux pas la combattre.

— Et ce texte que tu veux me faire lire ? demande-t-il.

— Demain ? dis-je.

— J'ai hâte. J'avais tellement hâte que j'ai troqué Paris pour Dawson City !

Le pire, c'est que c'est vrai, et je n'en reviens tout simplement pas.

CHAPITRE 130

Mon cahier sous le bras, je mords ma lèvre inférieure.
— Es-tu prête? demande Emmanuel, qui vient de s'asseoir au bord du Klondike.

Je lui fais signe que oui et je lui tends *La Lumière blanche*.

Il entame la première page. Je reste debout, me place derrière lui de façon à pouvoir lire par-dessus sa tête.

Je suis rongée par le trac, autant qu'avant d'entrer en scène. Pur calvaire.

Emmanuel tourne la première page.

La bougeotte me démange. Je me mets à mordiller l'intérieur de ma joue.

Il faut que je déguerpisse d'ici au plus sacrant; sinon, je risque de m'adonner à l'autocannibalisme.

— Je vais me promener, dis-je à Emmanuel.

Il n'a même pas levé les yeux.

*

Je ne vais pas loin. En réalité, je rôde, anxieuse, aux alentours de mon lecteur complètement absorbé. Je lui jette un coup d'œil, puis m'éloigne de nouveau, pour revenir aussitôt et repartir aussi vite.

C'est intenable.

CHAPITRE 131

Le cahier déposé sur ses genoux, Emmanuel ne parle pas. Il me regarde.

J'attends. Je ne sais pas quoi au juste, mais j'attends.

— Tu ne t'assois pas ? me demande-t-il enfin.

— Non.

J'aurais envie de me remettre à errer dans les environs. Je me retiens.

Les accusés en attente de leur jugement doivent ressentir une peur semblable.

— Si je te dis que j'ai vibré de la première à la dernière page, tu vas penser que je veux te faire plaisir. Alors je ne le dirai pas.

Je regarde Emmanuel. À demi incrédule, à moitié soulagée, je me laisse tomber dans l'herbe. Au ralenti.

Il affirme avec conviction que je dois absolument publier cette histoire. Je ne dis rien. Je suis contente qu'il ait aimé mon récit. Oui, contente.

Ses sourcils se haussent. Son regard scrute le mien avec insistance.

— Dis donc, Gabriel La Mouche, tu sais, le fatigant qui talonne Kina Maringouin au *party* chez Marie-Dodeline L'Abeille, ce n'est pas moi, par hasard ?

Nous éclatons de rire. Ça fait du bien.

— Je savais que je m'en faisais pour rien, ajoute-t-il en feignant d'être sérieux. Tiens, à défaut de fleurs mauves, me dit-il.

Il passe à mon cou un pendentif fait d'une fine lanière et d'une toute petite pochette en cuir.

Je suis frappée par la texture et la couleur : identiques à la tunique-rideau de Sabrina.

Le contact des doigts d'Emmanuel déclenche un grand frisson qui descend de ma nuque à mes reins.

— Ah, j'oubliais, ajoute-t-il en fouillant dans sa poche. Je l'ai trouvée dans le Klondike.

Il pose au cœur de ma paume une vraie pépite d'or.

Je sais bien qu'elle a été achetée dans une boutique. Il y a belle lurette que cette rivière ne donne plus d'or. Il y a cent ans déjà, Orgile l'a fouillée en vain. Je n'en suis pas moins touchée par ce présent.

— J'espère qu'elle te portera bonheur, Sara.

Nous nous regardons. C'est très doux, tout à coup.

Je range la pépite dans sa pochette, m'approche d'Emmanuel, l'embrasse sur une joue, puis sur l'autre. Le deuxième petit baiser a glissé et s'attarde un peu, à la commissure des lèvres.

Je ferme les yeux, savoure l'instant.

— Merci, dis-je en me dégageant.

— La moitié du plaisir est pour moi, répond-il, le regard brillant, en passant sa main dans mes cheveux.

Puis il ajoute :

— Demain, c'est lundi. La troupe fait relâche.

Il est bien informé.

Emmanuel propose que nous partions à l'aventure, très tôt demain matin. Dans la Jeep qu'il a louée, il y a une petite tente, deux sacs de couchage et une glacière.

Enthousiaste, je réponds :

— C'est une sacrée bonne idée !

CHAPITRE 132

La tente installée, nous déposons les sacs de couchage à l'in-térieur.

— J'ai oublié quelque chose, dit Emmanuel en se retournant.

Il se dirige vers la Jeep.

Je déroule les deux sacs. J'ouvre les fermetures éclair. J'étends un sac sur le sol.

Mon cœur bat de plus en plus fort, de plus en plus vite. Je dépose le deuxième sac sur le premier.

Stairway to Heaven.

Je souris en sortant la tête de la tente. Debout près de la portière ouverte, Emmanuel m'attend.

En allant au-devant de lui, je traduis à haute voix les premières paroles de cette chanson. Notre chanson :

— *Il y a une femme qui est sûre que tout ce qui brille est de l'or. Et elle achète un escalier pour le ciel.*

Les bras d'Emmanuel se tendent vers moi puis m'enlacent. J'appuie ma tête au creux de son épaule. Ses lèvres effleurent le lobe de mon oreille. Son souffle dans mon cou résonne dans ma poitrine qui se gonfle.

Nous dansons, collés-collés, sous les étoiles et les aurores boréales.

— *Chère dame, peux-tu entendre souffler le vent ? Et sais-tu que ton escalier repose sur ce vent chuchotant ?* me traduit-il à son tour.

Je lui demande, en lui mordillant l'oreille :

— Et que chuchote-t-il ?

— *Une dame que nous connaissons marche et brille de la lumière blanche et veut démontrer comment les choses tournent en or,* répond-il.

Jamais les mots de cette chanson ne m'avaient parlé si fort.

J'ajoute :

— *Et si tu écoutes très attentivement, la mélodie viendra à toi enfin.*

— Je suis très attentif, Sara. Très, très, très attentif. Qu'est-ce que tu dis ? susurre-t-il en laissant glisser sa bouche délicatement sur mon cou.

Je le presse très fort contre moi. Je me presse très fort contre lui.

— Je dis « oui ».

Nous avançons, soudés l'un à l'autre, sans interrompre notre danse, même si la chanson est terminée.

Nos lèvres se cherchent, se trouvent, s'entrouvrent.

Nous murmurons puis nous grognons des « oui » gourmands.

Emmanuel me soulève et me porte jusqu'à la tente ; comme on a lu ce genre de scène des centaines et des centaines de fois dans les romans, comme on l'a vue des centaines et des centaines de fois dans les films. Pour nous, elle a lieu dans la réalité, alors je me fous que ça fasse cliché, c'est bon. C'est bon parce que c'est vrai.

Emmanuel me dépose doucement devant la tente.

— Dis donc, Sara, est-ce que tu veux des enfants ? me demande-t-il.

Sa question me surprend.

— Oui, mais pas ce soir, lui dis-je.

Il rit.

— J'ai ce qu'il faut, ne t'inquiète pas.

Je prends soudain un air grave.

— Pour répondre à ta question, oui, je veux des enfants, mais pas sept !

Emmanuel me regarde, intrigué.

— Pourquoi tu dis ça?

Je l'embrasse sur le bout du nez.

— Ça, c'est une autre histoire. Un jour peut-être... je l'écrirai.

Et je souris en portant ma main sur la pochette qui contient la pépite d'or qu'il m'a offerte.

Nous entrons dans la tente.

Emmanuel se penche sur moi, me savoure des yeux.

Mon corps est un «oui» immense, écrit en lettres majuscules sur un pan du réel, et chaque seconde, un coin de paradis trouvé.

— Ce moment-là, Sara Lemieux, je l'ai rêvé, souhaité, imaginé, fantasmé si souvent, espéré pendant si longtemps.

Mon regard se jette dans le bleu de ses yeux, comme on se laisse tomber dans la mer après avoir couru par-delà les vagues fracassantes.

— Alors touche-moi, Emmanuel Ledoux, touche-moi jusqu'au plus profond de l'âme.

Ses doigts déboutonnent mon chemisier, lentement, entre deux baisers furtifs, puis l'entrouvrent légèrement. Sa bouche se pose, tout doucement, si doucement à l'orée de ma poitrine offerte. Ses cheveux s'enroulent autour de mes doigts.

— Je te trouve tellement belle, Sara.

Je te crois, Emmanuel.

Et mes mains soulèvent ton chandail. Et tes mains caressent mon ventre. Et ma bouche embrasse ton torse en sueur. Et nos regards lancent des flammes. Et nos cœurs les reçoivent en hurlant «merci», en hurlant «encore».

Nos jeans glissent.

Nos corps s'unissent, avides et nus, comme des mains cérémonielles se joignent pour la prière. Et tout à coup je sais, je sais que nous prions, ici, dans la Chambre d'Éden.

Ça pourrait être la fin d'un roman, mais la vie, elle, continue!

MEMBRE DU GROUPE SCABRINI

Québec, Canada
2007